EL NUEVO
HIMNARIO POPULAR

EDICION REVISADA Y CORREGIDA

*"Cantaré con el espíritu, mas
cantaré también con el
entendimiento."*
—1 Cor. 14:15.

CASA BAUTISTA DE PUBLICACIONES

PROLOGO

En el Ministerio de la Música de una congregación neotestamentaria se incluye el canto congregacional, la interpretación instrumental y tantas otras expresiones de talentos. El hogar cristiano también incluye canto en su culto cotidiano.

Los himnos inculcan tantas hermosas enseñanzas que podemos valernos de ellos para fortalecer nuestra fe, siempre que éstos vayan de acuerdo con las Sagradas Escrituras. También deben usarse para ganar almas para el Señor.

No olvidemos que la Palabra de Dios nos invita a cantar con júbilo: *Cantad a Jehová cántico nuevo; Cantad a Jehová, toda la tierra. Cantad a Jehová, bendecid su nombre; Anunciad de día en día su salvación.*—Salmo 96:1, 2

Cantad alegres a Dios, habitantes de toda la tierra. Servid a Jehová con alegría; Venid ante su presencia con regocijo.—Salmo 100:1, 2

Porque Dios es el Rey de toda la tierra; Cantad con inteligencia.—Salmo 47:7

Para los que lo prefieran existe una edición del himnario con la letra solamente.

Dediquemos nuestro canto para alabar, glorificar y ensalzar a Dios en el nombre del Padre, del Hijo y del Espíritu Santo. Véase la última página para el *Orden del Culto*.

Esta obra ha sido editada por el Departamento del Ministerio de la Música de la

CASA BAUTISTA DE PUBLICACIONES

Agencias de Distribución: ARGENTINA: Casilla 48, Suc. 3, Buenos Aires; *COLOMBIA:* Apartado Aéreo 15333, Bogotá; *COSTA RICA:* Apartado 1883, San José; *CHILE;* Casilla 1253, Santiago; *ECUADOR:* Casilla 2166, Quito; *ESPAÑA:* Arimón, 22, Barcelona-6; *ESTADOS UNIDOS:* Apartado 4255, El Paso, Texas, 79914; *GUATEMALA:* Apartado 1135, Guatemala; *HONDURAS:* Apartado 279, Tegucigalpa; *MEXICO:* Vizcaínas No. 16, México 1, D. F.; *PARAGUAY:* Casilla 1171, Asunción; *PERU:* Apartado 2562, Lima; *REPUBLICA DOMINICANA:* Apartado 880, Santo Domingo; *URUGUAY:* Casilla 2214, Montevideo; *VENEZUELA:* Apartado 152, Valencia.

EL NUEVO HIMNARIO POPULAR

1 ## Loores Dad A Cristo El Rey

Eduardo Perronet   CORONACION   Oliver Holden

1. Lo - o - res dad a Cris - to el Rey, Su - pre - ma po - tes - tad;
2. Vo - so - tros, hi - jos de Is - ra - el, Re - si - duo de la grey;
3. Gen - ti - les que por gra - cia de él Go - záis de li - ber - tad,
4. Na - cio - nes to - das, es - cu - chad Y o - be - de - ced su ley
5. Dios quie - ra que con los que es - tán Del tro - no en de - rre - dor,

De su di - vi - no a - mor la ley, Pos - tra - dos a - cep - tad;
Lo - o - res dad a Em - ma - nuel Y pro - cla - mad - le Rey;
Al que de vues-tro a-jen - jo y hiel Os li - bra, hoy lo - ad;
De gra - cia y de san - ti - dad, Y pro - cla - mad - le Rey;
Can - te - mos por la e - ter - ni - dad A Cris - to el Sal - va - dor;

De su di - vi - no a - mor la ley, Pos - tra - dos a - cep - tad.
Lo - o - res dad a Em - ma - nuel, Y pro - cla - mad - le Rey.
Al que de vues-tro a-jen - jo y hiel Os li - bra, hoy lo - ad.
De gra - cia y de san - ti - dad, Y pro - cla - mad - le Rey.
Can - te - mos por la e - ter - ni - dad A Cris - to el Sal - va - dor.

¡Hosanna!

Wm. B. Bradbury

1. ¡Ho-san - na! ¡Ho-san-na! ¡Ho-san - na! En cie-lo y tie-rra es

del Se-ñor La glo-ria y po-tes-tad; Y nos cir-cun-da

con su a-mor La ex-cel - sa Tri - ni - dad. Al - zad, pues, him-nos

de lo-or Que es grato al su-mo Bien, Y a Dios rin-da-mos todo ho-nor

A-ho-ra y siempre, Amén. A Dios rin-da-mos todo honor, Todo honor,

todo honor, A Dios rin-da-mos todo honor, A-ho-ra y siempre A-mén.

3   Dad A Dios Inmortal Alabanza

José de Mora   PUEBLA   Colección Española

1. Dad a Dios in-mortal a - la - ban - za;Su mer-ced,su ver-dad nos i-nun-da:
2. Las na-cio-nes vio en vi-cios su - mi - das Y sin-tió compasión en su se-no;
3. A su Hi - jo en-vió por sal-var-nos Del pe-cado y la muer - te inhe-rente:

Es su gra-cia en pro-di-gios fe - cun - da,   Sus mer-ce-des, hu-mil-des can-tad.
De pro-di-gios de gra-cia es to-rren - te,   Sus mer-ce-des, hu-mil-des can-tad.
De pro-di-gios de gra-cia está lle - no,   Sus mer-ce-des, hu-mil-des can-tad.

¡Al Señor de se - ño-res dad glo - ria,   Rey de re - yes, po-der sin se - gun-do!
A su pue-blo lle-vó por la ma-no   A la tie - rra por él pro-me - ti-da.
Por el mun-do su ma-no nos lle - va,   Y al ce-les-te descan-so nos guí-a;

Mo-ri-rán los se-ño-res del mun-do,   Mas su rei - no no a-ca-ba ja-más.
Por los si-glos sin fin le da vi - da;   Y el pe-ca-do y la muer-te cae-rán.
Su bondad vi - vi-rá e-ter-no dí - a,   Cuando el mundo no exis-ta ya más.

4   Tiernas Canciones Alzad Al Señor

Vicente Mendoza   GEIBEL   Adam Geibel

1. Tier-nas cancio-nes Al-zad al Se-ñor, Him-nos que lle-ven del
2. El es la fuen-te de to-da bondad, El es la vi-da, la

al - ma la fe, Y ha-blen muy al - to del fér - vi-do a-mor
luz, y el ca-lor, So-lo él nos li - bra de cruel an - sie-dad,

Que hay en el pe-cho del hombre que cree, Ven-gan tra-yen-do fer-
So - lo él a-le-ja del al-ma el do-lor; Dig-no es por tan-to, que el

vien - te canción, Ni - ños y an-cia-nos, de Dios al al - tar.
hom-bre le dé Glo - ria y ho-nor que re - sue-nen doquier.

Trai-gan a él su co-ra-zón, U - ni-co don que po-drá a-cep-tar.
Va-mos a él lle-nos de fe, Nos sal-va-rá con su gran po-der.

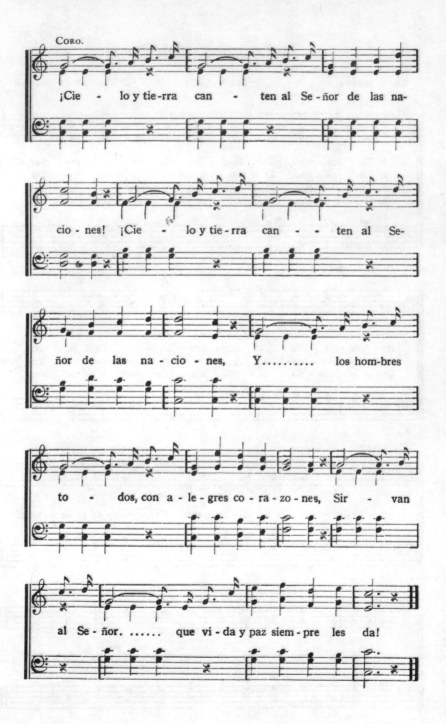

5 Te Loamos, ¡Oh Dios!

Tr. H. W. Cragin
Wm. P. Mackay

REAVIVANOS

John J. Husband

1. Te loa - mos, ¡Oh, Dios! Con u - ná - ni - me voz,
2. Te loa - mos, Je - sús, Quien tu tro - no de luz
3. Te da - mos lo - or, San - to Con - so - la - dor,
4. U - ni - dos lo - ad, A la gran Tri - ni - dad,

Que en Cris - to tu Hi - jo Nos dis - te per - dón.
Has de - ja - do por dar - nos Sa - lud en la cruz.
Que nos lle - nas de go - zo Y san - to va - lor.
Que es la fuen - te de gra - cia, Vir - tud y ver - dad.

CORO

¡A - le - lu - ya! Te a - la - ba - mos, ¡Cuán gran - de es tu a - mor!

¡A - le - lu - ya! Te a - do - ra - mos, Ben - di - to Se - ñor.

6   A Nuestro Padre Dios

Es traducción en
Estrella de Belén   AMERICA   Henry Carey

1. A nues - tro Pa - dre Dios Al - ce - mos nues - tra voz, ¡Glo - ria a él! Tal fué su a - mor que dió Al hi - jo que mu - rió, En quien con - fí - o yo; ¡Glo - ria a él!

2. A nues - tro Sal - va - dor De - mos con fe lo - or; ¡Glo - ria a él! Su san - gre de - rra - mó; Con e - lla me la - vó, Y el cie - lo me a - brió ¡Glo - ria a él!

3. Es - pí - ri - tu de Dios, E - le - vo a ti mi voz; ¡Glo - ria a ti! Con ce - les - tial ful - gor Me mues - tras el a - mor De Cris - to, mi Se - ñor; ¡Glo - ria a ti!

4. Con go - zo y a - mor, Can - te - mos con fer - vor Al Tri - no Dios. En la e - ter - ni - dad Mo - ra la Tri - ni - dad; ¡Por siem - pre a - la - bad Al Tri - no Dios!

7 Fuente De La Vida Eterna

Tr. T. M. Westrup
Robert Robinson

NETTLETON

John Wyeth

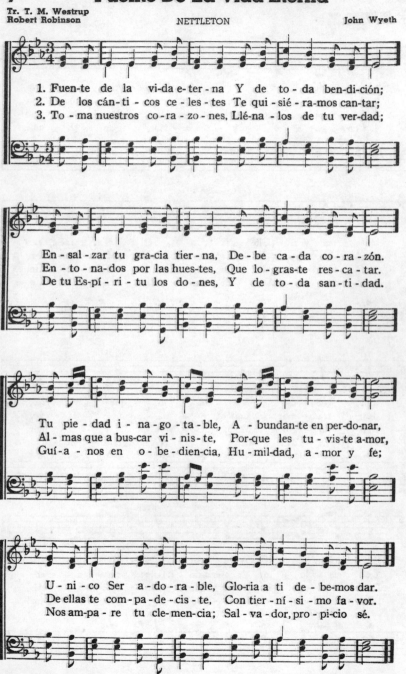

1. Fuen-te de la vi-da e-ter-na Y de to-da ben-di-ción;
2. De los cán-ti-cos ce-les-tes Te qui-sié-ra-mos can-tar;
3. To-ma nuestros co-ra-zo-nes, Llé-na-los de tu ver-dad;

En-sal-zar tu gra-cia tier-na, De-be ca-da co-ra-zón.
En-to-na-dos por las hues-tes, Que lo-gras-te res-ca-tar.
De tu Es-pí-ri-tu los do-nes, Y de to-da san-ti-dad.

Tu pie-dad i-na-go-ta-ble, A-bundan-te en per-do-nar,
Al-mas que a bus-car vi-nis-te, Por-que les tu-vis-te a-mor,
Guí-a-nos en o-be-dien-cia, Hu-mil-dad, a-mor y fe;

U-ni-co Ser a-do-ra-ble, Glo-ria a ti de-be-mos dar.
De ellas te com-pa-de-cis-te, Con tier-ní-si-mo fa-vor.
Nos am-pa-re tu cle-men-cia; Sal-va-dor, pro-pi-cio sé.

8 Amoroso Salvador

Es traducción
Andrew Reed

MISERICORDIA

Luis M. Gottschalk

1. A - mo - ro - so Sal - va-dor, Sin i - gual es tu bon-dad,
2. Mi con - tri - to co - ra-zón Te confie - sa su mal-dad,
3. Te con - tem- plo sin ce- sar En tu tro - no des - de a-quí;
4. Fuen-te tú de com - pasión, Siem-pre a ti te doy lo - or;

E - res tú mi Me - dia - dor, Mi per - fec - ta San - ti-dad.
Pi-de al Pa - dre mi per - dón, Por tu san - ta ca - ri-dad.
¡Oh, cuán gra-to es me - di - tar Que in-ter-ce - des tú por mí!
Sien - do gra-to al co - ra - zón En - sal - zar - te, mi Se-ñor.

9 Jesucristo Te Convida

Es traducción
Cecil F. Alexander

GALILEA

Wm. H. Jude

1. Je - su - cris - to des-de el cie - lo, Con be - nig - na voz de a-mor,
2. No re - cha-ces su lla - ma-da, A - bre ya tu co - ra - zón;
3. Cris-to te a-ma con ter - nu - ra, En la cruz lo de-mos-tró,
4. Con a - fán Je - sús te bus - ca Cual a - man-te y fiel pas-tor,
5. ¡Oh! a - cu - de sin de-mo - ra A tu Sal - va - dor y Dios;

A su la - do te con - vi - da, Des-di - cha - do pe - ca - dor.
El te o - fre - ce paz, consue - lo Y per - fec - ta sal - va-ción.
Pues a - llí por tu pe - ca - do Pu - ra san-gre de - rra - mó.
Mientras va - gas ex - tra-via - do Por la sen - da del e - rror.
El te brin-da paz y go - zo, No re - sis - tas más su voz.

10 Aparte Del Mundo

Tr. I. Mora
El Nathan

TE ALABAMOS Y TE BENDECIMOS

James McGranahan

1. A - par - te del mun - do, Se - ñor, me re - ti - ro,
2. El si - tio a - par - ta - do, la som - bra tran - qui - la,
3. Te de - bo tri - bu - tos de a - mor y de gra - cias

De lu - cha y tu - mul - tos an - sio - so de hu - ir,
Con - vie - nen al can - to de rue - go y lo - or;
Por es - te a - bun - dan - te, glo - rio - so fes - tín:

De es - ce - nas ho - rri - bles, do el mal vic - to - rio - so
Tu ma - no pre - cio - sa los hi - zo sin du - da,
Y can - tos que pue - dan o - ír - se en los cie - los

Ex - tien - de sus re - des y se ha - ce ser - vir.
En bien del que hu - mil - de te si - gue, Se - ñor.
Por a - ños sin cuen - to, por si - glos sin fin.

11 A Cristo Doy Mi Canto

Es traducción
P. Phillips

CANTARE POR JESUS

P. Phillips

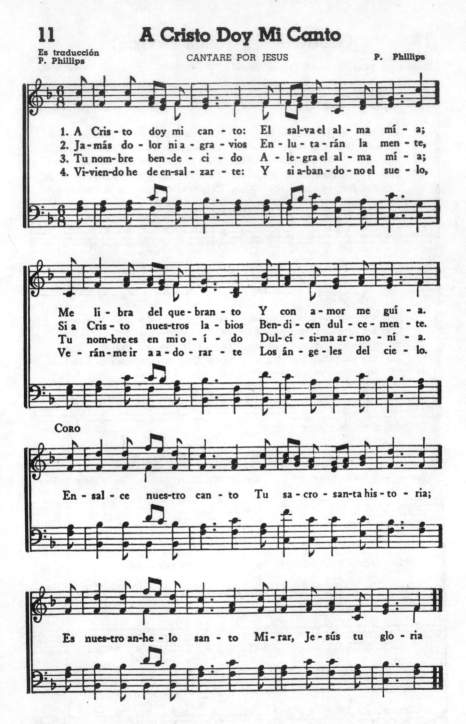

1. A Cris - to doy mi can - to: El sal-va el al - ma mí - a;
2. Ja-más do - lor ni a - gra - vios En - lu - ta - rán la men - te,
3. Tu nom-bre ben-de - ci - do A - le-gra el al - ma mí - a;
4. Vi-vien-do he de en-sal - zar - te: Y si a-ban-do-no el sue - lo,

Me li - bra del que - bran - to Y con a - mor me guí - a.
Si a Cris - to nues-tros la - bios Ben-di - cen dul - ce - men - te.
Tu nom-bre es en mi o - í - do Dul - cí - si-ma ar - mo - ní - a.
Ve - rán-me ir a a-do - rar - te Los án - ge - les del cie - lo.

Coro

En - sal - ce nues-tro can - to Tu sa-cro - san-ta his - to - ria;

Es nues-tro an-he - lo san - to Mi-rar, Je - sús tu glo - ria

12 ¡Gloria A Ti, Jesús Divino!

Es traducción en
Estrella de Belén   BATTLE HYMN OF THE REPUBLIC   William Steffe

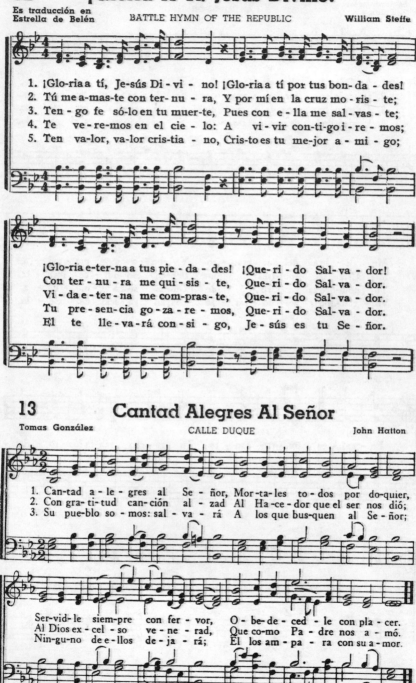

1. ¡Glo-ria a tí, Je-sús Di-vi - no! ¡Glo-ria a tí por tus bon-da - des!
2. Tú me a-mas-te con ter-nu - ra, Y por mí en la cruz mo - ris - te;
3. Ten - go fe só-lo en tu muer-te, Pues con e - lla me sal-vas - te;
4. Te ve - re-mos en el cie - lo: A vi - vir con-ti-go i - re - mos;
5. Ten va-lor, va-lor cris-tia - no, Cris-to es tu me-jor a - mi - go;

¡Glo-ria e-ter-na a tus pie - da - des! ¡Que-ri - do Sal-va - dor!
Con ter - nu - ra me qui - sis - te, Que-ri - do Sal-va - dor.
Vi - da e-ter - na me com-pras-te, Que-ri - do Sal-va - dor.
Tu pre - sen-cia go - za - re - mos, Que-ri - do Sal-va - dor.
El te lle-va-rá con-si - go, Je - sús es tu Se - ñor.

13 Cantad Alegres Al Señor

Tomas González   CALLE DUQUE   John Hatton

1. Can-tad a - le - gres al Se - ñor, Mor-ta-les to - dos por do-quier,
2. Con gra - ti-tud can-ción al - zad Al Ha-ce-dor que el ser nos dió;
3. Su pue-blo so - mos: sal - va - rá A los que bus-quen al Se - ñor;

Ser-vid-le siem-pre con fer - vor, O - be-de - ced - le con pla - cer.
Al Dios ex - cel - so ve - ne - rad, Que co-mo Pa - dre nos a - mó.
Nin-gu-no de e-llos de - ja - rá; Él los am - pa - ra con su a-mor.

14

Hoy Es Día De Reposo

Tr. Mateo Cosidó
B. Richards
ARMSTRONG
B. Richards

1. Hoy es dí - a de re - po - so, El gran dí - a de so - laz;
2. Ce - le - bre - mos a por - fí - a Al Au - tor de a-quel gran don,
3. Tra-ba - jar es la sen - ten - cia De la an - ti - gua cre - a - ción:
4. Los que a ti nos a - cer - ca - mos Por Je - sús, Dios de ver - dad,

Es el dí - a ven - tu - ro - so Que nos tra - e dul - ce paz.
Que nos da el fes - ti - vo dí - a, Y se go - za en el per - dón.
Y mo - rir la con - se - cuen - cia De la pre - va - ri - ca - ción.
Hoy a - le - gres pro - cla - ma - mos Tu jus - ti - cia y tu bon - dad.

Es el dí - a se - ña - la - do Con el se - llo del a - mor;
A - cep - te - mos hoy con gus - to El des - can - so se - ma - nal,
Mas re - po - so y vi - da es-ta - ble Dios nos da qui-tan-do el mal;
En los fas - tos de la his-to - ria Siem-pre se ce - le - bra - rá:

Nues-tro Dios lo ha de - sig - na - do: Es el dí - a del Se - ñor.
Es - pe - ran-do el dí - a au-gus - to Del re - po - so ce - les - tial.
Y su a-mor in - es - cru - ta - ble De la gra - cia es el rau - dal.
Y en los cie - los su me - mo - ria Por los si - glos du - ra - rá.

15
¡Oh Jóvenes, Venid!

Tr. J. B. Cabrera
Katherine Hankey

OPORTO

George F. Root

1. ¡Oh! jó - ve - nes ve - nid, su bri-llan - te pa - be - llón, Cris-to ha
2. ¡Oh! jó - ve - nes ve - nid, el Cau - di - llo Sal - va - dor, Quie - re
3. Las ar - mas in - ven - ci - bles del Je - fe gui - a - dor, Son el
4. Los fie - ros e - ne - mi - gos, en-gen-dros de Sa - tán, Se ha-llan
5. Quien ven-ga a la pe - le - a, su voz es - cu - cha - rá; Cris - to

des - ple - ga - do an - te la na - ción. A to - dos en sus fi -
re - ci - bi - ros en su de - rre - dor; Con El a la ba - ta -
e - van - ge - lio y su gran-de a - mor; Con e - llas re - ves - ti -
sos - te - ni - dos por su ca - pi - tán; ¡Oh! jó - ve - nes, vo - so -
la vic - to - ria le con - ce - de - rá; Sal - ga - mos, com-pa - ñe -

las os quie - re re - ci - bir, Y con El a la pe - le - a
lla sa - lid sin va - ci - lar, Va - mos pron-to, com-pa - ñe - ros
dos, y lle - nos de po - der, Com-pa - ñe - ros, a - cu - da - mos,
tros po - ne - os sin te - mor A la dies - tra del Cau - di - llo,
ros, lu - che - mos bien por El; Con Je - sús con-quis - ta - re - mos

CORO

os ha - rá sa - lir.
va - mos a lu - char.
va - mos a ven - cer.   ¡Va-mos a Je - sús, a - lis - ta-dos sin te - mor!
nues-tro Sal - va - dor.
in - mor - tal lau - rel.

¡Va-mos a la lid, in-fla-ma-dos de va-lor! Jó-ve-nes, lu-che-mos

to-dos con-tra el mal: En Je-sús lle-va-mos nues-tro Ge-ne-ral.

16 **Nunca, Dios Mío**

Tr. J. B. Cabrera
Frederick F. Fleming

FLEMING

Frederick F. Fleming

1. Nun - ca, Dios mí - o, ce-sa-rá mi la - bio
2. Cuan - do per - di - do en mun-da-nal sen-de - ro,
3. Cuan - do in - cli - na - ba mi a-ba-ti-da fren - te

De ben-de-cir - te, de can-tar tu glo - ria, Por-que con-
No me cer-ca - ba si - no nie-bla os-cu - ra, Tú me mi-
Del mal o - brar el o - ne-ro-so yu - go, Dul-ce re-

ser - vo de tu a-mor in - men - so Gra-ta me-mo - ria.
ras - te, y a-lum-bró-me un ra - yo De tu luz pu - ra.
po - so y e-fi-caz a - li - vio Dar-me te plu - go.

17 Cuando Allá Se Pase Lista

Tr. J. J. Mercado
J. M. Black

PASAR LISTA

J. M. Black

1. Cuan-do la trom-pe-ta sue-ne En a-quel dí-a fi-nal,
2. En a-quel dí-a sin nie-blas En que muer-te ya no ha-brá,
3. Tra-ba-je-mos por el Maes-tro Des-de el al-ba al vis-lum-brar;

Y que el al-ba e-ter-na rom-pa en cla-ri-dad; Cuan-do las na-cio-nes
Y su glo-ria el Sal-va-dor im-par-ti-rá; Cuan-do los lla-ma-dos
Siempre ha-ble-mos de su a-mor y fiel bon-dad, Cuan-do to-do a-quí fe-

sal-vas A su pa-tria lle-guen ya, Y que sea pa-sa-da
en-tren A su ce-les-tial ho-gar, Y que sea pa-sa-da
nez-ca y nues-ta o-bra ce-se ya, Y que sea pa-sa-da

CORO

lis-ta, allí he de estar. Cuan-do a-llá........ se pa-se lis-ta,
Cuan-do a-llá se pa-se lis-ta, yo es-ta-ré

Cuan-do a-llá........... se pa-se lis-ta, Cuan-do a-
Cuan-do a-llá se pa-se lis-ta, yo es-ta-ré

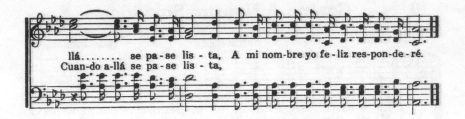

llá........ se pa - se lis - ta, A mi nom-bre yo fe - liz res-pon-de - ré.
Cuan-do a-llá se pa - se lis - ta,

18   ¡Santo, Santo, Santo!

Tr. J. B. Cabrera
Reginald Heber   NICEA   John B. Dykes

1. ¡San-to! ¡San-to! ¡San-to! Se-ñor Om-ni - po-ten - te, Siem-pre el la-bio
2. ¡San-to! ¡San-to! ¡San-to! en nu-me-ro-so co - ro, San - tos es - co-
3. ¡San-to! ¡San-to! ¡San-to! la in-men-sa mu-che-dum-bre, De án-ge-les que
4. ¡San-to! ¡San-to! ¡San-to! por más que es-tés ve-la - do, E im-po - si - ble
5. ¡San-to! ¡San-to! ¡San-to! la glo-ria de tu nom-bre, Ve-mos en tus

mí - o lo - o - res te da - rá; ¡San-to! ¡San-to! ¡San-to! te a-do-ro
gi - dos te a-do-ran con fer-vor, De a-le-grí - a lle-nos, y sus co-
cum-plen tu san-ta vo-lun-tad, An-te ti se pos-tra ba-ña-da
se - a tu glo-ria con-tem-plar, San-to tú e-res so - lo y na-da hay
o - bras en cie-lo, tie-rra y mar. ¡San-to! ¡San-to! ¡San-to! te a-do-ra-

re - ve - ren - te, Dios en tres per-so - nas, ben-di - ta Tri - ni - dad.
ro - nas de o-ro Rin-den an-te el tro - no glo-rio-so del Se - ñor.
de tu lum-bre, An - te ti que has si - do, que e - res y se - rás.
a tu la - do, En po-der per-fec - to, pu-re-za y ca - ri - dad.
rá to-do hom-bre, Dios en tres per-so - nas, ben-di - ta Tri - ni - dad.

19 Corona A Nuestro Salvador

Tr. G. P. Simmonds
Samuel Stennett

ORTONVILLE

Thomas Hastings

1. Co - ro - na a nues-tro Sal - va-dor Dul - zu - ra ce - les - tial; Sus la - bios
2. En to-do el mun-do pe - ca-dor No tie-ne Cris-to i - gual, Y nun-ca ha
3. Me vió su - mi-do en ma- les mil, El pron-to me au-xi - lió; Por mi car -
4. Me ha da-do de su ple - ni-tud La gra - cia, ri - co don; Mi vi-da y

flu-yen ri - co a-mor Y gra-cia di - vi - nal. Y gra-cia di - vi - nal.
vis - to su - per-ior La cor-te ce - les - tial. La cor-te ce - les - tial.
gó la cruz tan vil, Mis pe-nas El lle - vó. Mis pe-nas El lle - vó.
al-ma en gra-ti-tud Se - ñor, ya tu-yas son. Se-ñor, ya tu-yas son.

20 Divina Gracia

Tr. Guillermo Blair
John Newton

GRACIA ASOMBROSA

E. O. Excell

1. ¡Di - vi - na gra - cia! don de a-mor; cui - ta - do me sal-vó, En
2. Tal gra-cia mi a-yo en la an-sie-dad, mis á - nimos a - quie-tó; Dul -
3. De in-nu-me - ra - ble si - tua-ción, pe - li-gros y a - flic-ción; Ob -
4. Por si-glos e-ter-nos con Je - sús, bri - llan-do con ple-na luz, Las

plena perdición su gra-cia me halló, mi no-che i - lu - mi - nó.
cí-sima la gra - cia del Se - ñor Al e - jer - cer mi fe.
tu - ve la quietud por gracia di-vi-nal: Por siempre re - po - sa - ré.
a - la - ban - zas se - gui - rán Como en la i-ni - cia - ción.

21   ¡Oh, Padre, Eterno Dios!

Tr. Vicente Mendoza
Autor Desconocido

TRINIDAD (HIMNO ITALIANO)

Felice Giardini

1. ¡Oh! Pa - dre, e - ter - no Dios! Al - za - mos
2. ¡Ben - di - to Sal - va - dor! Te da - mos
3. ¡Es - pí - ri - tu...... de Dios! Es - cu - cha

nues - tra voz En gra - ti - tud; De cuan - to
con a - mor, El co - ra - zón, Y tú nos
nues - tra voz, Y tu bon - dad, De - rra - me en

tú nos das Con sin i - gual a - mor,
pue - des ver, Que hu - mil - des a tu al - tar,
nues - tro ser, Di - vi - na clar - i - dad.

Ha - llan - do nues - tra paz En ti, Se - ñor.
Ve - ni - mos a tra - er, Pre - cio - so don.
Pa - ra po - der vi - vir En san - ti - dad.

22 En La Montaña Podrá No Ser

Tr. Vicente Mendoza
Mary Brown

MANCHESTER

Carrie E. Rounsefell

Moderato

1. En la mon-ta-ña po-drá no ser, Ni so-bre ru-gien-te mar;
2. Qui-zá hay pa-la-bras de san-to a-mor Que Cris-to me or-de-na ha-blar,
3. El vas-to mun-do lu-gar ten-drá Do pue-da con no-ble ar-dor

Po-drá no ser en la ru-da lid Do Cris-to me quie-re em-plear.
Y en los ca-mi-nos do rei-na el mal Al-gún pe-ca-dor sal-var.
Gas-tar la vi-da que Dios me da Por Cris-to mi Sal-va-dor.

Mas si El me or-de-na-re se-guir a-quí Sen-de-ros que yo ig-no-ré,
Se-ñor, si qui-sie-res mi guí-a ser, Mi obs-cu-ra sen-da an-da-ré;
Y siem-pre con-fian-do en tu gran bon-dad Tus do-nes to-dos ten-dré;

Con-fian-do en él, le di-ré: "Se-ñor, Do tú quie-ras que va-ya, i-ré!"
Tu fiel men-sa-je po-dré a-nun-ciar Y a-sí lo que quie-ras di-ré.
Y a-le-gre ha-cien-do tu vo-lun-tad, Lo que quie-ras que se-a, se-ré.

CORO

Do Tú ne-ce-si-tes que va-ya i-ré, A los va-lles, los mon-tes o el mar.

De-cir lo que quie-ras, Se-ñor, po-dré, Lo que quie-ras que se-a, se-ré!

23 Cuando Leo En La Biblia

Tr. Sebastián Cruellas
Mrs. Jemima Luke

DULCE HISTORIA (MELODIA GRIEGA)

Arr. por
William Bradbury

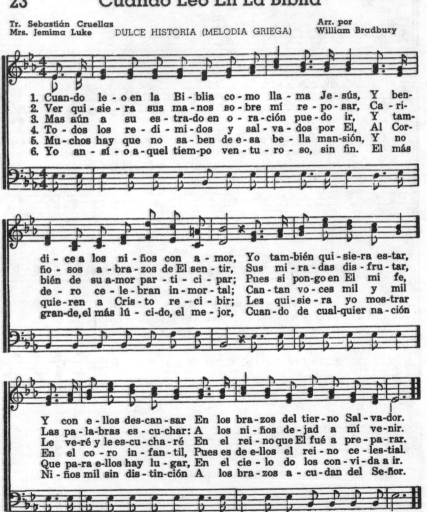

1. Cuan-do le-o en la Bi-blia co-mo lla-ma Je-sús, Y ben-
2. Ver qui-sie-ra sus ma-nos so-bre mí re-po-sar, Ca-ri-
3. Mas aún a su es-tra-do en o-ra-ción pue-do ir, Y tam-
4. To-dos los re-di-mi-dos y sal-va-dos por El, Al Cor-
5. Mu-chos hay que no sa-ben de e-sa be-lla man-sión, Y no
6. Yo an-sí-o a-quel tiem-po ven-tu-ro-so, sin fin. El más

di-ce a los ni-ños con a-mor, Yo tam-bién qui-sie-ra es-tar,
ño-sos a-bra-zos de El sen-tir, Sus mi-ra-das dis-fru-tar,
bién de su a-mor par-ti-ci-par; Pues si pon-go en El mi fe,
de-ro ce-le-bran in-mor-tal; Can-tan vo-ces mil y mil
quie-ren a Cris-to re-ci-bir; Les qui-sie-ra yo mos-trar
gran-de,el más lú-ci-do, el me-jor, Cuan-do de cual-quier na-ción

Y con e-llos des-can-sar En los bra-zos del tier-no Sal-va-dor.
Las pa-la-bras es-cu-char: A los ni-ños de-jad a mí ve-nir.
Le ve-ré y le es-cu-cha-ré En el rei-no que El fué a pre-pa-rar.
En el co-ro in-fan-til, Pues es de e-llos el rei-no ce-les-tial.
Que pa-ra e-llos hay lu-gar, En el cie-lo do los con-vi-da a ir.
Ni-ños mil sin dis-tin-ción A los bra-zos a-cu-dan del Se-ñor.

24 Bellas Palabras De Vida

Tr. J. A. B.
Philip P. Bliss

PALABRAS DE VIDA

Philip P. Bliss

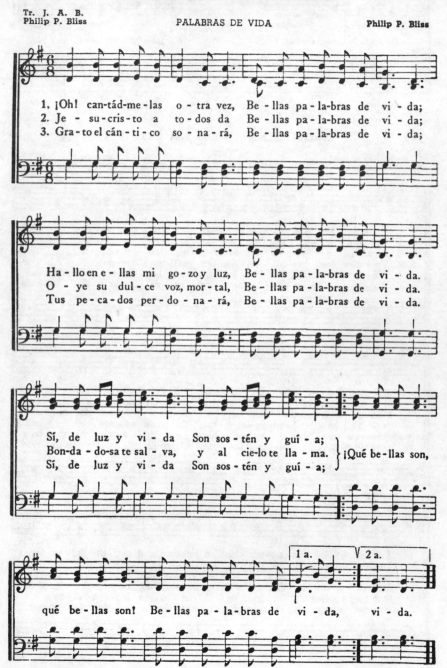

1, ¡Oh! can-tád-me-las o - tra vez, Be - llas pa - la-bras de vi - da;
2. Je - su-cris-to a to-dos da Be - llas pa - la-bras de vi - da;
3. Gra-to el cán - ti - co so - na - rá, Be - llas pa - la-bras de vi - da;

Ha - llo en e - llas mi go - zo y luz, Be - llas pa - la-bras de vi - da.
O - ye su dul - ce voz, mor - tal, Be - llas pa - la-bras de vi - da.
Tus pe - ca-dos per - do - na - rá, Be - llas pa - la-bras de vi - da.

Sí, de luz y vi - da Son sos - tén y guí - a;
Bon-da - do-sa te sal - va, y al cie-lo te lla - ma. } ¡Qué be-llas son,
Sí, de luz y vi - da Son sos - tén y guí - a;

qué be - llas son! Be - llas pa - la-bras de vi - da, vi - da.

1 a.

2 a.

25 Dime La Antigua Historia

Tr. J. B. Cabrera
Katherine Hankey

ANTIGUA HISTORIA

William H. Doane

1. Di - me la an-ti-gua his-to - ria Del ce - les-tial fa - vor, De Cris-to y de su glo - ria, De Cris-to y de su a-mor. Dí - me - la con lla - ne - za Pro - pia de la ni - ñez, Por-que es mi men-te fla - ca Y an-he - lo sen - ci - llez.

2. Di - me e-sa gra-ta his-to - ria Con len - ti-tud, y a - sí Co - no - ce - ré la o - bra Que Cristo operó por mí. Dí - me - la con fre - cuen-cia, Pues soy dado a ol - vi - dar, Y el ma-ti - nal ro - cí - o Sue-le el sol di - si - par.

3. Di - me tan dul-ce his-to - ria Con to-no cla-ro y fiel; Mu - rió Je - sús, y sal - vo Yo quie-ro ser por El. Di - me e-sa his-to - ria siem-pre, Si en tiem-po de a - flic-ción De - se - as a mi al - ma Tra - er con-so - la - ción.

4. Di - me la mis-ma his-to - ria, Si cre - es que tal vez Me cie - ga de es-te mun - do La fal - sa bri - llan-tez. Y cuan-do ya me a - lum-bre De la glo - ria la luz, Re - pí - te - me la his-to - ria: "Quien te sal-va es Je - sús."

CORO

Di - me la an-ti-gua his-to - ria, Cuén-ta - me la vic - to - ria, Há-bla-me de la glo - ria De Cris-to y de su a-mor.

26 Grato Es Decir La Historia

Tr. J. B. Cabrera
Katherine Hankey

William G. Fischer

HANKEY

1. Gra-to es de-cir la his-to - ria Del ce-les-tial fa-vor; De
Cris-to y de su glo-ria De Cris-to y de su a-mor; Me a-gra-da
re-fe-rir-la, Pues sé que es la ver-dad; Y na-da sa-tis-fa-ce
Cual e-lla, mi an-sie-dad.

2. Gra-to es de-cir la his-to - ria Que bri-lla cual fa-nal, Y en
glo-rias y por-ten-tos No re-co-no-ce i-gual; Me a-gra-da
re-fe-rir-la, Pues me ha-ce mu-cho bien. Por e-so a ti de-se-o
De-cír-te-la tam-bién.

3. Gra-to es de-cir la his-to - ria Que an-ti-gua, sin ve-jez, Pa-
re-ce al re-pe-tir-la Más dul-ce ca-da vez; Me a-gra-da
re-fe-rir-la, Pues hay quien nun-ca o-yó Que pa-ra ha-cer-le sal-vo
El buen Je-sús mu-rió.

Coro

¡Cuán be-lla es e-sa his-to - ria! Mi te-ma a-llá en la glo-ria Se-rá la an-ti-gua his-to-ria De Cris-to y de su a-mor.

27   Gozo La Santa Palabra Al Leer

Es traducción
Philip P. Bliss

GOZO

Philip P. Bliss

1. Go - zo la san - ta Pa - la-bra al le - er, Co - sas pre - cio-sas a -
2. Me a-ma Je - sús, pues su vi-da en-tre - gó, Por mi sa - lud y de
3. Si al-guien pre-gun - ta que có - mo lo sé; "Bus-ca a Je - sús, pe - ca -

llí pue - do ver; Y so - bre to - do, que el gran Re - den - tor,
ni - ños ha - bló; "De - jad los ni - ños que ven-gan a mí,
dor," le di - ré; "Por su pa - la - bra, que tie - nes a - quí,

Es de los ni - ños el tier - no Pas - tor.
Pa - ra sal - var - los mi san-gre ver - tí." Con a - le - grí - a
A - pren-de y sien - te que te a-ma a ti."

yo can - ta - ré Al Re - den - tor, tier - no Pas - tor,

Que en el Cal - va - rio por mi mu - rió, Sí, sí, por mi mu - rió.

CORO

From **Selected Gospel Hymns**, John Church Co., Byrn Mawr, Pa.

28 Dicha Grande Es La Del Hombre

Tr. T. M. Westrup   AMOR DIVINO   Johann Zundel

1. Di - cha gran-de es la del hom-bre, Cu - yas sen - das rec - tas son;
2. An - tes, en la ley di - vi - na Ci - fra su ma - yor pla -cer,
3. Cuanto emprende es pros- pe - ra - do; Du - ra - de - ro le es el bien.
4. En el jui - cio nin - gún ma - lo, Por lo tan - to se al - za - rá;

Le - jos de los pe - ca - do - res, Le - jos de la ten - ta - ción.
Me - di - tan-do dí - a y no - che En su di - vi - nal sa - ber.
Muy di - ver - sos re - sul - ta - dos Sa - can los que na - da creen;
En - tre jus - tos, con - gre - ga - dos, In - sen - sa - tos nun - ca ha-brá;

A los ma - los con - se - je - ros De - ja, por-que te - me el mal;
Es - te, co-mo el ár - bol ver - de, Bien re - ga - do y en sa - zón,
Pues los lan - za co - mo el ta - mo Que el ci - clón a - rre - ba - tó,
Por - que Dios la ví - a mi - ra Por la cual los su - yos van,

Hu - ye de la bur - la - do - ra Gen-te im - pí - a e in - mo - ral.
Fru - tos a - bun - dan - tes rin - de Y ho - jas, que pe - ren - nes son.
De pa - sio - nes re - mo - li - no, Que a mi - llo - nes des - tru - yó.
O - tra es la de los im - pí - os: Al in - fier - no ba - ja - rán.

29 Cristo Ha Nacido

E. Barocio   RAYO DE SOL SERE   E. O. Excell

1. Un her - mo - so pe - que-ñue - lo A - ca - ba de na - cer;
2. Can-tos ce - les - tia - les o - yen Pas-to - res de Be - lén
3. Ma-gos del O-rien-te vie - nen Sus do-nes a o - fre - cer
4. No ten-go oro ni ri-que-zas Que dar-le al Ni - ño Rey,

Tan be-llo es que a - rro - ba - dos Los án - ge - les lo ven.
An - ge - les son que ce - le - bran La Na - vi - dad del Rey.
Oro in-cien-so y mi - rra po - nen Hu-mil - des a sus pies.
Só - lo un co - ra-zón de ni - ño Que lo a-ma y cree en Él.

CORO.

¡Ho - sa - na! ¡Ho - sa - na! Cris-to ha na - ci-do en Be - lén!

Ho - sa - na! Ho - sa - na! El pro-me - ti-do E-ma - nuel.

30 Feliz Navidad

S. G. Paz

L. V. Estanol

FELIZ NAVIDAD

1. Las cam-pa-nas sue-nan ya....... Con su a-le-gre re-pi-
2. To-dos u-ni-dos lle-gad..... Es-ta no-che de so-
3. No-che de glo-ria y a-mor.... De con-ten-to u-ni-ver-

car....... Es el día de Na-vi-dad....... Que nos
laz....... Y fe-li-ces en-to-nad....... Glo-ria,
sal....... Des-de la fra-gan-te flor...... Has-ta el

da fe-li-ci-dad....... Es-cu-chad que dul-ce
glo-ria al Ni-ño Dios...... Po-bres ni-ños mu-chos
hu-ma-no mor-tal........ En el fir-ma-men-to a

dolce.

voz..... Es la voz an-ge-li-cal..... Glo-ria al San-to
hay..... Que sin pan y sin ho-gar.... De es-ta di-cha
zul..... Las es-tre-llas al bri-llar... Con no-so-tros

de Is-ra-el........ Que al mor-tal vie-ne a sal-var......
quie-ren hoy...... Con pla-cer par-ti-ci-par......
os di-rán...... Te-ned fe-liz Na-vi-dad......

31 Allá En Belén

E. Barocio   EN BELEN   Roseterry

1. A-llá en Be-lén un chi-qui-tín Dur-mien-do en le-cho hu-mil-de es-tá,
2. An-ge-les vie-nen a can-tar: "Glo-ria en los cie-los al Se-ñor;
3. Te amo, te a-do-ro, Sal-va-dor; Quie-ro de ti muy cer-ca es-tar;

Y des-de el cie-lo es-tre-llas mil Su sua-ve res-plan-dor le dan.
Ha-ya en el mun-do go-zo y paz Que hoy ha na-ci-do el Sal-va-dor."
Que me de-fien-das con tu a-mor, Y a mi al-ma go-zo des y paz.

32 Santa Biblia, Para Mí

Tr. Pedro Castro
John Burton, Sr.

HIMNO ESPAÑOL

Arr. por B. Carr, 1824

1. San - ta Bi - blia, pa - ra mí   E - res un te - so - ro a - quí;
2. Tú re - pren - des mi du - dar;   Tú me ex - hor - tas sin ce - sar;
3. E - res in - fa - li - ble voz   Del Es - pí - ri - tu de Dios,
4. Por tu san - ta le - tra sé   Que con Cris - to rei - na - ré;

Tú con - tie - nes con ver - dad   La di - vi - na vo - lun - tad;
E - res fa - ro que a mi pie,   Va gui - an - do por la fe
Que vi - gor al al - ma da   Cuan - do en a - flic - ción es - tá;
Yo que tan in - dig - no soy,   Por tu luz al cie - lo voy;

Tú me di - ces lo que soy,   De quién vi - ne y a quién voy.
A las fuen - tes del a - mor   Del ben - di - to Sal - va - dor.
Tú me en - se - ñas a triun - far   De la muer - te y el pe - car.
¡San - ta Bi - blia! pa - ra mí   E - res un te - so - ro a - quí.

33 Oh, Santísimo, Felicísimo

Fritz Fliedner, España

Cántico Siciliano

1-3. ¡Oh san - tí - si - mo, fe - li - cí - si - mo, Gra - to tiem - po de

35   Oíd Un Son En Alta Esfera

Tr. Fritz Fliedner, España
Charles Wesley
MENDELSSOHN
Felix Mendelssohn

1. Oíd un son en alta esfera: "¡En los cielos, gloria a Dios!
2. El Señor de los señores, El Ungido celestial,
3. Príncipe de paz eterna, Gloria a ti, a ti Jesús,

¡Al mortal paz en la tierra!" Canta la celeste voz.
A salvar los pecadores Bajó al seno virginal.
Entregando el alma tierna, Tú nos traes vida y luz.

Con los cielos alabemos, Al eterno Rey cantemos,
Loor al Verbo encarnado, En humanidad velado;
Has tu majestad dejado, Y buscarnos te has dignado;

A Jesús, que es nuestro bien, Con el coro de Belén;
Gloria al Santo de Israel, Cuyo nombre Emmanuel:
Para darnos el vivir, A la muerte quieres ir.

Canta la celeste voz: "¡En los cielos, gloria a Dios!"

36 Tú Dejaste Tu Trono

Es traducción
Emily S. Elliott

Ira D. Sankey

LUGAR PARA TI

1. Tú de - jas - te tu tro - no y co - ro - na por mí, Al ve-
2. A - la - ban - zas ce - les - tes los án - ge - les dan, En que
3. Siem-pre pue - den las zo - rras sus cue - vas te - ner, Y las
4. Tú vi - nis - te, Se - ñor, con tu gran ben - di - ción Pa - ra
5. A - la - ban - zas su - bli - mes los cie - los da - rán, Cuan-do

nir a Be - lén a na - cer; Mas a ti no fue da - do el en-
rin - den al Ver - bo lo - or; Mas hu - mil - de vi - nis - te a la
a - ves sus ni - dos tam-bién, Mas el Hi - jo del hom-bre no
dar li - ber - tad y sa - lud, Mas con o - dio y des-pre - cio te hi-
ven - gas glo - rio - so de a - llí, Y tu voz en - tre nu - bes di-

trar al me - són, Y en pe - se - bre te hi - cie - ron na - cer.
tie - rra, Se - ñor, A dar vi - da al más vil pe - ca - dor.
tu - vo un lu - gar En el cual re - cli - na - ra su sien.
cie - ron mo - rir, Aun - que vie - ron tu a - mor y vir - tud.
rá: "Ven a mí, Que hay lu - gar jun - to a mí pa - ra tí."

Coro

Ven a mi co - ra - zón, ¡oh Cris - to! Pues en él hay lu - gar pa - ra tí;

Ven a mi co - ra - zón, ¡oh Cris - to! ven, Pues en él hay lu - gar pa - ra tí.

37 Yo Espero La Mañana

Tr. Pedro Grado
W. G. Irwin

SOLO ESPERANDO

James H. Fillmore

1. Yo es - pe - ro la ma - ña - na, De a - quel
2. Yo es - pe - ro la vic - to - ria, De la
3. Yo es - pe - ro ir al cie - lo Don - de
4. Pron-to es - pe - ro u - nir mi can - to, Al triun -

dí - a sin i - gual, De don - de la di-cha e -
muer-te al fin triun - far— Re - ci - bir la e - ter - na
rei - na e - ter - no a - mor; Pe - re - gri - no soy y an -
fan - te y ce - les - tial, Y po - der cam - biar mi

ma - na Y do el go - zo es e - ter - nal.
glo - ria, Y mis sie - nes co - ro - nar, Es - pe -
he - lo Las mo - ra - das del Se - ñor.
llan - to Por un can - to an - ge - li - cal. Es - pe -

Coro

ran - - - do, es - pe - ran - do,
ran-do, es-pe-ran - do, es - pe - ran - do, es - pe - ran - do,

O - tra vi - - - - da sin do - lor,
O - tra vi - da, o - tra vi - da, o - tra vi - da sin do - lor,

Do me den........................ la bien-ve-
Do me den la bien-ve-ni-da, do me

ni-da, De Je-sús mi Sal-va-dor.
den la bien-ve-ni-da,

38 Pastores Cerca De Belén

Tr. G. P. Simmonds
Nahum Tate

NAVIDAD

George F. Handel

1. Pas-to-res cer-ca de Be-lén Mi-ra-ban con te-mor Al án-gel
2. El di-jo a e-llos, "No te-máis," Te-mie-ron en ver-dad: "Pues bue-nas
3. "Os ha na-ci-do hoy en Be-lén, Y es de li-na-je re-al, El Sal-va-
4. "En-vuel-to en pa-ña-les hoy El ni-ño en-con-tra-réis, E-cha-do
5. El se-ra-fín ha-bla-ba a-sí Y lue-go en al-ta voz Se o-yó ce-
6. "En las al-tu-ras glo-ria a Dios, En to-do el mun-do paz, Y pa-ra

quien les des-cen-dió Con gran-de res-plan-dor, Con gran-de res-plan-dor.
nue-vas del Se-ñor Traigo a la hu-ma-ni — dad, Trai-go a la hu-ma-ni — dad."
dor, Cris-to el Se-ñor: Es-ta os se-rá se-ñal, Es-ta os se-rá se-ñal."
en pe-se-bre vil Hu-mil-de le ha-lla-réis, Hu-mil-de le ha-lla-réis."
les-te mul-ti-tud Lo-or can-tan-do a Dios, Lo-or can-tan-do a Dios.
con los hom-bres hoy La bue-na vo-lun-tad, La bue-na vo-lun-tad."

Gloria A Dios En Las Alturas

J. B. Cabrera　　　　　　ST. GEORGE'S, WINDSOR　　　　　George J. Elvey

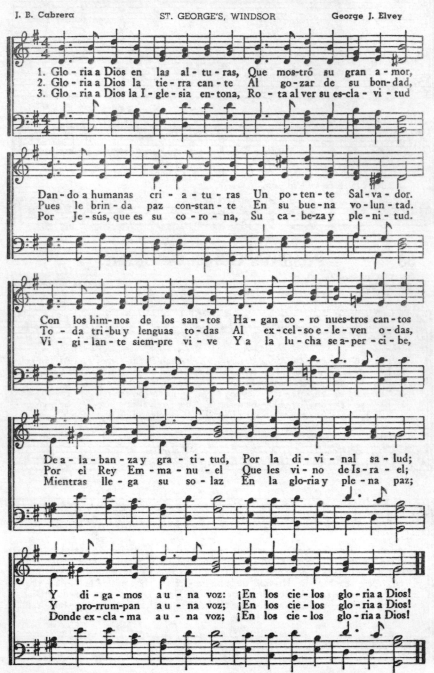

1. Glo - ria a Dios en las al - tu - ras, Que mos-tró su gran a - mor,
2. Glo - ria a Dios la tie - rra can - te Al go-zar de su bon-dad,
3. Glo - ria a Dios la I - gle - sia en-tona, Ro - ta al ver su es-cla - vi - tud

Dan - do a humanas cri - a - tu - ras Un po - ten - te Sal - va - dor.
Pues le brin - da paz con-stan - te En su bue - na vo - lun - tad.
Por Je - sús, que es su co - ro - na, Su ca - be-za y ple - ni - tud.

Con los him - nos de los san - tos Ha - gan co - ro nues-tros can-tos
To - da tri-bu y lenguas to-das Al ex - cel-so e - le - ven o-das,
Vi - gi - lan - te siem-pre vi - ve Y a la lu - cha se a-per - ci - be,

De a - la - ban - za y gra - ti - tud, Por la di - vi - nal sa - lud;
Por el Rey Em - ma - nu - el Que les vi - no de Is - ra - el;
Mientras lle - ga su so - laz En la glo-ria y ple - na paz;

Y di - ga - mos a u - na voz: ¡En los cie - los glo - ria a Dios!
Y pro-rrum - pan a u - na voz; ¡En los cie - los glo - ria a Dios!
Donde ex - cla - ma a u - na voz; ¡En los cie - los glo - ria a Dios!

40 La Cruz Y La Gracia De Dios

Abraham Fernández
BOOTH
Ballington Booth

1. La cruz no se-rá más pe-sa-da: Por la gra-cia que El me da;
2. Mi cá-liz nun-ca es tan a-mar-go, Co-mo el de Get-se-ma-ní;
3. La luz de su ros-tro me a-lum-bra, En el tiem-po de a-flic-ción;

Y si la tor-men-ta me es-pan-ta No po-drá es-con-der su faz.
En mis dí-as más an-gus-tia-dos No se a-par-ta Dios de mí.
Y mi al-ma go-zo-sa vis-lum-bra El pa-la-cio de mi Dios.

CORO

La gra-cia de Dios me bas-ta-rá, Su a-yu-da ja-

más me fal-ta-rá; Con-so-la-do por su a-mor Que e-cha

fue-ra mi te-mor Con-fia-ré en mi Se-ñor.

41 Un Día

Tr. E. T. y Geo. P. Simmonds
J. Wilbur Chapman

CHAPMAN

Charles H. Marsh

1. Un dí - a que el cie - lo sus glo - rias can - ta - ba, Un dí - a que el
2. Un dí - a lle - vá - ron - le al mon - te Cal - va - rio, Un dí - a cla -
3. Un dí - a de - já - ron - le so - lo en el huer - to, Un dí - a la
4. Un dí - a el se - pul - cro o - cul - tar - lo no pu - do, Un dí - a su es -

mal im - pe - ra - ba más cruel; Je - sús des - cen - dió y al na -
vá - ron - le so - bre u - na cruz; Su - frien - do do - lo - res y
tum - ba su cuer - po en - ce - rró; Los án - ge - les so - bre El guar -
pí - ri - tu al cuer - po vol - vió; Ha - bien - do la muer - te por

cer de u - na vir - gen, Mo - ran - do en el mun - do nos diò e - jem - plo fiel.
pe - na de muer - te Se dio por mi e - ter - no res - ca - te Je - sús.
da - ban vi - gi - lia, A - sí fue que el Due - ño del mun - do dur - mió.
siem - pre ven - ci - do, A la dies - tra del Pa - dre Je - sús se sen - tó.

CORO

Vi - vo, me a - ma - ba; muer - to, sal - vó - me; Y en el se -

pul - cro mi mal en - te - rró; Re - su - ci - ta - do

me dio jus-ti - cia; Un dí-a el vie - ne, pues lo pro-me - tió.

42 Rostro Divino

M. Mavillard   LENTO   German Lüders

1. Ros - tro di - vi - no   en - san-gren-ta - do,   Cuer - po lla-
2. Ma - nos pre - cio - sas,   tan las - ti - ma - das,   Por mí cla-
3. Be - llo cos - ta - do,   en cu-ya he-ri - da   Ha - lla su
4. Tus pies he - ri -dos,   Cris - to pa-cien - te,   Yo in - di - fe-
5. Cru - ci - fi - ca - do   en un ma-de - ro,   Man - so Cor-

ga - do por nues-tro bien: Cal - ma be-nig - no
va - das en un - a   cruz;   En es - te va - lle
vi - da la hu - ma - ni - dad,   Fuen - te a-mo - ro - sa
ren - te los ta-la - dré;   Y a - rre-pen - ti - do,
de - ro mue - res por mí: Por e - so el al - ma

jus - tos e - no - jos,   Llo - ren los o - jos,   que a-sí te ven.
se - an mi guí - a,   Y mi a-le - grí - a,   mi nor - te y luz.
de un Dios cle-men - te,   Voz e - lo-cuen - te   de ca - ri - dad.
hoy que te a-do - ro,   Tu gracia im-plo-ro: Se - ñor, pe - qué.
tris - te y llo - ro - sa,   Sus - pi-ra an-sio - sa,   Se - ñor, por ti.

43 Junto A La Cruz

Tr. Vicente Mendoza
E. A. Hoffman

A SU NOMBRE GLORIA

J. H. Stockton

1. Jun-to a la cruz do Je-sús mu-rió, Jun-to a la cruz do sa-
2. Jun-to a la cruz don-de le bus-qué, ¡Cuán ad-mi-ra-ble per-
3. Fuen-te pre-cio-sa de sal-va-ción, Qué gran-de go-zo yo
4. Tú, pe-ca-dor que per-di-do es-tás, Hoy es-ta fuen-te ven

lud pe-dí, Ya mis mal-da-des él per-do-nó, ¡A su nombre gloria!
dón me dio! Ya con Je-sús siem-pre vi-vi-ré, ¡A su nombre gloria!
pu-de ha-llar, Al en-con-trar en Je-sús per-dón, ¡A su nombre gloria!
a bus-car, Paz y per-dón en-con-trar po-drás, ¡A su nombre gloria!

D. S.—Ya mis mal-da-des él per-do-nó, ¡A su nombre gloria!

CORO

¡A su nom-bre gloria! ¡A su nom-bre gloria!

44 ¿Soy Yo Soldado De Jesús?

Tr. Enrique Turral
Isaac Watts

ARLINGTON

Thomas A. Arne

1. ¿Soy yo sol-da-do de Je-sús, Un sier-vo del Se-ñor?
2. Lu-cha-ron o-tros por la fe; ¿Co-bar-de yo he de ser?
3. Es me-nes-ter que se-a fiel, Que nun-ca vuel-va a a-trás,

¿Y te-me-ré lle-var la cruz Su-frien-do por su a-mor?
Por mi Se-ñor pe-le-a-ré, Con-fian-do en su po-der.
Que si-ga siem-pre en pos de él: Su gra-cia me da-rá.

45 Padre, Tu Palabra Es

J. B. Cabrera

John T. Grape

1. Pa-dre, tu pa-la-bra es Mi de-li-cia y mi so-laz: Guí-e
2. Si o-be-dien-te o-í tu voz, En tu gra-cia y fuer-za ha-llé, Y con
3. Tu ver-dad es mi sos-tén Con-tra du-da y ten-ta-ción, Y des-
4. Son tus di-chos pa-ra mí, Prendas fie-les de sa-lud; Da-me

CORO

siem-pre a-quí mis pies, Y a mi pe-cho trai-ga paz.
fir-me pie y ve-loz, Por tus sendas ca-mi-né.
ti-la cal-ma y bien Cuando a-salta la a-flic-ción.
pues que te oi-ga a ti, Con fi-lial so-li-ci-tud.

Es tu ley, Se-ñor,

Fa-ro ce-les-tial, Que en pe-ren-ne res-plandor, Norte y guí-a da al mortal.

46 El Señor Resucitó, ¡Aleluya!

Es traducción
Elisha A. Hoffman

RESURRECCION

Elisha A. Hoffman

1. El Señor re-su-ci-tó, ¡A-le-lu-ya! Muer-te, tum-ba hoy ven-
2. El que al pol-vo se hu-mi-lló, ¡A-le-lu-ya! Ven-ce-dor se le-van-
3. Cris-to que en la cruz su-frió, ¡A-le-lu-ya! Al se-pul-cro des-cen-
4. Hoy en glo-ria El es-tá, ¡A-le-lu-ya! Pron-to ya ven-drá a-

ció, ¡A-le-lu-ya! Su po-der y gran vir-tud Cau-ti-
tó, ¡A-le-lu-ya! Can-te pues la Cris-tian-dad Su glo-
dió, ¡A-le-lu-ya! Hoy en glo-ria ce-les-tial Rei-na
cá, ¡A-le-lu-ya! Por no-so-tros El ven-drá, Con a-

D. S. der y gran vir-tud Cau-ti-

FINE

vó la es-cla-vi-tud Re-di-mi-do soy por El, ¡A-le-lu-ya!
rio-sa ma-jes-tad; Re-di-mi-do soy por El, ¡A-le-lu-ya!
vi-vo, in-mor-tal; Re-di-mi-do soy por El, ¡A-le-lu-ya!
mor nos al-za-rá, Re-di-mi-do soy por El, ¡A-le-lu-ya!

vó la es-cla-vi-tud Re-di-mi-do soy por El, ¡A-le-lu-ya!

CORO

¡A-le-lu-ya, sal-vo soy! Re-di-

D. S.

mi-do soy por El; Su po-

47 La Tumba Le Encerró

Tr. Geo. P. Simmonds
Robert Lowry

CRISTO RESUCITO

Robert Lowry

1. La tum-ba le en-ce-rró, Cris-to, mi Cris-to; El al-ba a-
2. De guar-das es-ca-pó, Cris-to, mi Cris-to; El se-llo
3. La muer-te do-mi-nó Cris-to, mi Cris-to; Y su po-

Coro

llí es-pe-ró Cris-to el Se-ñor. Cris-to la tum-ba ven-ció,
des-tru-yó Cris-to el Se-ñor.
der ven-ció Cris-to el Se-ñor.

sí, ven-ció

Y con gran po-der re-su-ci-tó; De se-pul-cro y

re-su-ci-tó

muer-te Cris-to es ven-ce-dor, Vi-ve pa-ra siem-pre nues-tro Sal-va-dor;

¡Glo-ria a Dios! ¡Glo-ria a Dios! El Se-ñor re-su-ci-tó.

¡Glo-ria a Dios! ¡Glo-ria a Dios!

48 Mi Redentor, El Rey De Gloria

Tr. T. M. Westrup
H. A. Merrill

LA CITA

George C. Stebbins

1. Mi Re - den - tor, el Rey de glo - ria, Que vi - ve, yo se - gu - ro es-toy;
2. En mi Se - ñor Je-sús con-fí - o; Su san - gre cla-ma a mi fa - vor.
3. De tan - to a-mor me ma - ra - vi - llo, Y no me can-so de ad-mi - rar:
4. Con-sué - lo-me en su lar-ga au-sen-cia Pen-san - do: pron-to vol - ve - rá.

Y da co - ro-nas de vic - to-ria; A re - ci-bir la mí - a voy.
Es due - ño él de mi al-be-drí - o; Es - tar con él es lo me - jor.
Me li - ber-tó de mi pe - li - gro, Su-frien - do to-do en mi lu - gar.
En-ton - ces su glo-rio - sa he-ren - cia A ca - da fiel Je-sús da - rá.

Coro

Que per - ma-nez - ca no pi-dáis En-tre el bu - lli-cio y el vai-vén;

El mun-do a - le - gre hoy de - ja - ra, Aun cuan - do fue-se al-gún E - dén;

La ci - ta na-da mas a-guar - do, Que el Rey me di - ga: Hi - jo, ven.

49 Santo Espíritu, Desciende

Tr. Vicente Mendoza
E. H. Stokes, D. D.

John R. Sweney

PLENITUD

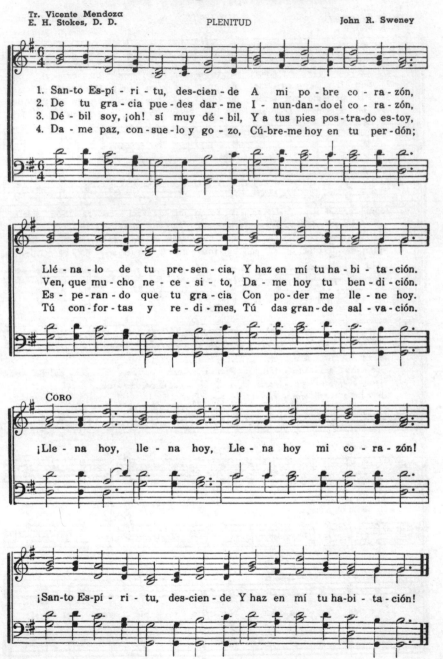

1. San-to Es-pí - ri - tu, des-cien - de A mi po - bre co - ra - zón,
2. De tu gra - cia pue-des dar - me I - nun-dan-do el co - ra - zón,
3. Dé - bil soy, ¡oh! sí muy dé - bil, Y a tus pies pos-tra-do es-toy,
4. Da - me paz, con-sue-lo y go - zo, Cú-bre-me hoy en tu per - dón;

Llé - na - lo de tu pre-sen - cia, Y haz en mí tu ha-bi - ta-ción.
Ven, que mu - cho ne - ce - si - to, Da-me hoy tu ben-di - ción.
Es - pe-ran-do que tu gra - cia Con po-der me lle - ne hoy.
Tú con-for-tas y re - di - mes, Tú das gran-de sal - va-ción.

Coro

¡Lle - na hoy, lle - na hoy, Lle - na hoy mi co - ra - zón!

¡San-to Es-pí - ri - tu, des-cien - de Y haz en mí tu ha-bi - ta-ción!

50 Tuyo Soy, Señor

Tr. T. M. Westrup
Fanny J. Crosby

TUYO SOY

Wm. H. Doane

1. Tu - yo soy, Se - ñor; por tu a-man - te voz Tu ca - ri - ño com - pren - dí; A - cer - car - se an - he - la mi co - ra - zón Por la fe, y u - nir - se a ti.

2. San - ti - fí - ca - me co - mo sier - vo fiel; Que con go - zo se - pa an - dar Em - pe - ño - so pa - ra o - be - de - cer Tu su - pre - ma vo - lun - tad.

3. Pro - por - cio - na - me ce - les - tial pla - cer An - te el tro - no tu - yo es - tar; De tu co - mu - nión el in - men - so bien Se - gu - rí - si - mo es - pe - rar.

4. Del a - mor ar - ca - nos hay, bien lo sé, Pa - ra los de a - quen - de el mar; Y su - bli - mes go - ces que so - ña - ré Mientras de - ba a - quí mo - rar.

Coro

Pon - me cer - ca, cer - ca, Sal - va - dor, De tu cruz y su rau - dal; Pon - me cer - ca, cer - ca, cer - ca, Sal - va - dor, No me a - go - bie ya el mal.

51   Tal Como Soy, Esclavo del Mal

Tr. Ernesto Barocio
W. T. Sleeper

VENGO JESUS

George C. Stebbins

1. Tal como soy, esclavo del mal, He-me a tus pies, mi Salvador;
2. He fracasado, perdido estoy; He-me a tus pies, mi Salvador,
3. Mira abatida ya mi altivez, He-me a tus pies, mi Salvador,
4. Tú mis temores cambias en paz; He-me a tus pies, mi Salvador,

Sólo tú puedes dar libertad; ¡He-me a tus pies, Señor!
Hallo en tu cruz ganancia mejor; ¡He-me a tus pies, Señor!
Tu voluntad ya la mía es; ¡He-me a tus pies, Señor!
Muerte y sepulcro no temo más; ¡He-me a tus pies, Señor!

Triste y enferma mi alma hallará Salud perfecta, gozo eternal,
A mis dolores bálsamo das. Calmas de mi alma la tempestad
Ya no vivir podré para mí, Pues a ti sólo debo servir;
Perdido andaba; tú, mi Pastor, Me rescataste, tu oveja soy,

Y del pecado me librarás. ¡He-me a tus pies Señor!
Y un nuevo canto podré entonar. ¡He-me a tus pies Señor!
Seré tu siervo fiel hasta el fin. ¡He-me a tus pies Señor!
Y hoy en tu mano seguro estoy. ¡He-me a tus pies Señor!

52   No Me Pases, No Me Olvides

Es traducción
Fanny J. Crosby

NO ME PASES

Wm. H. Doane

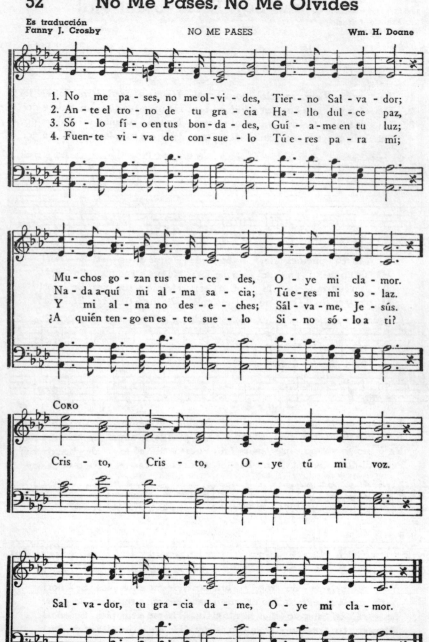

1. No me pa-ses, no me ol-vi-des, Tier-no Sal-va-dor;
2. An-te el tro-no de tu gra-cia Ha-llo dul-ce paz,
3. Só-lo fí-o en tus bon-da-des, Guí-a-me en tu luz;
4. Fuen-te vi-va de con-sue-lo Tú e-res pa-ra mí;

Mu-chos go-zan tus mer-ce-des, O-ye mi cla-mor.
Na-da a-quí mi al-ma sa-cia; Tú e-res mi so-laz.
Y mi al-ma no des-e-ches; Sál-va-me, Je-sús.
¿A quién ten-go en es-te sue-lo Si no só-lo a ti?

Coro

Cris-to, Cris-to, O-ye tú mi voz.

Sal-va-dor, tu gra-cia da-me, O-ye mi cla-mor.

53 ¿Qué Me Puede Dar Perdón?

Tr. H. W. Cragin
Robert Lowry

PLAINFIELD

Robert Lowry

1. ¿Qué me pue-de dar per-dón? Só-lo de Je-sús la San-gre,
2. Fue el res-ca-te e-fi-caz, Só-lo de Je-sús la San-gre;
3. Ve-o pa-ra mi sa-lud, Só-lo de Je-sús la San-gre,
4. Can-ta-ré jun-to a sus pies, Só-lo de Je-sús la San-gre.

¿Y un nue-vo co-ra-zón? Só-lo de Je-sús la San-gre.
Tra-jo san-ti-dad y paz, Só-lo de Je-sús la San-gre.
Tie-ne de sa-nar vir-tud, Só-lo de Je-sús la San-gre.
El Cor-de-ro dig-no es, Só-lo de Je-sús la San-gre.

CORO

Pre-cio-so es el rau-dal, Que lim-pia to-do mal;

No hay o-tro ma-nan-tial, Só-lo de Je-sús la San-gre.

54   Quiero De Cristo Más Saber

Tr. Vicente Mendoza
E. E. Hewitt

John R. Sweney

1. Quie-ro de Cris-to más sa-ber,   Más de su a-mor pa-ra sal-var;
2. Quie-ro de Cris-to más sa-ber,   Más de su san-ta vo-lun-tad,
3. Más con Je-sús yo quie-ro es-tar,   En u-na dul-ce co-mu-nión,
4. Quie-ro sa-ber que nun-ca más   El ten-ta-dor ha de triun-far,

FINE

Más de su gra-cia quie-ro ver,   Más del per-dón que pue-de dar.
Más de su es-pí-ri-tu te-ner,   Más de su tier-na y fiel bon-dad.
Quie-ro su voz a-quí es-cu-char   Y de e-lla ha-cer mi po-se-sión.
Quie-ro sa-ber de a-que-lla paz   Que el buen Je-sús me pue-de dar.

D.S.—Más de su gra-cia quie-ro ver,   Más de su a-mor pa-ra sal-var.

CORO

D. S.

Más, más a-pren-der,   Más, más al-can-zar,

55   Oración Vespertina

Tr. Geo. P. Simmonds
Charles H. Gabriel

AL PERDONADOR

Charles H. Gabriel

1. Oh Dios, si he o-fen-di-do un co-ra-zón, Si he si-do cau-sa de su
2. Si he pro-fe-ri-do vo-ces de mal-dad, Fal-tan-do en de-mos-trar la
3. Si he si-do pe-re-zo-so en tra-ba-jar, O si he de-sea-do yo con-
4. Tú, del con-tri-to fiel per-do-na-dor, Que a-tien-des al cla-mor del

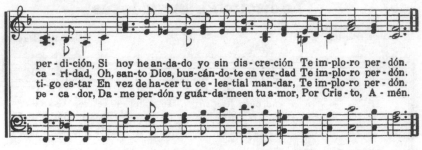

per - di - ción, Si hoy he an-da-do yo sin dis - cre-ción Te im-plo-ro per - dón.
ca - ri-dad, Oh, san-to Dios, bus-cán-do-te en ver-dad Te im-plo-ro per - dón.
ti- go es-tar En vez de ha-cer tu ce - les-tial man-dar, Te im-plo-ro per - dón.
pe - ca - dor, Da - me per-dón y guár-da-me en tu a-mor, Por Cris-to, A - mén.

56 Hay Un Precioso Manantial

Tr. M. N. Hutchinson
William Cowper
MANANTIAL PURIFICADOR
Primitiva Melodía Americana
Arr. por Lowell Mason

1. Hay un pre - cio - so ma - nan - tial De san - gre de Em-ma-nuel,
2. El mal - he-chor se con - vir - tió Pen-dien - te de u - na cruz;
3. Y yo tam-bién mi po - bre ser A - llí lo - gré la - var;
4. ¡E - ter - na fuen - te car - me - sí! ¡Rau-dal de pu-ro a - mor!

Que pu - ri - fi - ca a ca - da cual Que se su - mer-ge en él.
Él vio la fuen-te y se la - vó, Cre-yen - do en Je - sús.
La glo - ria de su gran po - der Me go - zo en en - sal - zar.
Se la - va - rá por siem-pre en ti El pue - blo del Se - ñor.

Que se su - mer-ge en él, Que se su - mer - ge en él.
Cre-yen-do en Je - sús, Cre - yen - do en Je - sús.
Me go - zo en en - sal - zar, Me go - zo en en - sal - zar.
El pue - blo del Se - ñor, El pue - blo del Se - ñor.

Yo Escucho, Buen Jesús

Tr. J. B. Cabrera
Louis Hartsough

GRATA VOZ

Louis Hartsough

1. Yo es-cu-cho, buen Je-sús, Tu dul-ce voz de a-mor,
2. Tú o-fre-ces el per-dón De to-da i-ni-qui-dad,
3. Tú o-fre-ces au-men-tar La fe del que cre-yó,

Que, des-de el ár-bol de la cruz, In-vi-ta al pe-ca-dor.
Si el llan-to in-un-da el co-ra-zón Que a-cu-de a tu pie-dad.
Y gra-cia so-bre gra-cia dar A quien en ti es-pe-ró.

Yo soy pe-ca-dor, Na-da hay bue-no en mí;
Yo soy pe-ca-dor, Ten de mí pie-dad.
Cre-o en ti, Se-ñor, Só-lo es-pe-ro en ti;

Ser ob-je-to de tu a-mor De-se-o, y ven-go a ti.
Da-me llan-to de do-lor, Y bo-rra mi mal-dad.
Da-me tu in-fi-ni-to a-mor, Pues bas-ta pa-ra mí.

58 Salvador, A Ti Me Rindo

Tr. A. R. Salas
Judson W. Van DeVenter
Winfield S. Weeden

SUMISION

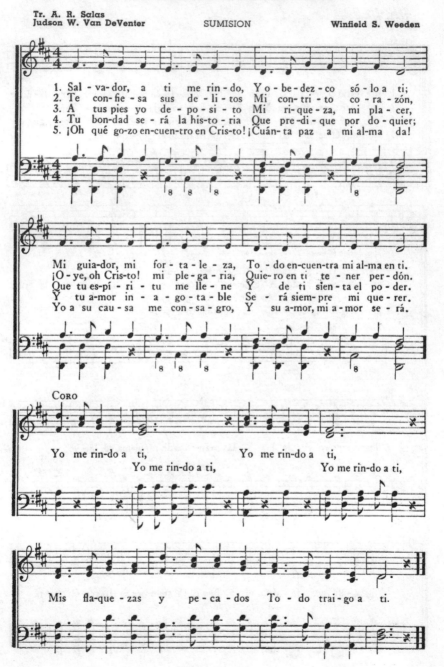

1. Sal - va - dor, a ti me rin - do, Yo be - dez - co só - lo a ti;
2. Te con - fie - sa sus de - li - tos Mi con - tri - to co - ra - zón,
3. A tus pies yo de - po - si - to Mi ri - que - za, mi pla - cer,
4. Tu bon - dad se - rá la his - to - ria Que pre - di - que por do - quier;
5. ¡Oh qué go - zo en - cuen - tro en Cris - to! ¡Cuán - ta paz a mi al - ma da!

Mi guia - dor, mi for - ta - le - za, To - do en - cuen - tra mi al - ma en ti.
¡O - ye, oh Cris - to! mi ple - ga - ria, Quie - ro en ti te - ner per - dón.
Que tu es - pí - ri - tu me lle - ne Y de ti sien - ta el po - der.
Y tu a - mor in - a - go - ta - ble Se - rá siem - pre mi que - rer.
Yo a su cau - sa me con - sa - gro, Y su a - mor, mi a - mor se - rá.

Coro

Yo me rin - do a ti, Yo me rin - do a ti,
Yo me rin - do a ti, Yo me rin - do a ti,

Mis fla - que - zas y pe - ca - dos To - do trai - go a ti.

59 En La Cruz

Tr. Pedro Grado
Isaac Watts-Coro, Hudson

HUDSON

R. E. Hudson

1. Me hi-rió el pe-ca-do, fui a Je-sús, Mos-tre-le mi do-lor; Per-di-do, e-
2. So-bre u-na cruz, mi buen Se-ñor, Su san-gre de-rra-mó Por es-te
3. Ven-ció a la muer-te con po-der, Y al cie-lo se ex-al-tó; Con-fiar en
4. Aun-que él se fue so-lo no es-toy, Man-dó al Con-so-la-dor, Di-vi-no Es-

Coro

rran-te, ví su luz, Ben-dí-jo-me en su a-mor.
po-bre pe-ca-dor A quien a-sí sal-vó.   En la cruz, en la cruz,
él es mi pla-cer, Mo-rir no te-mo yo.
pí-ri-tu que hoy Me da per-fec-to a-mor.

do pri-me-ro vi la luz, Y las man-chas de mi al-ma yo la-vé;
yo la-vé;

Fue a-llí por fe do vi a Je-sús, Y siem-pre fe-liz con él se-ré.

60 ¿Eres Limpio En La Sangre?

Tr. H. W. Cragin
E. A. Hoffman

LIMPIO EN LA SANGRE

E. A. Hoffman

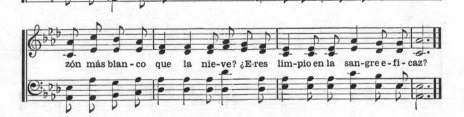

1. ¿Has ha - lla - do en Cris - to ple - na sal - va - ción? ¿Por la san - gre que
2. ¿Vi - ves siem - pre al la - do de tu Sal - va - dor? ¿Por la san - gre que
3. ¿Ten-drás ro - pa blan - ca al ve - nir Je - sús? ¿E - res lim - pio en la
4. Cris-to o-fre - ce hoy pu - re - za y po - der, ¡Oh, a - cu - de a la

Cris - to ver-tió? ¿To - da man-cha la - va de tu co - ra-zón? ¿E - res
él de-rra-mó? ¿Del pe - ca - do e - res siem-pre ven - ce-dor? ¿E - res
fuen-te de a-mor? ¿Es-tás lis - to pa - ra la man-sión de luz? ¿E - res
cruz del Se - ñor! El la fuen - te es que lim-pia - rá tu ser, ¡Oh, a-

1-3. lim-pio en la san - gre e-fi - caz? ¿E-res lim-pio en la san-gre,
4. cu -de a su san - gre e-fi - caz! ¿E-res lim - pio en la san-

En la san - gre de Cris - to Je - sús? ¿Es tu co - ra-
gre de Je-sús?

zón más blan - co que la nie - ve? ¿E-res lim-pio en la san-gre e-fi - caz?

61 Venid a Mí, Los Tristes

Es traducción
Fanny J. Crosby

LLAMAMIENTO

George C. Stebbins

1. Ve - nid a mí los tris - tes, Can - sa - dos de pe - car,
2. Ve - nid a mí can - sa - dos, Mi voz hoy es - cu - chad,
3. Ve - nid a mí can - sa - dos, Os dice el Sal - va - dor,
4. Ve - nid a mí can - sa - dos, ¿Por qué que - réis va - gar?

Yo soy vues - tro re - fu - gio, Ve - nid a des - can - sar.
Y a - sí se - réis li - bra - dos De to - da i - ni - qui - dad.
Por va - lles y mon - ta - ñas Os bus - ca el buen Pas - tor.
A vues - tro Pa - dre a - man - te Ve - nid sin es - pe - rar.

Coro

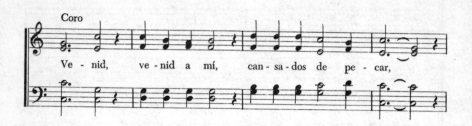

Ve - nid, ve - nid a mí, can - sa - dos de pe - car,

Ve - nid, ve - nid a mí, can - sa - dos de pe - car.

62 Pecador, Ven A Cristo Jesús

Tr. Pedro Castro
S. F. Bennett

DULCE PORVENIR

J. P. Webster

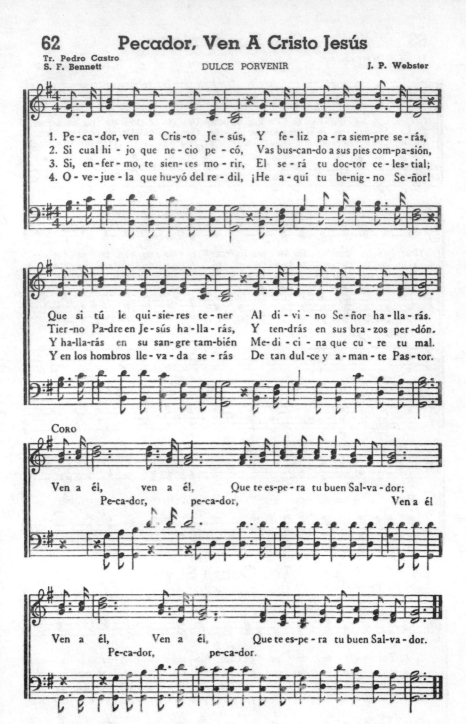

1. Pe-ca-dor, ven a Cris-to Je-sús, Y fe-liz pa-ra siem-pre se-rás,
2. Si cual hi - jo que ne-cio pe - có, Vas bus-can-do a sus pies com-pa-sión,
3. Si, en-fer-mo, te sien-tes mo-rir, El se - rá tu doc-tor ce-les-tial;
4. O - ve-jue-la que hu-yó del re-dil, ¡He a-quí tu be-nig-no Se-ñor!

Que si tú le qui-sie-res te-ner   Al di-vi-no Se-ñor ha-lla-rás.
Tier-no Pa-dre en Je-sús ha-lla-rás,   Y ten-drás en sus bra-zos per-dón.
Y ha-lla-rás en su san-gre tam-bién   Me-di-ci-na que cu-re tu mal.
Y en los hombros lle-va-da se-rás   De tan dul-ce y a-man-te Pas-tor.

Coro

Ven a él,   ven a él,   Que te es-pe-ra tu buen Sal-va-dor;
Pe-ca-dor,   pe-ca-dor,   Ven a él

Ven a él,   Ven a él,   Que te es-pe-ra tu buen Sal-va-dor.
Pe-ca-dor,   pe-ca-dor.

63 Con Voz Benigna

Tr. T. M. Westrup
Fanny J. Crosby

HOY TE CONVIDA

George S. Stebbins

1. Con voz be-nig-na te lla-ma Je-sús, In-vi-ta-ción de pu-ro a-mor.
2. A los can-sa-dos con-vi-da Je-sús, Con com-pa-sión mi-ra el do-lor;
3. Siempre aguardando con-tem-pla a Je-sús: ¡Tanto es-pe-rar! ¡con tan-to a-mor!

¿Por qué le de-jas en va-no lla-mar? ¿Sor-do se-rás, pe-ca-dor?
Tráe-le tu car-ga, te ben-de-ci-rá, A-yu-da-rá-te el Se-ñor.
Has-ta sus plan-tas ven, mí-se-ro y trae Tu ten-ta-ción, tu do-lor.

CORO

Hoy...... te con-vi-da; Hoy...... te con-vi-da,

Voz...... ben-de-ci-da, Be-nig-na con-ví-da-te hoy.

64 Tal Como Soy

Tr. T. M. Westrup
Charlotte Elliott

WOODWORTH

Wm. B. Bradbury

1. Tal co-mo soy, de pe-ca-dor, Sin más con-fian-za que tu a-mor,
2. Tal co-mo soy, bus-can-do paz En mi des-gra-cia y mal te-naz,
3. Tal co-mo soy, me a-co-ge-rás; Per-dón a-li-vio me da-rás;
4. Tal co-mo soy, tu com-pa-sión Ven-ci-do ha to-da o-po-si-ción;

Ya que me lla - mas, a - cu - dí; Cor - de - ro de Dios, he - me a - quí.
Con-flic- to gran - de sien-to en mí; Cor - de - ro de Dios, he - me a - quí.
Pues tu pro - me - sa ya cre - í; Cor - de - ro de Dios, he - me a - quí.
Ya per - te - nez - co só - lo a tí; Cor - de - ro de Dios, he - me a - quí.

65   A Jesucristo Ven Sin Tardar

Tr. J. B. Cabrera
George Frederick Root   INVITACION (ROOT)   George Frederick Root

1. A Je - su - cris - to ven sin tar-dar, Que en-tre no-so-tros hoy El es - tá,
2. Pien-sa que El so-lo pue - de col-mar Tu tris-te pe - cho de go-zo y paz;
3. Su voz es-cu - cha sin va - ci - lar, Y gra-to a-cep-ta lo que hoy te da,

Y te con - vi - da con dul-ce a-fán, Tier - no di-cien - do: "Ven."
Y por que an-he - la tu bien - es-tar, Vuel-ve a de-cir - te: "Ven."
Tal vez ma - ña - na no ha-brá lu - gar, No te de-ten-gas, "Ven."

CORO

¡Oh, cuán gra - ta nues-tra re - u - nión Cuan-do a-llá Se-ñor, en tu man-sión,

Con - ti-go es-te - mos en co - mu-nión Go - zan-do e-ter - no bien!

From **Selected Gospel Hymns**, John Church Co., Byrn Mawr, Pa.

66 ¡Cuán Tiernamente Jesús Nos Llama!

Es traducción
Will L. Thompson

THOMPSON

Will L. Thompson

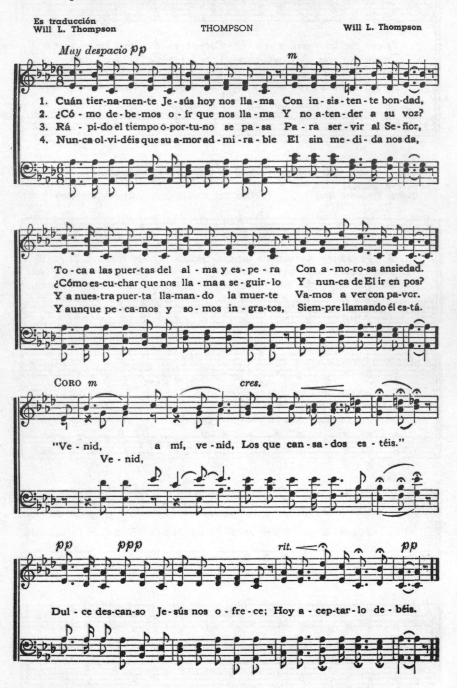

1. Cuán tier-na-men-te Je-sús hoy nos lla-ma Con in-sis-ten-te bon-dad,
2. ¿Có-mo de-be-mos o-ír que nos lla-ma Y no a-ten-der a su voz?
3. Rá-pi-do el tiempo o-por-tu-no se pa-sa Pa-ra ser-vir al Se-ñor,
4. Nun-ca ol-vi-déis que su a-mor ad-mi-ra-ble El sin me-di-da nos da,

To-ca a las puer-tas del al-ma y es-pe-ra Con a-mo-ro-sa ansiedad.
¿Cómo es-cu-char que nos lla-ma a se-guir-lo Y nun-ca de El ir en pos?
Y a nues-tra puer-ta lla-man-do la muer-te Va-mos a ver con pa-vor.
Y aunque pe-ca-mos y so-mos in-gra-tos, Siem-pre llamando él es-tá.

CORO

"Ve-nid, a mí, ve-nid, Los que can-sa-dos es-téis."
Ve-nid,

Dul-ce des-can-so Je-sús nos o-fre-ce; Hoy a-cep-tar-lo de-béis.

Puedo Oír Tu Voz Llamando

Tr. Sra. F. F. D.
E. W. Blandly

NORRIS

J. S. Norris

1. Pue-do o-ir tu voz lla-man-do, Pue-do o-ir tu voz lla-man-do,
2. Yo te se-gui-ré en el huer-to, Yo te se-gui-ré en el huer-to,
3. Su-fri-ré por Ti, Ma-es-tro, Su-fri-ré por Ti, Ma-es-tro,
4. Me da-rás la gra-cia y glo-ria, Me da-rás la gra-cia y glo-ria,

Pue-do o-o-ir tu voz lla-man-do, Trae tu cruz y ven en pos de mí.
Yo te se-gui-ré en el huer-to, Su-fri-ré con-ti-go mi Je-sús.
Su-fri-ré por Ti, Ma-es-tro, Mo-ri-ré con-ti-go, mi Je-sús.
Me da-rás la gra-cia y glo-ria, Y por siem-pre Tú me gui-a-rás.

Coro

Se-gui-ré do Tú me guí-es, Se-gui-ré do Tú me guí-es,

Se-gui-ré do Tú me guí-es, Don-de quie-ra fiel te se-gui-ré.

¿Quieres Ser Salvo?

Tr. D. A. Mata
L. E. Jones

PODER EN LA SANGRE

L. E. Jones

1. ¿Quie-res ser sal-vo de to-da mal-dad? Tan só-lo hay po-der
2. ¿Quie-res ser li-bre de or-gu-llo y pa-sión? Tan só-lo hay po-der
3. ¿Quie-res ser-vir a tu Rey y Se-ñor? Tan só-lo hay po-der

en mi Je-sús. ¿Quie-res vi-vir y go-zar san-ti-dad?
en mi Je-sús. ¿Quie-res ven-cer to-da cruel ten-ta-ción?
en mi Je-sús. Ven, y ser sal-vo po-drás en su a-mor,

CORO

Tan só-lo hay po-der en Je-sús. Hay po-der, po-der,
hay po-der

sin i-gual po-der, En Je-sús quien mu-rió; Hay po-
En Je-sús quien mu-rió;

der, po-der, sin i-gual po-der, En la san-gre que El ver-tió.
hay po-der

69 Jesús Es La Luz Del Mundo

Tr. H. C. Thompson
P. P. Bliss

LUZ DEL MUNDO

P. P. Bliss

1. El mun-do per-di-do en pe - ca-do se vio: ¡Je - sús es la
2. En dí - a la no-che se cam-bia con él; ¡Je - sús es la
3. ¡Oh, cie-gos y pre-sos del ló - bre-go er-ror! ¡Je - sús es la
4. Ni so - les ni lu-nas el cie - lo ten-drá, ¡Je - sús es la

luz del mun - do! Mas en las ti - nie-blas la glo - ria bri - lló,
luz del mun - do! I - rás en la luz si a su ley e - res fiel,
luz del mun - do! El man-da la-var-os y ver su ful-gor,
luz del mun - do! La luz de su ros-tro lo i - lu - mi - na - rá,

Coro

¡Je - sús es la luz del mun - do! ¡Ven a la luz; no quie-res per -

der Go - zo per-fec-to al a - ma - ne - cer! Yo cie - go

fuí, mas ya pue-do ver, ¡Je - sús es la luz del mun - do!

70   ¡Oh, Qué Salvador!

Es traducción
Fanny J. Crosby

EL ESCONDE MI ALMA

Wm. J. Kirkpatrick

1. ¡Oh qué Salvador es mi Cristo Jesús! ¡Oh
2. Iré a mirar a los que aquí dejé, Y
3. Y cuando esta vida termine aquí, La
4. Y cuando en las nubes descienda Jesús, Glo-

qué Salvador es aquí! El salva al mas
con ellos yo estaré; Mas quiero mi-
lucha abandonaré, Entonces a
rioso al mundo a reinar, Su gran salva-

ma-lo de su iniquidad, Y vida eterna le da.
rar a mi Cristo Jesús, El cual murió en dura cruz.
Cristo yo voy a mirar, Loor a su nombre daré.
ción y perfecto amor, Por siglos yo he de gozar.

Coro

Me escondo en la Roca que es Cristo el Señor, Y allí nada

yo te - me - ré;   Me es-con-do en la Ro - ca que es mi Sal-va - dor,

Y en El siem-pre con - fi - a - ré,   Y siem-pre con El vi - vi - ré.

71   ¿Te Sientes Casi Resuelto Ya?

Tr. Pedro Castro
P. P. Bliss

CASI RESUELTO

P. P. Bliss

1. ¿Te sien-tes ca - si   re - suel - to ya?   ¿Te fal - ta po - co
2. ¿Te sien-tes ca - si   re - suel - to ya?   Pues ven-ce el ca - si,
3. Sa - be que el ca - si   no es de va - lor   En la pre-sen - cia

pa - ra cre - er?   Pues ¿por qué di - ces   a Je - su-
a Cris - to ven,   Que hoy es tiem - po,   pe - ro ma-
del jus - to Juez.   ¡Ay del que mue - re   ca - si cre-

cris - to "Hoy no, ma - ña - na   te se - gui - ré?"
ña - na So - bra - do tar - de   pu - die - ra ser.
yen - do! ¡Com - ple - ta - men - te   per - di - do es!

72 El Vino A Mi Corazón

Tr. Vicente Mendoza
R. H. McDaniel

McDANIEL

Charles H. Gabriel

1. Cuán glo-rio-so es el cambio o-pe-ra-do en mi sér, Vi-nien-do a mi
2. Ya no voy por la sen-da que el mal me tra-zó, Do só-lo en-con-
3. Ni u-na som-bra de du-da ob-scu-re-ce su amor, A-mor que me

vi-da el Se-ñor; Hay en mi alma una paz que yo ansia-ba te-ner,
tré con-fu-sión; Mis e-rro-res pa-sa-dos Je-sús los bo-rró,
tra-jo el per-dón; La es-pe-ran-za que alien-to la de-bo al Se-ñor,

CORO

La paz que me tra-jo su a-mor. El vi-no a mi co-ra-
Cuando él vi-no a mi co-ra-zón.
Cuando él vi-no a mi co-ra-zón. El vi-no a mi, El

zón, El vi-no a mi co-ra-zón, Soy fe-liz con la
vi-no a mi, El vi-no a mi, a mi co-ra-zón,

vi-da que Cris-to me dió, Cuando él vi-no a mi co-ra-zón.

73 Cariñoso Salvador

Tr. T. M. Westrup
Charles Wesley

MARTYN

Simeon B. Marsh

1. Ca - ri - ño - so Sal - va - dor, Hu - yo de la tem - pes - tad
2. O - tro a - si - lo nin - gu - no hay: In - de - fen - so a - cu - do a ti;
3. Cris-to, en-cuen-tro to-do en ti, Y no ne - ce - si - to más;

A tu se - no pro - tec - tor, Fián - do - me de tu bon - dad.
Mi ne - ce - si - dad me trae, Por - que mi pe - li - gro vi.
Caí - do, me pu - sis - te en pie: Dé - bil, á - ni - mo me das;

Sál - va - me, Se - ñor Je - sús, De las o - las del tur - bión;
So - la-men-te en ti, Se - ñor, Creo ha-llar con-sue-lo y luz;
Al en - fer - mo das sa - lud; Guí - as tier-no al que no ve;

Has - ta el puer-to de sa - lud, Guía mi po-bre em-bar - ca - ción.
Ven - go lle - no de te-mor A los pies de mi Je - sús.
Con a - mor y gra - ti - tud Tu bon-dad en - sal - za - ré.

Guíame, ¡Oh Salvador!

Tr. Pedro Grado
Frank M. Davis

DAVIS

Frank M. Davis

1. Guí - a - me, ¡oh Sal - va - dor!
   Guí - - - a - - - - - me, ¡oh Sal - va - dor!, Por la / Por
2. No me de - jes, ¡oh Se - ñor!,
   No me de - jes, ¡oh Se - ñor! Mien-tras / Mien -
3. Tú, de mi al - ma sal - va - ción,
   Tú, de. mi al - ma sal - va - ción, En la / En

ví - a de sa - lud; A tu la - do no hay te -
la ví - a de sa - lud; A tu
en el mun-do es - té; Y haz que a-rri - be sin te -
tras en el mun-do es-té; Y haz que a -
ru - da tem-pes - tad, Al ve - nir la ten-ta -
la ru - da tem-pes-tad, Al ve - - - -

mor; Só - lo hay go-zo, paz, quie-tud.
la - do no hay te-mor. Só - lo hay go-zo, paz, quietud.
mor Do fe - liz por fin se - ré.
rri - be sin te-mor. Do fe - - - liz por fin se - ré.
ción Da - me a-yu - da por pie-dad.
nir la ten-ta-ción. Da - me a - - - - yu-da por pie-dad.

Coro

¡Cris - to! ¡Cris - to! No me de - jes, ¡oh Se - ñor! Sien - do
¡oh Se - ñor!

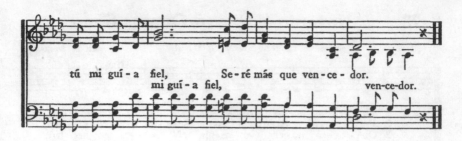

tú mi guí-a fiel, Se-ré más que ven-ce-dor.
mi guí-a fiel, ven-ce-dor.

75 Yo Confío En Jesús

Es traducción en
Estrella de Belén

VIDA

1. Yo con-fí-o en Je-sús, Y ya sal-vo soy;
2. To-do fué pa-ga-do ya, Na-da de-bo yo;
3. Mi per-fec-ta sal-va-ción E-res, mi Je-sús;

Por su muer-te en la cruz A la glo-ria voy.
Sal-va-ción per-fec-ta da Quien por mí mu-rió.
Mi com-ple-ta re-den-ción, Mi glo-rio-sa luz.

Coro

Cris-to dio por mí San-gre car-me-sí; Y

por su muer-te en la cruz La vi-da me dio Je-sús.

76 Noventa Y Nueve Ovejas Son

Tr. Pedro Castro
Elizabeth C. Clephane

LAS NOVENTA Y NUEVE

Ira D. Sankey

1. No-ven-tay nue-veo-ve-jas son, Las que en el pra-do es-tán,
2. Por es-ta o-ve-ja el buen Pas-tor Se ex-po-ne con pie-dad,
3. Obs-cu-ra no-che ve ve-nir, Y ne-gra tem-pes-tad;
4. San-gran-do lle-ga el buen Pas-tor; La o-ve-ja he-ri-da es-tá;

Mas u-na so-la, sin pas-tor, Por la mon-ta-ña va;
De-jan-do so-lo a-quel re-dil, Al que a-ma de ver-dad,
Mas to-do a-rros-tra, y a su-frir, Lo lle-va su bon-dad;
El bos-que sien-te su do-lor. Com-par-te su an-sie-dad;

La puer-ta de o-ro tras-pa-só, Y va-ga en tris-te
Y al fra-go-ro-so bos-que va Su po-bre o-ve-ja a
Su o-ve-ja quie-re res-ti-tuir, Y a to-do tran-ce
Em-pe-ro Cris-to con a-mor Su o-ve-ja pu-do

so-le-dad, Y va-ga en tris-te so-le-dad.
res-ca-tar, Su po-bre o-ve-ja a res-ca-tar.
res-tau-rar, Y a to-do tran-ce res-tau-rar.
res-ca-tar, Su o-ve-ja pu-do res-ca-tar.

Salvo En Los Tiernos Brazos

Tr. J. B. Cabrera
Fanny J. Crosby

IN SINE JESU

William H. Doane

1. Sal-vo en los tier-nos bra - zos, De mi Je-sús se - ré,
2. Tien - de Je-sús los bra - zos, Brín-da - me su a - mis - tad:
3. De sus a - man - tes bra - zos, La gran so - li - ci - tud,
4. Y cru-za - ré la no - che Ló - bre-ga, sin te - mor,

CORO—Sal-vo en los tier-nos bra - zos De mi Je-sús se - ré,

rit.

FINE

Y en su a - mo-ro - so pe - cho Dul - ce re - po - sa - ré.
A su po-der me a - co - jo, No hay pa - ra mí an - sie - dad.
Me li-bra de tris-te - za, Me li - bra de in-quie - tud.
Has-ta que ven-ga el dí - a De pe - ren - nal ful - gor.

Y en su a - mo - ro - so pe - cho Dul - ce re - po - sa - ré.

Es - te es sin du - da el e - co De ce - les-tial can - ción,
No te - me - ré si ru - ge Hó - rri - da ten - ta - ción;
Y si tal vez hay prue - bas, Fá - ci - les pa - sa - rán;
¡Cuán pla cen - te - ro en - ton - ces Con El se - rá mo - rar!

D. C. al Coro

Que de i - ne - fa - ble go - zo Lle - na mi co - ra - zón........
Ni cau - sa-rá el pe - ca - do Da - ño en mi co - ra - zón........
Lá - gri-mas si ver - tie - re Pron - to se en-ju - ga - rán........
Y en la man-sión de glo - ria Siem-pre con El rei - nar........

78 Libres Estamos

Tr. T. M. Westrup
Philip P. Bliss

UNA VEZ Y PARA SIEMPRE

Philip P. Bliss

1. Li - bres es - ta - mos, Dios nos ab - suel - ve; En él con -
2. Cie - gos cau - ti - vos, mí - se - ros sier - vos, En car - ne
3. Hoy li - ber - ta - dos, ya no pe - que - mos; San - ti - fi -

fia - mos; paz nos de - vuel - ve; Nos vio per - di - dos; nos so - co - rrió;
vi - vos, en al - ma muer - tos; La ley ho - llan - do ca - da ac - ción;
ca - dos, su - yos se - re - mos; San - gre pre - cio - sa Cris - to ver - tió,

Coro

Aun - que e - ne - mi - gos, nos a - mó.
Nun - ca mos - tran - do com - pun - ción. El nos re - di - me; na - da te -
Be - llas lec - cio - nes nos de - jó.

me - mos; ¡Ver - dad su - bli - me!, no la du - de - mos. Nues - tra ca -

de - na Cris - to rom - pió; Li - bres de pe - na nos de - jó.

79 Tendrás Que Renacer

Tr. Jaime Clifford
W. T. Sleeper
George C. Stebbins

RENACER

1. Un hom-bre lle-gó-se de no-che a Je-sús, Bus-can-do la sen-da de vi-da y sa-lud,
2. Y tú si qui-sie-res al cie-lo lle-gar, Y con los ben-di-tos a-llí des-can-sar;
3. Ja-más, oh mortal, de-bes tú de-se-char Pa-la-bras que Cris-to dig-nó-se hab-lar;
4. A-mi-gos han i-do, con Cris-to a mo-rar, A quie-nes qui-sie-ras un dí-a en-con-trar,

Y Cris-to le di-jo:"Si a Dios quie-res ver, Ten-drás que re-na-cer."
Ten-drás que re-na-cer.
Si la vi-da e-ter-na qui-sie-res te-ner, Ten-drás que re-na-cer.
Ten-drás que re-na-cer.
Por-que si no quie-res el al-ma per-der, Ten-drás que re-na-cer.
Ten-drás que re-na-cer.
Hoy es-te men-sa-je pues de-bes cre-er: Ten-drás que re-na-cer.
Ten-drás que re-na-cer.

Coro

¡Ten-drás que re-na-cer! —— ¡Ten-dras que re-na-cer! —— De
¡Ten-drás, ten-drás que re-na-cer! ¡Ten-drás, ten-drás que re-na-cer;

cier-to, de cier-to te di-go a ti: Ten-drás que re-na-cer!
Ten-drás, ten-drás que re-na-cer!

Sagrado Es El Amor

Es traducción
John Fawcett

DENNIS

Hans George Nagali

1. Sa - gra - do es el a - mor Que nos ha u - ni - do a - quí,
2. A nues - tro Pa - dre, Dios, Ro - ga - mos con fer - vor,
3. Nos va - mos a au - sen - tar, Mas nues - tra fir - me u - nión
4. Un día en la e - ter - ni - dad Nos he - mos de re u - nir;

A los que cree - mos del Se - ñor La voz que lla - ma a sí.
A - lúm - bre - nos la mis - ma luz, Nos u - na el mis - mo a - mor.
Ja - más po - drá - se que - bran - tar Por la se - pa - ra - ción.
Que Dios nos lo con - ce - da, ha - rá El fér - vi - do pe - dir.

Más Santidad Dame

Es traducción
P. P. Bliss

MI ORACION

P. P. Bliss

1. Más san - ti - dad da - me, Más o - dio al mal, Más cal -
2. Más pru - den - te haz - me, Más sa - bio en él, Más fir -
3. Más pu - re - za da - me, Más fuer - za en Je - sús, Más de

ma en las pe - nas, Más al - to i - deal; Más fe en mi Ma - es - tro,
me en su cau - sa, Más fuer - te y más fiel; Más rec - to en la vi - da,
su do - mi - nio, Más paz en la cruz; Más ri - ca es - pe - ran - za,

Más con-sa-gra-ción, Más ce-lo en ser-vir-le, Más gra-ta o-ra-ción.
Más tris-te al pe-car, Más hu-mil-de hi-jo, Más pron-to en a-mar.
Más o-bras a-quí, Más an-sia del cie-lo, Más go-zo a-llí.

82   Los Heraldos Celestiales

T. Castro   FABEN   John Henry Wilcox

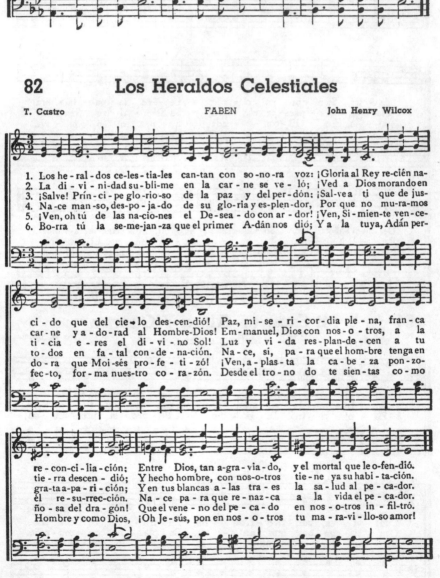

1. Los he-ral-dos ce-les-tia-les can-tan con so-no-ra voz: ¡Gloria al Rey re-cién na-
2. La di-vi-ni-dad su-bli-me en la car-ne se ve-ló; ¡Ved a Dios morando en
3. ¡Salve! Prín-ci-pe glo-rio-so de la paz y del per-dón; ¡Sal-ve a ti que de jus-
4. Na-ce man-so, des-po-ja-do de su glo-ria y es-plen-dor, Por que no mu-ra-mos
5. ¡Ven, oh tú de las na-cio-nes el De-sea-do con ar-dor! ¡Ven, Si-mien-te ven-ce-
6. Bo-rra tú la se-me-jan-za que el primer A-dán nos dió; Y a la tuya, Adán per-

ci-do que del cie-lo des-cen-dió! Paz, mi-se-ri-cor-dia ple-na, fran-ca
car-ne y a-do-rad al Hombre-Dios! Em-manuel, Dios con nos-o-tros, a la
ti-cia e-res el di-vi-no Sol! Luz y vi-da res-plan-de-cen a tu
to-dos en fa-tal con-de-na-ción. Na-ce, si, pa-ra que el hom-bre tenga en
do-ra que Moi-sés pro-fe-ti-zó! ¡Ven, a-plas-ta la ca-be-za pon-zo-
fec-to, for-ma nues-tro co-ra-zón. Desde el tro-no do te sien-tas co-mo

re-con-ci-lia-ción; Entre Dios, tan a-gra-via-do, y el mortal que le o-fen-dió.
tie-rra descen-dió; Y hecho hombre, con nos-o-tros tie-ne ya su habi-ta-ción.
gra-ta a-pa-ri-ción; Y en tus blancas a-las tra-es la sa-lud al pe-ca-dor.
él re-su-rrec-ción. Na-ce pa-ra que re-naz-ca a la vida el pe-ca-dor.
ño-sa del dra-gón! Que el vene-no del pe-ca-do en nos-o-tros in-fil-tró.
Hombre y como Dios, ¡Oh Je-sús, pon en nos-o-tros tu ma-ra-vi-llo-so amor!

83 Sed Puros y Santos

Es traducción
W. D. Longstaff

SANTIDAD

George C. Stebbins

1. Sed pu-ros y san-tos, Mi-rad al Se-ñor, Per-ma-ne-ced
2. Sed pu-ros y san-tos, Dios nos juz-ga-rá, O-rad en se-
3. Sed pu-ros y san-tos, Cris-to nos guia-rá; Se-guid su ca-

fie-les, Siem-pre en o-rar; Le-ed la pa-la-bra,
cre-to, Res-pues-ta ven-drá; Su Es-pí-ri-tu San-to
mi-no, En El con-fi-ad; En paz o en pe-na,

Del buen Sal-va-dor, So-co-rred al dé-bil, Mos-trad-le a-mor.
Re-ve-la a Je-sús, Y su se-me-jan-za En nos El pon-drá.
La cal-ma da-rá, Quien nos ha sal-va-do De nues-tra mal-dad.

84 Mi Espíritu, Alma Y Cuerpo

H. C. E.

LA CRUZ DE JESUS

Ira D. Sankey

1. Mí es-pí-ri-tu, al-ma y cuer-po, Mi ser, mi vi-da en-te-ra,
2. Soy tu-yo, Je-su-cris-to, Com-pra-do con tu san-gre;
3. Es-pí-ri-tu Di-vi-no, Del Pa-dre la pro-me-sa;

Cual vi-va, san-ta o-fren-da, En-tre-go a ti, mi Dios.
Con-ti-go haz que an-de, En ple-na co-mu-nión.
Se-dien-ta, mi al-ma an-he-la De tí la san-ta un-ción.

CORO

Mi to - do a Dios con - sa - gro En Cris-to, el vi - vo al - tar;

¡Des-cien-da el fue - go san - to, Su se - llo ce - les - tial!

85 Todo Rendido

Tr. G. Candelas
A. C. Sneed

ENTREGA

George C. Stebbins

1. To - do ren - di - do an - he - lo es - tar, To - do ren - di - do,
2. To - do ren - di - do a ti es - toy, Pues tú me has da - do
3. To - do ren - di - do al que me dio Tan - ta ri - que - za,
4. To - do ren - di - do, soy tu - yo hoy, Com - ple - ta - men - te

Se - ñor a tí; To - do en tu al - tar Ren - di - do
la sal - va - ción; Mi vi - da y tiem - po doy Con gran - de
tan gran per - dón; Mi o - ro y pla - ta a ti Quie - ro en - tre -
me en - tre - go a tí: No yo, mas Cris - to en mí, Ten tu mo -

ya es - tá, Me re - di - mis - te ya, me en - tre - go a ti.
go - zo hoy; Tu - yo por siem - pre soy, me en - tre - go a ti.
gar a - quí, Pues me com - pras - te, sí, con tu a - mor.
ra - da a a - quí, Vi - ve tu vi - da en mi, Cris - to Je - sús.

86
Cerca, Más Cerca

Tr. Vicente Mendoza
Mrs. C. H. Morris

MORRIS

Mrs. C. H. Morris

1. Cer - ca, más cer - ca, ¡oh Dios, de Ti! Cer - ca yo quie - ro mi
2. Cer - ca, más cer - ca, cual po - bre soy, Na - da Se - ñor, yo te
3. Cer - ca, más cer - ca, Se - ñor de Ti, Quie - ro ser tu - yo de-
4. Cer - ca, más cer - ca, mien-tras el ser, A - lien - te vi - da y

vi - da lle - var, Cer - ca, más cer - ca, ¡oh Dios; de Ti! Cer - ca a tu
pue - do o - fre - cer; Só - lo mi sér con - tri - to te doy, Pue - da con-
jan - do el pe - car; Go - ces y pom-pas va - nas a - quí, To - do Se-
bus - que tu paz; Y cuan-do al cie - lo pue - da as - cen - der, Ya pa - ra

gra - cia que pue - de sal-var, Cer - ca a tu gra - cia que pue - de sal - var.
ti - go la paz ob - te - ner, Pue - da con - ti - go la paz ob - te - ner.
ñor pron - to quie - ro de - jar, To - do Se - ñor pron - to quie - ro de - jar.
siem-pre con - mi - go es - ta - rás, Ya pa - ra siem-pre con - mi - go es - ta - rás.

87
Dulce Y Precioso Me Es

Tr. G. P. Simmonds

DULCE DOMUM

Robert S. Ambrose

1. Dul - ce y pre - cio - so me es En es - to me - di - tar;
2. Más cer - ca cier - to es - toy Del tro - no ce - les - tial,
3. Más cer - ca del lu - gar Do la cruz de - ja - ré,
4. Yen - do a a - quel ho - gar Que pre - pa - ró Je - sús
5. Cuan-do a cru - zar - lo voy; ¡Oh Dios! con - mi - go sé

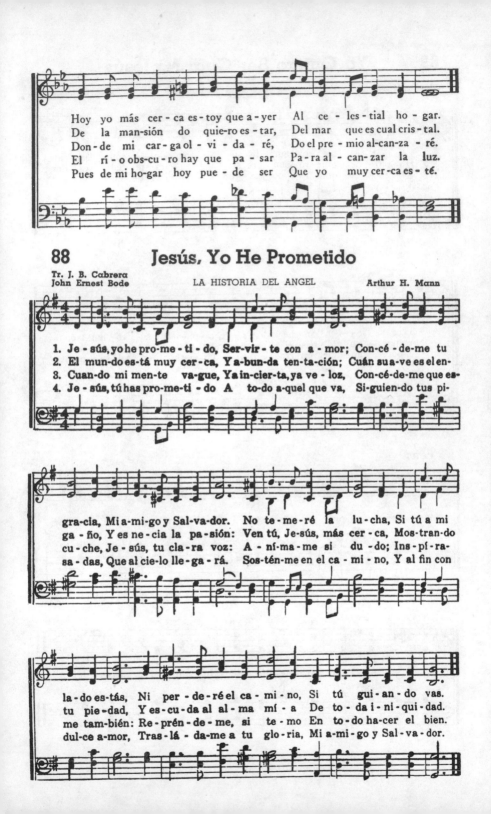

Hoy yo más cer - ca es - toy que a - yer Al ce - les - tial ho - gar.
De la man-sión do quie-ro es - tar, Del mar que es cual cris - tal.
Don - de mi car - ga ol - vi - da - ré, Do el pre - mio al-can-za - ré.
El rí - o obs-cu - ro hay que pa - sar Pa - ra al - can - zar la luz.
Pues de mi ho-gar hoy pue - de ser Que yo muy cer - ca es - té.

88 Jesús, Yo He Prometido

Tr. J. B. Cabrera
John Ernest Bode

LA HISTORIA DEL ANGEL

Arthur H. Mann

1. Je - sús, yo he pro-me - ti - do, Ser-vir - te con a - mor; Con-cé - de-me tu
2. El mun-do es-tá muy cer - ca, Y a-bun-da ten-ta-ción; Cuán sua-ve es el en-
3. Cuan-do mi men-te va-gue, Y a in-cier-ta, ya ve - loz, Con-cé-de-me que es-
4. Je - sús, tú has pro-me-ti - do A to-do a-quel que va, Si-guien-do tus pi-

gra-cia, Mi a-mi-go y Sal-va-dor. No te-me-ré la lu-cha, Si tú a mi
ga - ño, Y es ne-cia la pa-sión: Ven tú, Je-sús, más cer-ca, Mos-tran-do
cu - che, Je - sús, tu cla-ra voz: A - ní-ma-me si du-do; Ins-pí-ra-
sa - das, Que al cie-lo lle-ga - rá. Sos-tén-me en el ca - mi - no, Y al fin con

la - do es-tás, Ni per-de-ré el ca - mi - no, Si tú gui-an-do vas.
tu pie-dad, Y es-cu-da al al - ma mí - a De to - da i - ni-qui-dad.
me tam-bién: Re-prén-de-me, si te-mo En to-do ha-cer el bien.
dul-ce a-mor, Tras-lá-da-me a tu glo-ria, Mi a-mi-go y Sal-va-dor.

Yo Quiero Ser Cual Mi Jesús

Vicente Mendoza   MAS Y MAS CUAL MI JESUS   J. M. Stillman

1. Yo quie-ro ser cual mi Je-sús, Sir-vién-do-le con leal-tad;
2. Hu-mil-de quie-ro siem-pre ser Cual fue-ra mi Sal-va-dor,
3. En to-do quie-ro yo se-guir Las hue-llas de mi Se-ñor,

Sin-ce-ro y fiel an-he-lo ser, Cum-plien-do su vo-lun-tad.
No quie-ro glo-rias ni po-der In-dig-nos de mi Se-ñor.
Y por do-quier ha-cer sen-tir Lo que hi-zo en mí su a-mor.

CORO

Más y más cual mi Je-sús En mi vi-da quie-ro ser;

Más y más cual mi Se-ñor Se-ré por su gran po-der.

90 Haz Lo Que Quieras

Tr. Ernesto Barocio
Adelaide A. Pollard

POLLARD

George C. Stebbins

1. Haz lo que quie - ras de mí, Se - ñor;
2. Haz lo que quie - ras de mí, Se - ñor;
3. Haz lo que quie - ras de mí, Se - ñor;
4. Haz lo que quie - ras de mí, Se - ñor;

Tú el Al - fa - re - ro, yo el ba - rro soy;
Mí - ra - me y prue - ba mi co - ra - zón;
Cu - ra mis lla - gas y mi do - lor,
Del Pa - ra - cle - to da - me la un - ción,

Dó - cil y hu - mil - de an - he - lo ser;
Lá - va - me y qui - ta to - da mal - dad
Tu - yo es, oh Cris - to, to - do po - der;
Due - ño ab - so - lu - to sé de mi ser,

Cúm - pla - se siem - pre en mí tu que - rer.
Pa - ra que pue - da con - ti - go es - tar.
Tu ma - no ex - tien - de y sa - na - ré.
Y el mun - do a Cris - to pue - da en mí ver.

91 Tentado, No Cedas

Tr. T. M. Westrup
Horatius Ray Palmer

PALMER

Horatius Ray Palmer

1. Ten - ta - do, no ce - das; ce - der es pe - car; Más fá - cil se -
2. E - vi - ta el pe - ca - do, pro - cu - ra a - gra - dar A Dios, a quien
3. A - man - te, be - nig - no y e - nér - gi - co sé; En Cris - to ten

rá - te lu - chan - do triun - far; ¡Va - lor!, pues, gus - to - so
de - bes por siem - pre en - sal - zar; No man - che tus la - bios
siem - pre in - dó - mi - ta fe; Ve - raz sea tu di - cho,

do - mi - na tu mal; Je - sús li - brar pue - de de a - sal - to mor - tal.
im - pú - di - ca voz, Tu co - ra - zón guar - da de co - di - cia a - troz.
de Dios es tu ser; Co - ro - na te es - pe - ra, y vas a ven - cer.

CORO

A Je - sús, pron - to a - cu - de, En sus bra - zos tu al - ma

Ha - lla - rá dul - ce cal - ma; El te ha - rá ven - ce - dor.

92 En La Ascendente Vía De Luz

Tr. Ernesto Barocio
Johnson Oatman, Jr.

Charles H. Gabriel

PLANO SUPERIOR

1. En la ascenden-te vía de luz, Nue-vas al - tu - ras ga - na - ré.
2. Do som-bras reinan y te-mor, No quie - ro, no, per-ma-ne-cer.
3. La cum-bre anhelo do-mi-nar, Y el resplandor del cie - lo ver.

Más al-to llé-va-me, oh Jesús, Y en ro-ca fir - me pon mi pie.
Luz dame, oh Dios confianza amor, Y en ro-ca fir - me pon mi pie.
Sostenme, oh Dios hasta lle-gar, Y en ro-ca fir - me pon mi pie.

Coro

De vida a un plano superior, E-lé-va-me, Se-ñor por fe. Y tras las

prue-bas ven-ce-dor, En ro - ca fir-me pon mi pie. A - mén.

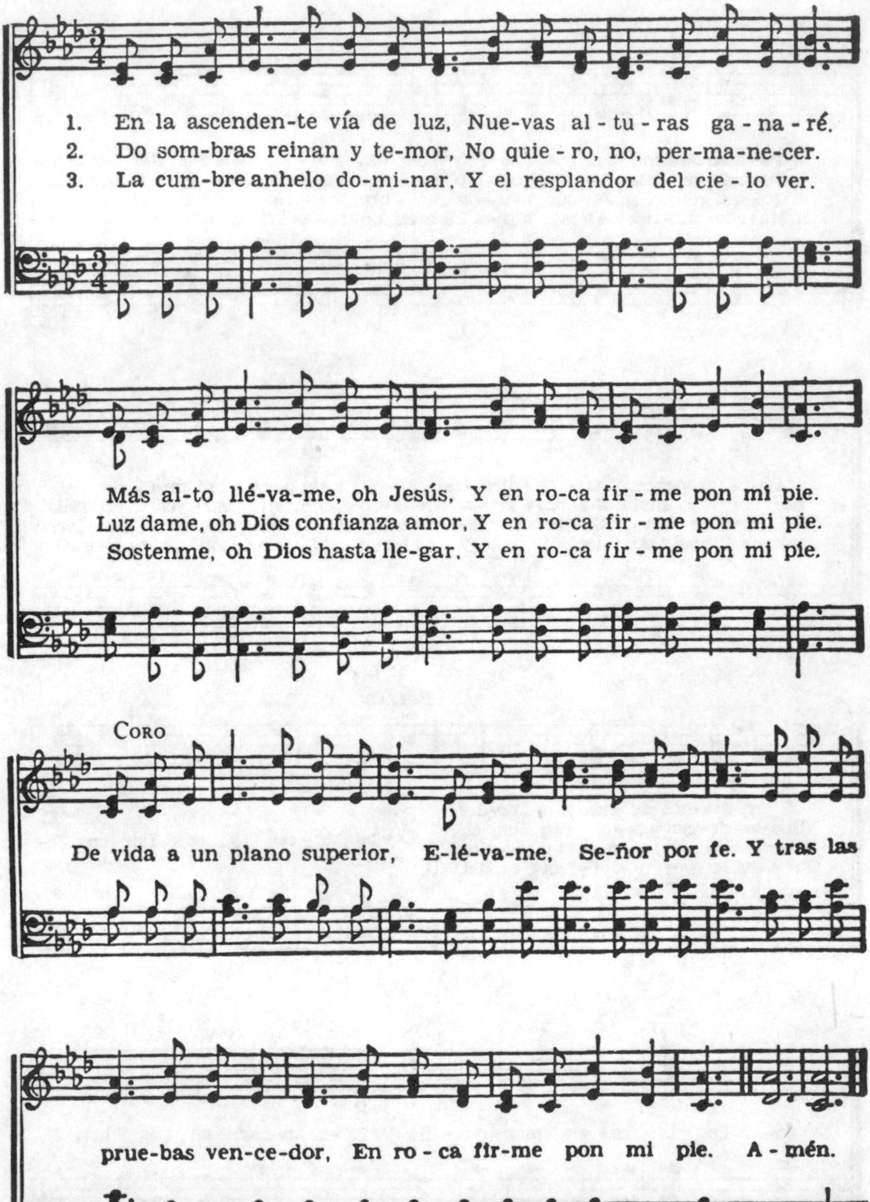

93   Cuando Andemos Con Dios

Tr. Vicente Mendoza
John H. Sammis

CONFIA Y OBEDECE

Daniel B. Towner

1. Pa-ra an-dar con Je-sús no hay sen-da me-jor Que guar-dar sus man-
2. Cuan-do va-mos a-sí, ¡có-mo bri-lla la luz En la sen-da al an-
3. Quien si-guie-re a Je-sús, ni u-na som-bra ve-rá, Si con-fia-da su
4. Mas sus do-nes de a-mor nun-ca ha-bréis de al-can-zar, Si ren-di-dos no

da-tos de a-mor, O-be-dien-tes a él siem-pre ha-bre-mos de ser
dar con Je-sús! Su pro-me-sa de es-tar con los su-yos, es fiel,
vi-da le da; Ni te-rro-res ni a-fán, ni an-sie-dad, ni do-lor,
vais a su al-tar, Pues su paz y su a-mor só-lo son pa-ra a-quel

REFRAIN

Y ten-dre-mos de Cris-to el po-der.
Si o-be-de-cen y es-pe-ran en él.
Pues lo cui-da su a-man-te Se-ñor.
Que a sus le-yes di-vi-nas es fiel.

O-be-de-cer, y con-fiar en Je-

sús, Es la re-gla mar-ca-da Pa-ra an-dar en la luz.

94 Entera Consagración

Tr. Vicente Mendoza
Frances R. Havergal

DUCANNON

William J. Kirkpatrick

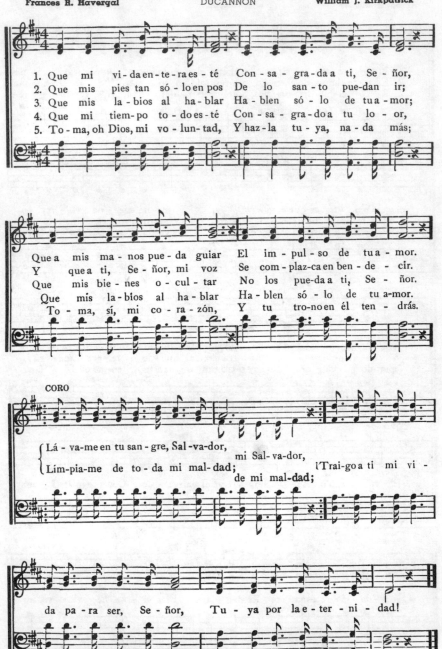

1. Que mi vi-da en-te-ra es-té Con-sa-gra-da a ti, Se-ñor,
2. Que mis pies tan só-lo en pos De lo san-to pue-dan ir;
3. Que mis la-bios al ha-blar Ha-blen só-lo de tu a-mor;
4. Que mi tiem-po to-do es-té Con-sa-gra-do a tu lo-or,
5. To-ma, oh Dios, mi vo-lun-tad, Y haz-la tu-ya, na-da más;

Que a mis ma-nos pue-da guiar El im-pul-so de tu a-mor.
Y que a ti, Se-ñor, mi voz Se com-plaz-ca en ben-de-cir.
Que mis bie-nes o-cul-tar No los pue-da a ti, Se-ñor.
Que mis la-bios al ha-blar Ha-blen só-lo de tu a-mor.
To-ma, sí, mi co-ra-zón, Y tu tro-no en él ten-drás.

CORO

Lá-va-me en tu san-gre, Sal-va-dor, mi Sal-va-dor,
Lím-pia-me de to-da mi mal-dad; de mi mal-dad; ¡Trai-go a ti mi vi-

da pa-ra ser, Se-ñor, Tu-ya por la e-ter-ni-dad!

95 Al Cristo Vivo Sirvo

Tr. George P. Simmonds
Alfred H. Ackley

ACKLEY

Alfred H. Ackley

1. Al Cris-to vi-vo sir-vo y él en el mun-do es-tá; Aun-que o-tros lo ne-ga-ren yo sé que él vi-ve ya. Su ma-no tier-na ve-o, su voz con-sue-lo da, Y cuan-do yo le lla-mo muy cer-ca es-tá.

2. En to-do el mun-do en-te-ro con-tem-plo yo su a-mor, Y al sen-tir-me tris-te con-sué-la-me el Se-ñor; Se-gu-ro es-toy que Cris-to mi vi-da guian-do es-tá, Y que o-tra vez al mun-do re-gre-sa-rá.

3. Re-go-ci-jad Cris-tia-nos, hoy him-nos en-to-nad; E-ter-nas a-le-lu-yas A Cris-to el Rey can-tad. A-yu-da y es-per-an-za es del mun-do pe-ca-dor, No hay o-tro tan a-man-te co-mo el Se-ñor.

Coro

El vi-ve, él vi-ve, hoy vi-ve el Sal-va-dor; Con-mi-go es-tá y me guar-da-rá mi a-man-te Re-den-tor. El vi-ve, El vi-ve, im-

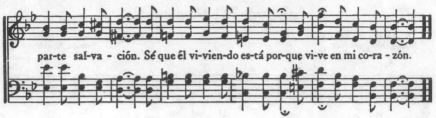

par-te sal-va - ción. Sé que él vi-vien-do es-tá por-que vi-ve en mi co-ra - zón.

96 Lugar Hay Donde Descansar

Tr. George P. Simmonds
C. B. McAfee

McAFEE

C. B. McAfee

1. Lu - gar hay don-de des - can - sar, Cer-ca al co - ra - zón de Dios;
2. Lu - gar hay de con-sue - lo y luz, Cer-ca al co - ra - zón de Dios;
3. Lu - gar hay de e-ter-nal so - laz, Cer-ca al co - ra - zón de Dios;

Do na - da pue-de mo - les - tar, Cer-ca al co - ra - zón de Dios.
Do nos jun - ta-mos con Je - sús, Cer-ca al co - ra - zón de Dios.
Do Cris - to o-tor - ga go - zo y paz, Cer-ca al co - ra - zón de Dios.

CORO

Je - sús, del cie - lo en-via - do Del co - ra - zón de Dios,

¡Oh! siem - pre cer - ca ten - nos Al co - ra - zón de Dios.

97
Jehová Mi Pastor Es

Tr. George P. Simmonds
James Montgomery

POLONIA

Arr. por Edwin O. Excell
Thomas Koschat

1. Je-ho-vá mi Pas-tor es, no me fal-ta-rá. En pra-dos pre-
2. Aun-que an-de en el va-lle de som-bra al mo-rir No te-me-ré
3. Mi me-sa a-de-re-zas fren-te a la a-flic-ción, Mi co-pa re-
4. Tus mi-se-ri-cor-dias y sin i-gual bien Me se-gui-rán

cio-sos me pas-to-rea-rá; Con-du-ce El mis pa-sos por
ma-les que pue-dan ve-nir, Pues Tú e-res con-mi-go no
bo-sa de tu ben-di-ción; Con o-leo sa-gra-do mi
has-ta que lle-gue al E-dén; Al fin en tu al-cá-zar y

sen-das de paz, Y en mi al-ma de-rra-ma com-ple-to so-
me a-te-rra-rán; Tu va-ra y ca-ya-do me con-for-ta-
sien un-gi-rás, Y bien in-fi-ni-to Tú a mi al-ma se-
cé-li-co ho-gar Por si-glos sin fin voy con-ti-go a mo-

laz. Y en mi al-ma de-rra-ma com-ple-to so-laz.
rán. Tu va-ra y ca-ya-do me con-for-ta-rán.
rás. Y bien in-fi-ni-to Tú a mi al-ma se-rás.
rar. Por si-glos sin fin voy con-ti-go a mo-rar.

98 Cada Momento

Tr. M. González
El Nathan

CADA MOMENTO

Mrs. May Whittle Moody

1. Cris - to me a-yu - da por él a vi - vir, Cris - to me a-yu - da por
2. Sien - to pe - sa - res, muy cer-ca él es - tá, Sien - to do - lo - res, a -
3. Ten - go a-mar-gu - ras, o ten-go te-mor, Ten-go tris - te - zas, me ins-
4. Ten - go fla - que - zas, o dé - bil es-toy, Cris-to me di - ce:"tu am-

él a mo-rir; Al que me im-par - te su gra-cia y po - der, Ca - da mo-
li - vio me da; Ten-go a-flic - cio-nes, me mues-tra su a - mor; Ca - da mo-
pi - ra va - lor; Ten-go con - flic-tos, o pe - nas a - quí, Ca - da mo-
pa - ro yo soy;" Ca - da mo-men-to, en ti - nie - blas o en luz, Siem-pre con-

men - to yo le doy mi ser.
men - to me cui-da el Se - ñor. Ca - da mo-men-to la vi - da me das,
men - to se a-cuer-da de mi.
mi - go va mi buen Je - sús.

Ca - da mo-men - to con - mi - go tu es-tás; Has - ta que rom-pa el e-

ter - no ful - gor, Ca - da mo-men - to; tu-yo soy, Se - ñor.

99 Meditad En Que Hay Un Hogar

Tr. Pedro Castro
D. W. C. Huntington

MAS ALLA

Tullius C. O'Kane

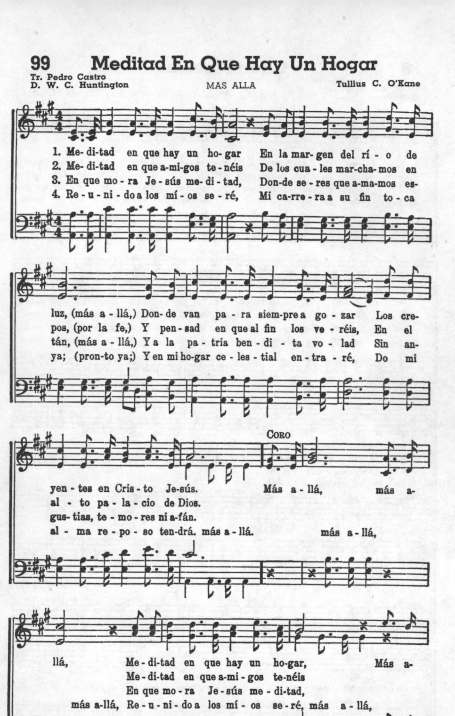

1. Me-di-tad en que hay un ho-gar   En la mar-gen del rí-o de
2. Me-di-tad en que a-mi-gos te-néis De los cua-les mar-cha-mos en
3. En que mo-ra Je-sús me-di-tad, Don-de se-res que a-ma-mos es-
4. Re-u-ni-do a los mí-os se-ré, Mi ca-rre-ra a su fin to-ca

luz, (más a-llá,) Don-de van pa-ra siem-pre a go-zar Los cre-
pos, (por la fe,) Y pen-sad en que al fin los ve-réis, En el
tán, (más a-llá,) Y a la pa-tria ben-di-ta vo-lad Sin an-
ya; (pron-to ya;) Y en mi ho-gar ce-les-tial en-tra-ré, Do mi

Coro

yen-tes en Cris-to Je-sús. Más a-llá, más a-
al-to pa-la-cio de Dios.
gus-tias, te-mo-res ni a-fán.
al-ma re-po-so ten-drá. más a-llá. más a-llá,

llá, Me-di-tad en que hay un ho-gar, Más a-
Me-di-tad en que a-mi-gos te-néis
En que mo-ra Je-sús me-di-tad,
más a-llá, Re-u-ni-do a los mí-os se-ré, más a-llá,

llá, más a - llá, más a - llá, En la mar - gen del rí - o de luz.

más a - llá, De los cua - les mar-cha-mos en pos.

más a - llá, Don-de se - res que a-ma-mos es-tán.

más a - llá, más a - llá, Mi ca-rre-ra a su fin to - ca ya.

100 Me Guía El

Tr. Epigmenio Velasco
Joseph Henry Gilmore

ME GUIA EL

William B. Bradbury

1. Me guí - a El, con cuán-to a-mor, Me guí - a siem-pre mi Se - ñor;
2. En el a - bis-mo del do - lor O en don - de bri - lle el sol me - jor,
3. Tu ma - no quie-ro yo to - mar, Je - sús, y nun - ca va - ci - lar,
4. Y mi ca-rre-ra al ter - mi - nar Y a - sí mi triun-fo rea - li - zar,

Al ver mi es-fuer-zo en ser-le fiel, Con cuan-to a-mor me guí - a El.
En dul - ce paz o en lu - cha cruel, Con gran bon-dad me guí - a El.
Pues so - lo a quien te si - gue fiel Se o-yó de - cir: Me guí - a El.
No ha-brá ni du-das ni te - mor Pues me guia-rá mi buen Pas-tor.

CORO

Me guí - a El, me guí - a El, Con cuan-to a - mor me guí - a El;

No a-bri - go du-das ni te - mor, Pues me con - du - ce el buen Pas-tor.

¡Venid! Cantar Sonoro

Tr. T. M. Westrup
James McGranahan

ADAMSVILLE

James McGranahan

1. ¡Ve - nid! can - tar so - no - ro, En - to - na - re - mos hoy A la gran Ro - ca e - ter - na De nues - tra sal - va - ción. Con re - go - ci - jo i - re - mos De - lan - te de su faz, Por que es de dio - ses Je - fe, Su - bli - me Po - tes - tad.

2. De Dios es lo es - con - di - do; Le per - te - ne - ce el mar; Es o - bra su - ya to - do, El hom - bre, el a - ni - mal; Dios nues - tro con - cer - ta - do, So - mos por su que - rer El pue - blo de su dehe - sa, Y de su ma - no grey.

3. Hoy, si que - réis dar oí - do, No de - se - chéis su voz, En - du - re - ci - do el pe - cho, Co - mo en la Con - ten - ción, Cuan - do en el des - po - bla - do, Ten - ta - do de Is - ra - el, A - ños cua - ren - ta an - du - vo Con pue - blo tan in - fiel.

102 Hay Un Mundo Feliz

Tr. H. G. Jackson
S. F. Bennett

DULCE PORVENIR

J. P. Webster

1. Hay un mun-do fe-liz más a-llá, Don-de mo-ran los san-tos en luz, Tri-bu-tan-do e-ter-no lo-or, Al in-vic-to glo-rio-so Je-sús.

2. Can-ta-re-mos con go-zo a Je-sús, Al Cor-de-ro que nos res-ca-tó, Y con san-gre ver-ti-da en la cruz, Los pe-re-mos lo-or, Al in-vic-to glo-rio-so Je-sús; A Je-sús, nues-tro Rey y Se-ñor.

3. Pa-ra siem-pre en el mun-do fe-liz, Con los san-tos da-re-mos lo-or, Al in-vic-to glo-rio-so Je-sús; A Je-

Coro

En el mun — do fe-liz, Rei-na-re-mos con nuestro Se-ñor; En el mun — do fe-liz, Rei-na-re-mos con nuestro Se-ñor.

En el mun — do fe-liz, con nues-tro Se-ñor;

103 Hay Un Lugar Do Quiero Estar

Tr. Vicente Mendoza
J. M. Black

ASILO (BLACK)

J. M. Black

1. Hay un lu - gar do quie-ro es - tar Muy cer - ca de mi
2. Qui-tar-me el mun-do no po-drá La paz que ha-lló mi
3. Ni du - das ni te - mor ten-dré Es - tan - do cer - ca

Re - den - tor, A - llí po - dré yo des - can - sar Al
co - ra - zón: Je - sús a - man - te me da - rá La
de Je - sús; Ro - dea - do siem - pre me ve - ré Con

fiel am - pa - ro de su a-mor.
más se - gu - ra pro - tec - ción. Muy cer - ca de mi Re-den-
los ful - go - res de su luz.

Coro

tor Se - gu - ro a - si - lo en-con - tra - ré; Me guar - da-

rá del ten - ta - dor Y ya de na - da te - me - ré.

104 En Los Negocios Del Rey

Tr. Vicente Mendoza
E. T. Cassel

CASSEL

Flora H. Cassel

1. Soy pe-re-gri-no a-quí, mi ho-gar le-ja-no es-tá En la man-
2. Que del pe-ca-do vil a-rre-pen-ti-dos ya, Han de rei-
3. Mi ho-gar más be-llo es que el Va-lle de Sa-rón, Go-zo y e-

sión de luz, e-ter-na paz y a-mor; Em-ba-ja-dor yo soy del
nar con El los que o-be-dien-tes son, Es el men-sa-je fiel que
ter-na paz rei-nan por siem-pre en El, Y a-llí Je-sús da-rá e-

Coro

Rei-no ce-les-tial En los ne-go-cios de mi Rey.
de-bo pro-cla-mar, En los ne-go-cios de mi Rey. Es-te men-
ter-na ha-bi-ta-ción, Es el men-sa-je de mi Rey.

sa-je fiel o-íd, Que di-jo ya ce-les-te voz; "Re-con-ci-

lia-os ya," di-ce el Se-ñor y Rey, ¡Re-con-ci-lia-os hoy con Dios!

105   Voy Al Cielo, Soy Peregrino

Tr. en Estrella de Belén
Mrs. M. S. B. D. Shindler   SOY PEREGRINO   Aria Italiana

1. Voy al cie-lo, soy pe-re-gri-no, A vi-vir e-ter-na-
2. Due-lo, muer-te, a-mar-ga pe-na, Nun-ca, nun-ca se en-
3. ¡Tie-rra san-ta, her-mo-sa y pu-ra!, En-tra-ré en ti sal-

men-te con Je-sús; El me a-brió ya ve-raz ca-mi-no,
con-tra-rán a-llá, Pre-cio-sa vi-da, de go-zo lle-na,
va-do por Je-sús. Yo go-za-ré siem-pre la ven-tu-ra

Al ex-pi-rar por nos-o-tros en la cruz.
El al-ma mí-a sin fin dis-fru-ta-rá.   Voy al cie-lo,
I-lu-mi-na-do con de-li-cio-sa luz.

Coro

soy pe-re-gri-no, A vi-vir e-ter-na-men-te con Je-sús.

106 Nos Veremos En El Río

Es traducción
Robert Lowry

HANSON PLACE

Robert Lowry

1. Nos ve - re - mos en el rí - o, Cu - yas a - guas ar - gen -
2. En las már - ge - nes del rí - o, Que frecuen - tan se - ra -
3. El ver - gel que rie - ga el rí - o De Je - sús es la mo -
4. An - tes de lle - gar al rí - o, Nuestra car - ga de - ja -

ti - nas, Na - cen pu - ras cris - ta - li - nas Ba - jo el
fi - nes, Que em - be - lle - cen que - ru - bi - nes, Da la
ra - da; El mal nun - ca tie - ne en - tra - da Don - de
re - mos; Vi - da e - ter - na go - za - re - mos En pre -

Coro.

tro - no del Se - ñor.
di - cha e - ter - na Dios.   ¡Oh! sí, nos congre - ga - re - mos En
rei - na nues - tro Dios.
sen - cia del Se - ñor.

cé - li - ca her - mo - sí - si - ma ri - be - ra Del rí - o de la

vi - da ver - da - de - ra   Que na - ce del trono de Dios.

No Te Dé Temor Hablar Por Cristo

Tr. T. M. Westrup
Wm. B. Bradbury

VALOR

Wm. B. Bradbury

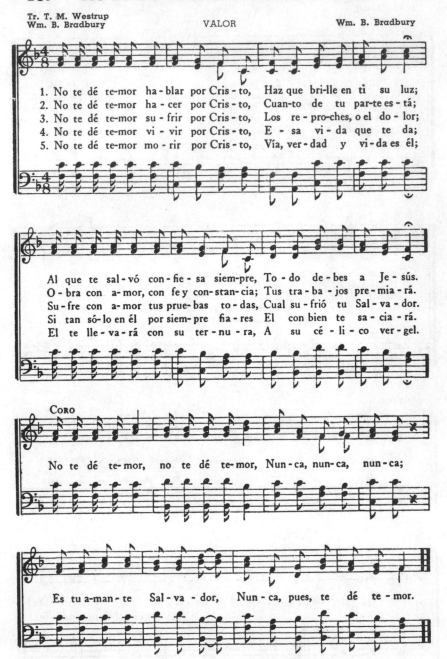

1. No te dé te-mor ha - blar por Cris - to, Haz que bri-lle en ti su luz;
2. No te dé te-mor ha - cer por Cris - to, Cuan-to de tu par-te es - tá;
3. No te dé te-mor su - frir por Cris - to, Los re - pro-ches, o el do - lor;
4. No te dé te-mor vi - vir por Cris - to, E - sa vi - da que te da;
5. No te dé te-mor mo - rir por Cris - to, Vía, ver-dad y vi-da es él;

Al que te sal-vó con-fie - sa siem-pre, To - do de-bes a Je - sús.
O - bra con a-mor, con fe y con-stan-cia; Tus tra - ba - jos pre-mia - rá.
Su-fre con a-mor tus prue-bas to-das, Cual su-frió tu Sal - va - dor.
Si tan só-lo en él por siem-pre fia-res El con bien te sa - cia - rá.
El te lle-va-rá con su ter-nu - ra, A su cé - li - co ver-gel.

Coro

No te dé te-mor, no te dé te-mor, Nun-ca, nun-ca, nun-ca;

Es tu a-man-te Sal-va - dor, Nun-ca, pues, te dé te - mor.

108 El Dulce Nombre de Jesús

J. B. Cabrera

DAYTON

E. S. Lorenz

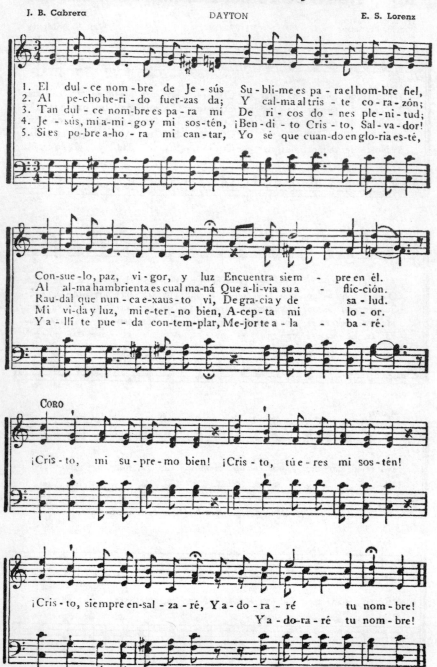

1. El dul - ce nom - bre de Je - sús Su - bli-me es pa - ra el hom-bre fiel,
2. Al pe-cho he-ri - do fuer-zas da; Y cal-ma al tris - te co - ra - zón;
3. Tan dul - ce nom-bre es pa - ra mi De ri - cos do - nes ple-ni - tud;
4. Je - sús, mi a-mi - go y mi sos-tén, ¡Ben - di - to Cris - to, Sal - va - dor!
5. Si es po-bre a-ho - ra mi can-tar, Yo sé que cuan-do en glo-ria es-té,

Con-sue-lo, paz, vi - gor, y luz Encuentra siem - pre en él.
Al al-ma hambrienta es cual ma-ná Que a-li-via su a - flic-ción.
Rau-dal que nun - ca e-xaus-to vi, De gra-cia y de sa - lud.
Mi vi-da y luz, mi e-ter - no bien, A-cep-ta mi lo - or.
Y a-llí te pue - da con-tem-plar, Me-jor te a - la - ba - ré.

CORO

¡Cris - to, mi su - pre - mo bien! ¡Cris - to, tú e - res mi sos - tén!

¡Cris - to, siempre en-sal - za - ré, Y a-do - ra - ré tu nom - bre!
Y a-do-ra - ré tu nom - bre!

109 Dulce Comunión

Tr. Pedro Grado
E. A. Hoffman
A. J. Showalter

SHOWALTER

1. Dul - ce co - munión la que go - zo ya En los bra - zos de mi
2. ¡Cuán dul - ce es vi - vir, cuán dul - ce es go - zar! En los bra - zos de mi
3. No hay que te - mer, ni que des - con - fiar, En los bra - zos de mi

Sal - va - dor; ¡Qué gran ben - di - ción en su paz me da!
Sal - va - dor; A - llí quie - ro ir y con él mo - rar,
Sal - va - dor; Por su gran po - der él me guar - da - rá

Coro

¡Oh! yo sien - to en mí su tier - no a - mor. Li - bre,
Sien - do ob - je - to de su tier - no a - mor. Li - bre de pe - nas,
De los la - zos del en - ga - ña - dor.

sal - vo, del pe - ca - do y del te - mor, Li - bre,
Sal - vo de du - das, Li - bre de pe - nas,

sal - vo, en los bra - zos de mi Sal - va - dor.
sal - vo de du - das,

110   Pastoréanos, Jesús Amante

Tr. T. M. Westrup
Dorothy Ann Thrupp

Wm. B. Bradbury

BRADBURY

1. Pas - to - ré - a - nos, Je - sús a - man - te, Cui - da, ¡oh Se - ñor! tu grey;
2. Tu mi - sión di - vi - na es a los po - bres Dar sa - lud y san - ti - dad;

Tu sus - ten - to pla - cen - te - ro da - le, Tu re - dil, tu sua - ve ley.
A pe - sar de ser tan pe - ca - do - res, No nos has de des - e - char.

Al - ta cien - cia, Pro - vi - den - cia, Tu - yas pa - ra nues - tro bien;
Co - mu - ni - cas Do - tes ri - cas Al que im - plo - ra tu per - dón;

Ben - de - ci - do Rey un - gi - do, A san - ti - fi - car - nos ven.
Sal - va - do - ra Luz que mo - ra En el nue - vo co - ra - zón.

111 Tengo Un Amigo

Tr. Vicente Mendoza
Robert Harkness

TENGO UN AMIGO

Robert Harkness

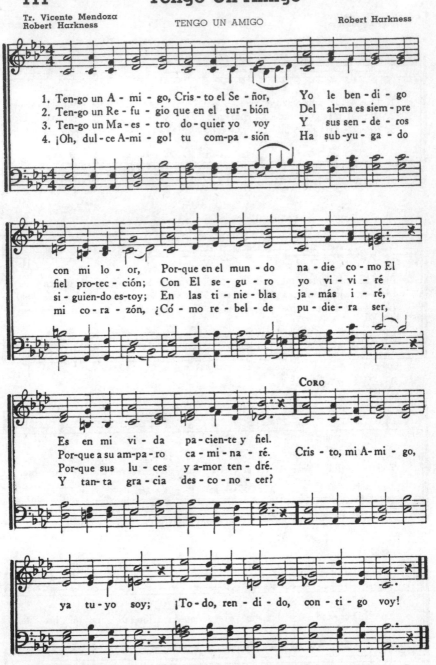

1. Ten-go un A - mi - go, Cris - to el Se - ñor, Yo le ben - di - go con mi lo - or, Por-que en el mun - do na - die co - mo El Es en mi vi - da pa - cien-te y fiel.

2. Ten-go un Re - fu - gio que en el tur - bión Del al-ma es siem - pre fiel pro-tec - ción; Con El se - gu - ro yo vi - vi - ré Por-que a su am-pa - ro ca - mi - na - ré.

3. Ten-go un Ma - es - tro do-quier yo voy Y sus sen - de - ros si - guien-do es-toy; En las ti - nie - blas ja - más i - ré, Por-que sus lu - ces y a-mor ten - dré.

4. ¡Oh, dul - ce A-mi - go! tu com-pa - sión Ha sub-yu - ga - do mi co - ra - zón, ¿Có - mo re - bel - de pu - die - ra ser, Y tan - ta gra - cia des - co - no - cer?

Coro

Cris - to, mi A - mi - go, ya tu-yo soy; ¡To - do, ren - di - do, con - ti - go voy!

112

Día Feliz

Tr. T. M. Westrup
Philip Doddridge

DIA FELIZ

E. F. Rimbault

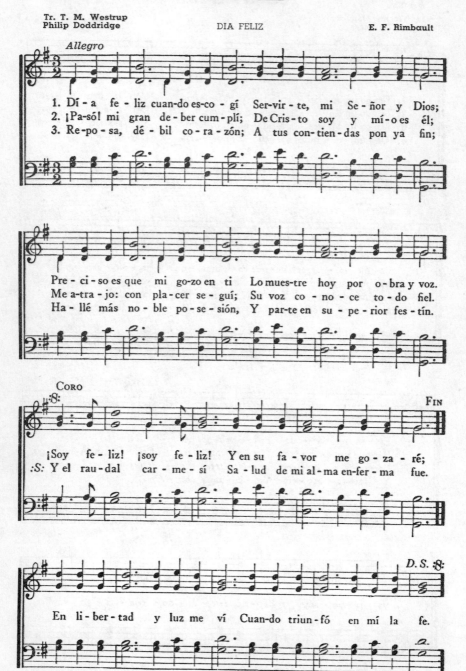

Allegro

1. Dí - a fe - liz cuan-do es-co - gí Ser-vir - te, mi Se - ñor y Dios;
2. ¡Pa-só! mi gran de - ber cum-plí; De Cris-to soy y mí-o es él;
3. Re-po - sa, dé - bil co - ra-zón; A tus con-tien-das pon ya fin;

Pre - ci - so es que mi go-zo en ti Lo mues-tre hoy por o - bra y voz.
Me a-tra - jo: con pla-cer se - guí; Su voz co - no - ce to - do fiel.
Ha - llé más no - ble po - se - sión, Y par-te en su - pe - rior fes - tín.

Coro

Fin

¡Soy fe - liz! ¡soy fe - liz! Y en su fa - vor me go - za - ré;
:S: Y el rau - dal car - me - sí Sa - lud de mi al - ma en-fer - ma fue.

D. S.

En li - ber - tad y luz me ví Cuan-do triun - fó en mí la fe.

113 A Solas Con Jesús

Tr. Vicente Mendoza
C. Austin Miles

EN EL HUERTO

C. Austin Miles

Dúo

1. A so-las al huer-to yo voy, Cuan-do duer-me a-ún la flo-
2. Tan dul-ce es la voz del Se-ñor, Que las a-ves guar-dan si-
3. Con El en-can-ta-do yo es-toy, Aun-que en tor-no lle-gue la

res-ta; Y en quie-tud y paz con Je-sús es-toy O-
len-cio, Y tan só-lo se o-ye su voz de a-mor, Que in-
no-che; Mas me or-de-na ir, que a es-cu-char yo voy, Su

Coro

yen-do ab-sor-to a-llí su voz.
men-sa paz al al-ma da. El con-mi-go es-tá, pue-do o-
voz do-quier la pe-na es-té.

ír su voz, Y que su-yo, di-ce, se-ré; Y el en-

can-to que ha-llo en El a-llí, Con na-die te-ner po-dré.

114 ¡Oh, Cuán Dulce!

Tr. Vicente Mendoza
Mrs. Louise M. R. Stead

CONFIAR EN JESUS

Wm. J. Kirkpatrick

1. ¡Oh, cuan dul - ce es fiar en Cris - to, Y en-tre-gar - se to-do a él;
2. Es muy dul - ce fiar en Cris - to Y cum-plir su vo - lun - tad,
3. Siem-pre es gra-to fiar en Cris - to Cuan-do bus-ca el co - ra - zón,
4. Siem-pre en ti con-fiar yo quie-ro Mi pre-cio - so Sal - va - dor;

Es - pe - rar en sus pro - me - sas, Y en sus sen-das ser - le fiel!
No du-dan - do su pa - la - bra, Que es la luz y la ver - dad.
Los te - so - ros ce - les-tial - es De la paz y del per - dón.
En la vi - da y en la muer-te Pro-tec-ción me dé tu a - mor.

CORO

Je - su - cris - to, Je - su - cris - to, Ya tu a-mor pro-bas-te en mí;

Je - su - cris - to, Je - su - cris - to, Siem-pre quie - ro fiar en Ti.

115 Tan Triste Y Tan Lejos

Tr. T. Harwood
H. L. Gilmour

PUERTO DE REPOSO

George D. Moore

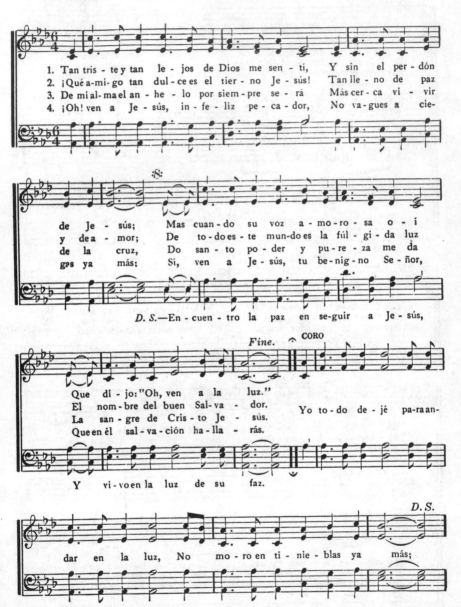

1. Tan tris - te y tan le - jos de Dios me sen - ti, Y sin el per - dón
2. ¡Qué a-mi-go tan dul - ce es el tier - no Je - sús! Tan lle - no de paz
3. De mi al-ma el an - he - lo por siem-pre se - rá Más cer - ca vi - vir
4. ¡Oh! ven a Je - sús, in - fe - liz pe - ca - dor, No va-gues a cie-

de Je - sús; Mas cuan-do su voz a - mo-ro-sa o - í
y de a - mor; De to-do es-te mun-do es la fúl - gi - da luz
de la cruz, Do san-to po-der y pu-re-za me da
gas ya más; Sí, ven a Je - sús, tu be-nig-no Se - ñor,

D. S.—En - cuen - tro la paz en se - guir a Je - sús,

Fine. CORO

Que di - jo: "Oh, ven a la luz."
El nom-bre del buen Sal-va - dor.
La san-gre de Cris - to Je - sús.
Que en él sal-va-ción ha-lla - rás.

Yo to - do de - jé pa-ra an-

Y vi - vo en la luz de su faz.

D. S.

dar en la luz, No mo-ro en ti - nie-blas ya más;

116   ¿Cómo Podré Estar Triste?

Tr. Vicente Mendoza
Charles H. Gabriel

EL CUIDA DE LAS AVES

Charles H. Gabriel

1. ¿Có - mo po-dré es-tar tris - te,...... Có-mo en-tre som-bras ir,....
2. "Nun-ca te de - sa-lien-tes,".... Oi-go al Se - ñor de - cir,....
3. Siem-pre que soy ten - ta - do...... O que en la som-bra es-toy,....

Có - mo sen-tir - me so - lo ...... Y en el do - lor vi - vir,.....
Y en su Pa - la - bra fia - do...... Ha-go al do - lor hu - ir.......
Más cer - ca de El ca - mi - no,....... Y pro - te - gi - do voy;....

Si Cris-to es mi con-sue-lo,..... Mi a - mi - go siem - pre fiel,.... Si a-
A Cris - to, pa - so a pa - so..... Yo si - go sin ce - sar,.... Y
Si en mí la fe des-ma - ya .... Y cai-go en la an-sie - dad,.... Tan

ún las a - ves tie - nen.... Se - gu-ro a - si - lo en El,......
to - das sus bon-da - des.... Me da sin li - mi - tar,.....
só - lo El me le - van - ta,...... Me da se - gu - ri - dad,....

Si a - ún las a - ves tie - nen.... Se - gu-ro a - si - lo en El......
Y to - das sus bon-da - des.... Me da sin li - mi - tar.....
Tan só - lo El me le - van - ta,.... Me da se - gu - ri - dad....

CORO

¡Fe - liz can-tan-do a - le - gre,........ Yo vi - vo siem-pre a-quí;......
a - le-gre,   a - quí;

rall.

Si El cui-da de las a - ves, Cui-da - rá tam-bién de mí!

117 Oigo La Voz Del Buen Pastor

Pedro Grado   PASTOR   W. A. Ogden

1. Oi - go la voz del Buen Pas-tor,   En es-pan-to - sa so - le-dad;
2. ¿Quién a - yu-dar quie-re a Je-sús,   A los per-di - dos a bus-car?
3. Tris - te de-sier-to el mun-do es   Ro-dea - do de pe - li-gros mil;

Lla-ma al cor-de - ro, que en te-mor,   Va-ga en la den-sa ob-scu - ri-dad.
Di - fun-da por do-quier la luz,   Del E - van-ge - lio a pre - di-car.
Ven, Di - ce Cris-to, a la mies,   Trae mis o - ve-jas al re - dil.

CORO

{ Lla-ma aún, con bon-dad, Quie-re dar - te li-ber-tad; }
{ Ven a mí, con a-mor, Di -ce Cris-to el Sal-va- } dor.

118   Con Cánticos, Señor

Tr. M. N. B.
Charles Wesley

DARWALL

John Darwall

1. Con cán - ti - cos, Se - ñor, Mi co - ra - zón y voz
2. Tu ma - no pa - ter - nal Mar - có mi sen - da a - quí;
3. In - nu - me - ra - bles son Tus bie - nes y sin par;
4. Tú e - res, ¡oh Se - ñor! Mi su - mo, to - do bien;

Te a - do - ran con fer - vor, Oh Tri - no, San - to Dios.
Mis pa - sos, ca - da cual, Ve - la - dos son por ti.
Y por tu com - pa - sión Los go - zo sin ce - sar.
Mil len - guas tu a - mor Can - tan - do siem - pre es - tán.

En tu man - sión yo te ve - ré, De ti per - dón fe - liz ten dré.

119   En Tu Cena Nos Juntamos

Es traducción

AUN YO

Wm. B. Bradbury

1. En tu ce - na nos jun - ta - mos Se - ñor pa - ra ce - le - brar
Tu pa - sión y cru - el muer - te, Y en tu gran - de a - mor pen - sar.
2. Re - di - mi - dos, ya te - ne - mos Por tu muer - te co - mu - nión;
En el pan te re - cor - da - mos, Dios de nues - tra sal - va - ción,
3. En la co - pa con - fe - sa - mos Que tu san - gre es e - fi - caz;
Por tu sal - va - ción per - fec - ta Es - pe - ra - mos ver tu faz.
4. Por tu gra - cia con - gre - ga - dos En tu paz y con a - mor;
En es - pí - ri - tu can - ta - mos A ti, nues - tro Re - den - tor,

Grande a-mor, gran-de a-mor, Y en tu gran-de a-mor pen-sar.
Sal - va - ción, sal - va - ción, Dios de nues - tra sal - va - ción.
Ver tu faz, ver tu faz, Es - pe - ra - mos ver tu faz.
Re - den - tor, Re - den - tor, A ti, nues - tro Re - den - tor.

120 Oh Jehová, Omnipotente Dios

Es traducción
Daniel C. Roberts

HIMNO PATRIO

George W. Warren

Trío de Trompetas

1. Se - ñor Jehová, om - ni - po - ten-te Dios,
2. E - ter - no Pa - dre, nues-tro co - ra-zón,
3. A nues-tra pa - tria da tu ben-di-ción;
4. De-fién - de - nos del e - ne - mi-go cruel;

Tú que los as-tros ri - ges con po - der,   O - ye cle-men-te
A ti pro-fe-sa un i - ne - fa-ble a-mor;   En-tre no - so-tros
En - sé - ña-nos tus le - yes a guar-dar;   A - lum-bra la con-
Con-ce - de a nuestras fal-tas co - rrección;   Nuestro ser - vi-cio

nuestra humilde voz,   Nues-tra can-ción hoy dígna-te a-tender.
tu pre-sen-cia pon,   Tién - de-nos, pues, tu brazo pro-tec-tor.
cien-cia y la ra - zón;   Do - mi - na siempre tú en to-do ho-gar.
se - a siempre fiel;   Y sé - nos tú la grande protección. Amén.

Castillo Fuerte Es Nuestro Dios

Tr. J. B. Cabrera
Martín Lutero

EIN' FESTE BURG

Martín Lutero

1. Cas - ti - llo fuer-te es nues-tro Dios, De - fen-sa y buen es - cu - do;
2. Nues-tro va - lor es na-da a-quí, Con él to-do es per - di - do;
3. Aun- que es - tén de - mo-nios mil Pron-tos a de - vo - rar - nos,

Con su po - der nos li - bra - rá En es - te tran-ce a - gu - do.
Mas por no - so-tros pug-na - rá De Dios el Es - co - gi - do.
No te - me - re-mos, por-que Dios Sa - brá aun pros-pe - rar - nos.

Con fu - ria y con a - fán A - có - sa-nos Sa - tán; Por ar-mas de - ja
¿Sa - béis quién es? Je - sús, El que ven-ció en la cruz, Se - ñor de Sa - ba -
Que mues-tre su vi - gor Sa-tan, y su fu - ror; Da - ñar-nos no po -

ver As - tu - cia y gran po - der; Cual él no hay en la tie - rra.
oth. Y pues él só - lo es Dios, El triun-fa en la ba - ta - lla.
drá; Pues con - de - na-do es ya Por la Pa - la - bra San - ta.

Iglesia De Cristo

Tr. Mateo Cosidó
Charles Wesley

LYONS

Franz J. Haydn

1. I - gle - sia de Cris - to rea - ni - ma tu a - mor,
2. Si fal - ta en al - gu - nos el san - to fer - vor,
3. Quien si - gue la sen - da del vil pe - ca - dor,

Y es - pe - ra ve - lan - do a tu au - gus - to Se - ñor;
La fe sea de to - dos el des - per - ta - dor.
Se en - tre - ga en los bra - zos de un sue - ño trai - dor;

Je - sús el es - po - so, ves - ti - do de ho - nor,
Ve - lad, com - pa - ñe - ros, ve - lad sin te - mor,
Mas pa - ra los sier - vos del buen Sal - va - dor,

Vi - nien - do se a - nun - cia con fuer - te cla - mor.
Que es - tá con no - so - tros el Con - so - la - dor.
Ve - lar es - pe - ran - do es su an - he - lo me - jor.

123 En Jesucristo, Mártir De Paz

Tr. E. A. Monfort Díaz
Fanny J. Crosby

CERTEZA

Mrs. J. F. Knapp

1. En Je - su - cris - to, már-tir de paz, En ho - ras ne - gras
2. En nues-tras lu - chas, en el do - lor, En tris-tes ho - ras
3. Cuan-do en la lu - cha fal - ta la fe Y el al - ma ve - se

de tem-pes - tad, Ha-llan las al - mas dul - ce so - laz, Gra - to con -
de ten -ta - ción, Cal-ma le in-fun - de, san - to vi - gor, Nue-vos a -
des-fa -lle - cer, Cris-to nos di - ce: "Siem-pre os da - ré Gra-cia di -

Coro

sue - lo, fe - li - ci - dad.
lien - tos al co - ra - zón. Glo- ria can - te - mos al Re-den - tor
vi - na, san-to po - der."

Que por no - so - tros qui - so mo - rir; Y que la gra - cia

del Sal - va - dor Siem-pre di - ri - ja nues - tro vi - vir.

124 Estad Por Cristo Firmes

Tr. Jaime Clifford
George Duffield, Jr.

WEBB

George J. Webb

1. ¡Es - tad por Cris - to fir - mes, Sol - da - dos, de la cruz!
2. ¡Es - tad por Cris - to fir - mes! Os lla - ma él a la lid;
3. ¡Es - tad por Cris - to fir - mes! Las fuer - zas vie - nen de él;

Al - zad hoy la ban - de - ra, En nom - bre de Je - sús;
¡Con él, pues a la lu - cha, Sol - da - dos to - dos id!
El bra - zo de los hom - bres, Es dé - bil y es in - fiel;

Es vues - tra la vic - to - ria, Con él por Ca - pi - tán;
Pro - bad que sois va - lien - tes, Lu - chan - do con - tra el mal;
Ves - tí - os la ar - ma - du - ra Ve - lad en o - ra - ción,

Por él se - rán ven - ci - das, Las hues - tes de Sa - tán.
Es fuer - te el e - ne - mi - go, Mas Cris - to es sin i - gual.
De - be - res y pe - li - gros, De - man - dan gran te - són.

125 Pronto La Noche Viene

Tr. Epigmenio Velasco
Annie L. Walker

CANTO DEL TRABAJO

Lowell Mason

1. Pron - to la no - che vie - ne, Tiempo es de tra - ba - jar;
2. Pron - to la no - che vie - ne, Tiempo es de tra - ba - jar;
3. Pron - to la no - che vie - ne, Tiempo es de tra - ba - jar,
4. Pron - to la no - che vie - ne, ¡Lis - tos a tra - ba - jar!

Los que lu-cháis por Cris - to No hay que des - can - sar;
Pa - ra sal-var al mun - do Hay que ba - ta - llar;
Si el pe - ca-dor pe - re - ce, Id-lo a res - ca - tar,
¡Lis - tos! que mu - chas al - mas Hay que res - ca - tar.

cres.

Cuan-do la vi - da es sue - ño, Go - zo, vi - gor, sa - lud,
Cuan-do la vi - da al - can - za, To - da su es - plen - di - dez,
Aun a la e - dad pro - vec - ta, Dé - bil y sin sa - lud,
¿Quién de la vi - da el dí - a Pue - de des - per - di - ciar?

Y es la ma-ña-na her - mo - sa, De la ju - ven - tud.
Cuando es el me - dio dí - a De la ma - du - rez.
Aun a la mis - ma tar - de De la se - nec - tud.
"Vie - ne la no - che cuan-do Na - die puede o - brar."

126 Cristo, Mi Piloto Sé

Tr. Vicente Mendoza
Edward Hopper

PILOTO

John E. Gould

1. Cris - to, mi Pi - lo - to sé En el tempes - tuo - so mar;
2. To - do a - gi - ta el hu - ra - cán, Con in - dó - mi - to fu - ror,
3. Cuan-do al fin ya cer - ca es-té De la pla - ya ce - les - tial.

Fie - ras on - das mi ba - jel Van a ha - cer - lo zo - zo - brar;
Mas los vientos ce - sa - rán Al man-da - to de tu voz;
Si el a - bis - mo ru - ge a - ún En-tre el puer-to y mi ba - jel,

Mas si tú con-mi - go vas, Sal-vo al puer - to lle - ga - ré.
Y al de - cir: "que sea la paz," Ce - de - rá su - mi-so el mar.
En tu pe-cho al des-can - sar, Quie-ro o - ír - te a ti de - cir:

Car-ta y brú-ju-la ha-llo en ti, ¡Cris-to, mi pi - lo-to sé!
De las a - guas tú el Señor, Guía-me, cual pi - lo-to fiel.
"Na - da te - mas ya del mar, Tu Pi - lo - to siempre soy!" A - mén.

127 La Historia De Cristo Diremos

Tr. Enrique Sánchez   MENSAJE   H. Ernest Nichol

1. La his-to-ria de Cris-to di-re-mos, que da-rá al mun-
2. La his-to-ria de Cris-to can-te-mos, Me-lo-dí-as dul-
3. La his-to-ria de Cris-to da-re-mos, Al mor-tal que va
4. A Je-sús to-dos con-fe-sa-re-mos, El nos dio su gran

1. Que da-rá

do la luz,   De paz y per-dón a-nun-cia-mos, Com-
ces can-tad.   Un to-no a-le-gre ten-dre-mos, De
sin su a-mor;   Nos dio Dios su Hi-jo di-re-mos, Ha-
sal-va-ción,   Por El al Se-ñor di-ri-gi-mos, Con

al mun-do la luz

pra-dos en cruen-ta cruz,   Com-pra-dos en cruen-ta cruz.
Cris-to en Na-vi-dad,   De Cris-to en Na-vi-dad.
lla-mos en El fa-vor,   Ha-lla-mos en El fa-vor.
fe to-da o-ra-ción,   Con fe to-da o-ra-ción.

Com-pra-dos en cruenta cruz

CORO

Nos qui-tó to-da som-bra den-sa, A-le-jó nuestra obscu-ri-dad,

RALL.

El nos sal-vó, nues-tra paz com-pró, Nos dio luz y li-ber-tad.

128 Despliegue El Cristiano

Tr. J. B. Cabrera
Frances R. Havergal   LEAL   George C. Stebbins

1. Despliegue el cris-tia-no su san-ta ban-de-ra, Y mués-tre-la u-fa-no del mun-do a la faz: ¡Sol-da-dos va-lien-tes! el triun-fo os es-pe-ra; Se-guid vuestra lu-cha cons-tan-te y te-naz.

2. Despliegue el cris-tia-no su san-ta ban-de-ra, Do-mi-ne ba-luar-tes y al-me-nas a mil; La Bi-blia ben-di-ta con-quis-te do-quie-ra, Y an-te e-lla se in-cli-ne la tur-ba gen-til.

3. Despliegue el cris-tia-no su san-ta ban-de-ra, Y luz-ca en el frente de au-daz to-rre-ón: El mon-te y la vi-lla, la her-mo-sa pra-de-ra, Con-tem-plen on-dean-do tan be-llo pen-dón.

4. Despliegue el cris-tia-no su san-ta ban-de-ra, Pre-di-que a los pueblos el li-bro in-mor-tal; Pre-sen-te a los hombres la luz ver-da-de-ra Que vier-te e-se cla-ro, lu-cien-te fa-nal.

5. Despliegue el cris-tia-no su san-ta ban-de-ra, Y mués-tre-se bra-vo, ba-tién-do-se fiel; Pa-ra él no ha-brá fo-sos, pa-ra él no hay ba-rre-ra: Que lu-cha a su la-do el di-vi-no Emmanuel.

CORO

Cris-to nos guí-a, es nues-tro Je-fe, Y con no-so-tros siem-pre es-ta-rá.— Na-da te-ma-mos, él nos a-lien-ta, Y a la vic-to-ria lle-var-nos po-drá.

129 Aprisa, ¡Sión!

Tr. Alejandro Cativiela
Mary A. Thompson

NUEVAS

J. Walch

1. A - pri-sa, ¡Sión!, que tu Se - ñor es - pe - ra; Al mundo en-te - ro
2. Ve cuán-tos mi - les ya -cen re - te - ni - dos Por el pe - ca-do en
3. En ti es - tá sal - var de ries-go in-gen - te Al - mas por quie - nes
4. A to-do pue-blo y ra - za, fiel, pro - cla - ma Que Dios, en quien ex -
5. Tus hi-jos da, que lle-ven su pa - la - bra; Tus bie-nes pon, su
6. El vol-ve - rá, ¡oh Sión!; an-tes de ver - le Su gra-cia a-nun-cia a

di que Dios es luz; Que el Cre - a - dor no quie-re que se pier - da
ló-bre - ga pri-sión; No sa - ben de A - quel que ha su - fri - do
dio su vi - da él; Te - me, pues, que, si e - res ne - gli - gen - te,
is - ten, es a - mor; Y que él ba - jó pa - ra sal-var sus al - mas;
pa-so pa-ra a-brir; Por e - llos tu al-ma en o - ra-ción de - rra - ma,
to-do co - ra - zón; Que ni u-no so - lo de los su - yos que - de,

Coro

U - na so - la al - ma, le - jos de Je - sús.
En vi - da y cruz por dar - les re - den - ción.
De tu co - ro - na pier-das un jo - yel.
Por dar-les vi - da, muer-te a-quí su - frió. Nue - vas pro - cla - ma
Que to - do Cris - to te ha de re - tri - buir.
Por cul - pa tu - ya, le - jos del Se - ñor.

De go-zo y paz, Nue - vas de Cris - to, Sa - lud y li - ber - tad.

De Heladas Cordilleras

Tr. T. M. Westrup
Reginald Heber

HIMNO MISIONERO

Lowell Mason

1. De he - la - das cor - di - lle - ras, De pla - yas de co - ral,
2. Nos - o - tros, a - lum - bra - dos Con ce - les - tial sa - ber
3. Lle - va - da por los vien - tos La his - to - ria de la cruz,

De e - tió - pi - cas ri - be - ras Del mar me - ri - dio - nal.
¡A cuán - tos des - gra - cia - dos De - ja - mos pe - re - cer!
Des - pier - te sen - ti - mien - tos De a - mor al buen Je - sús:

Nos lla - man a - fli - gi - das A dar - les li - ber - tad
A to - dos, pues, lle - ve - mos Gra - tui - ta sal - va - ción;
Pre - pa - re co - ra - zo - nes, En - se - ñe su ver - dad

Na - cio - nes su - mer - gi - das En den - sa obs - cu - ri - dad.
Al Cris - to pre - di - que - mos, Que o - bró la re - den - ción.
En to - das las na - cio - nes Se - gún su vo - lun - tad.

131 Sembraré La Simiente Preciosa

Abraham Fernández · CONDADO DE ORLEANS · George C. Stebbins

1. Sem-bra-ré la si-mien-te pre-cio-sa Del glo-rio-so E-van-ge-lio de a-
2. Sem-bra-ré en co-ra-zo-nes sen-si-bles La doc-tri-na del Dios del per-
3. Sem-bra-ré en co-ra-zo-nes de már-mol La ben-di-ta pa-la-bra de

mor,
dón. } Sem-bra-ré, sem-bra-ré mien-tras vi-va, De-ja-ré el re-sul-ta-do al Se-
Dios.

CORO

ñor. Sem-bra-ré, sem-bra-ré, Mien-tras vi-va, si-mien-te de a-
Sem-bra-ré, sem-bra-ré,

mor; Se-ga-ré, se-ga-ré, Al ha-llar-me en la ca-sa de Dios.
Se-ga-ré, se-ga-ré,

132 Sal A Sembrar

Tr. Eduardo Palací
Comisionado Booth-Tucker

BOOTH-TUCKER

Comisionado Booth-Tucker

1. Sal a sembrar, sembrador de paz, Si-gue las hue-llas del buen Je-
2. Vasto es el campo, sal a sembrar, Siem-pre el te - rre - no que Dios te
3. No des-per-di-cies el tiem - po, ve, Siem-bra pa - la-bras de vi-da y
4. Dios lo ha mandado, sal a sembrar Nue-vas de vi - da, de a - mor y

sús; Muy ri - cos fru-tos ten-drás si fiel Si - gues la sen - da de
da; Si siembras siem-pre con-fian-do en Dios, El tus es - fuer-zos co-
paz, Se - mi-lla e - ter - na que dé su mies, Ri - ca se - mi - lla que
paz; Tal vez te cues-te do - lo - res mil, Mas en los cie - los ten-

CORO

paz y luz.
ro - na - rá. { 1.-3. Ve, ve, ve, sem-bra-dor; Ve, ve, siem-bra la paz;
no es fu-gaz. { 4. Voy, voy, voy, Sal - va-dor; Voy, voy, siem-bro la paz;
drás so - laz.

1.—3. Ha - bla do-quie-ra del Se - ñor Y de su san - ta paz.
4. Ha-blan-do siem-pre del Se - ñor Y de su san - ta paz.

133 Trabajad, Trabajad

Tr. T. M. Westrup
Fanny J. Crosby
TRABAJAD
William H. Doane

1. ¡Tra-ba-jad! ¡tra-ba-jad!, so-mos sier-vos de Dios; Se-gui-re-mos la
2. ¡Tra-ba-jad! ¡tra-ba-jad!, hay que dar de co-mer Al que pan de la
3. ¡Tra-ba-jad! ¡tra-ba-jad! For-ta-le-za pe-did; El rei-na-do del

sen-da que el Maes-tro tra-zó; Re-no-van-do las fuer-zas con
vi-da qui-sie-re te-ner; Hay en-fer-mos que i-rán a los
mal con va-lor com-ba-tid; Con-du-cid los cau-ti-vos al

bie-nes que da, El de-ber que nos to-ca cum-pli-do se-rá.
pies del Se-ñor, Al sa-ber que de bal-de los sa-na su a-mor.
Li-ber-ta-dor, Y de-cid que de bal-de re-di-me su a-mor.

Coro

¡Tra-ba-jad!   ¡tra-ba-jad!   ¡Es-pe-rad!,   y ¡ve-
        ¡Tra-ba-jad! ¡tra-ba-jad! ¡tra-ba-jad!   ¡Es-pe-rad!, y ¡ve-

lad!   ¡Con-fi-ad!,   ¡siem-pre o-rad!, Que el Maes-tro pron-to vol-ve-rá.
lad!, y ¡ve-lad!   confiad!   ¡orad!

134 Oigo Al Dueño De La Mies

Tr. Ernesto Barocio
George Bennard

REED-CITY

George Bennard

1. Oi - go al Dueño de la mies que lla - ma: "¿Quién a tra - ba-
2. Mis in - mun - dos la - bios pu - ri - fi - ca Con el fue - go
3. ¡Cuán - tos va - gan sin sa - ber de Cris - to Ca - minando a e-
4. En mis la - bios pon tu fiel men - sa - je; Lle - na de tu a-

jar hoy quie - re ir? ¿Quién a mis o - ve - jas ex - tra - via - das
san - to de tu al - tar; Só - lo a - sí po - dré como el pro - fe - ta
ter - na per - di - ción! ¿Quién i - rá a sal - var - los de la muer - te?
mor mi co - ra - zón; Lo - gre por tu gra - cia res - ca - tar - los

CORO

Con a - mor con - du - ci - rá al re - dil?
Tu mensa - je al mundo proclamad.
¡Heme a - quí! En - ví - a - me, Se - ñor.
Pa - ra glo - ria tu - ya mi, Se - ñor.

Heme a - quí, mi Se -
Heme a - quí,

ñor, mi Se - ñor, Ha - bla, que tu sier - vo oyendo es - tá. Quiero
oyendo está

ir: Presto estoy; Me complace hacer tu vo - lun - tad.
Quiero ir: voluntad.

135   Ved Al Cristo, Rey De Gloria

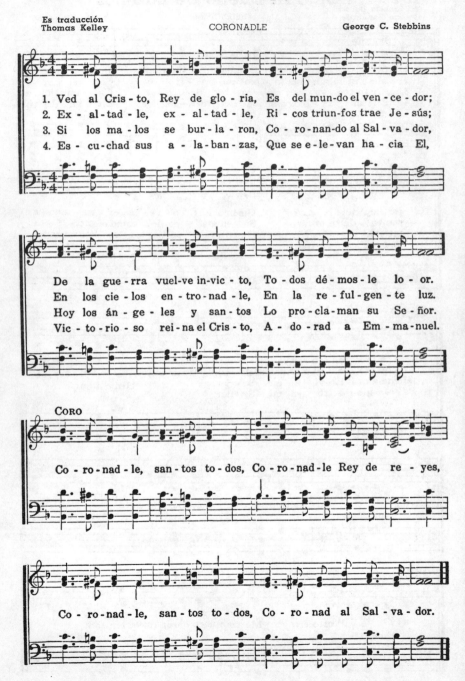

Es traducción
Thomas Kelley

CORONADLE

George C. Stebbins

1. Ved al Cris - to, Rey de glo - ria, Es del mun-do el ven - ce - dor;
2. Ex - al - tad - le, ex - al - tad - le, Ri - cos triun-fos trae Je - sús;
3. Si los ma - los se bur - la - ron, Co - ro-nan-do al Sal - va - dor,
4. Es - cu-chad sus a - la - ban-zas, Que se e - le - van ha - cia El,

De la gue - rra vuel-ve in-vic - to, To - dos dé - mos - le lo - or.
En los cie - los en - tro - nad - le, En la re - ful - gen - te luz.
Hoy los án - ge - les y san - tos Lo pro - cla - man su Se - ñor.
Vic - to - rio - so rei - na el Cris - to, A - do - rad a Em - ma - nuel.

Coro

Co - ro - nad - le, san - tos to - dos, Co - ro - nad - le Rey de re - yes,

Co - ro - nad - le, san - tos to - dos, Co - ro - nad al Sal - va - dor.

Cantaré La Bella Historia

Es traducción
F. H. Rowley

BELLA HISTORIA

Peter H. Billhorn

1. Can - ta - ré   la bella his - to - ria Que Je - sús mu - rió por mí;
2. Cris - to vi - no a res - ca - tar - me, Vil, per - di - do me encontró;
3. Mis he - ri - das y   do - lo - res El Se - ñor Je - sús sa - nó;
4. En el rí - o de la muer - te El Se - ñor me guar - da - rá.

Co - mo a - llá en   el Cal - va - rio Dio su san - gre car - me - sí.
Con su ma - no fiel y tier - na Al re - dil El me lle - vó.
Del pe - ca - do y los te - mo - res Su po - der me li - ber - tó.
Es su a - mor tan fiel y fuer - te, Que ja - más me de - ja - rá.

CORO

Can - ta - ré........... la bella his - to - - ria De Je-
Can - ta - ré la bella his - to - ria

sús........ mi Sal - va - dor,........... Y con san - tos en la
De Je - sús mi Sal - va - dor, Y con san-

glo - - ria A Je - sús....... da - ré lo - or.
tos en la glo - ria A Je - sús da - ré lo - or.

Da Lo Mejor Al Maestro

Tr. S. D. Athans
H. B. G.

BARNARD

Mrs. Charles Barnard

1. Da lo me-jor al Ma-es-tro; Tu ju-ven-tud, tu vi-gor,
2. Da lo me-jor al Ma-es-tro; Da-le de tu al-ma el ho-nor;
3. Da lo me-jor al Ma-es-tro; Na-da su-pe-ra su a-mor,

CORO—Da lo me-jor al Ma-es-tro; Tu ju-ven-tud, tu vi-gor;

FINE

Da-le el ar-dor de tu al-ma, Lu-cha del bien en fa-vor.
Que se-a El en tu vi-da El mó-vil de ca-da ac-ción.
Se dio por ti a sí mis-mo De-jan-do glo-ria y ho-nor.

Da-le el ar-dor de tu al-ma, De la ver-dad lu-cha en pro.

Cris-to nos dio el e-jem-plo Sien-do el jo-ven de va-lor;........
Da-le y te se-rá da-do El Hi-jo a-ma-do de Dios......
No mur-mu-ró al dar su vi-da Por sal-var-te del e-rror.......

rall.

D. C.

Sé-le de-vo-to fer-vien-te, Da-le de tí lo me-jor........
Sír-ve-le dí-a por dí-a; Da-le de tí lo me-jor........
A-ma-le más ca-da dí-a; Da-le de tí lo me-jor........

138

Dulce Oración

Tr. J. B. Cabrera
William W. Walford

DULCE HORA

William B. Bradbury

1. Dul-ce o-ra-ción, dul-ce o-ra-ción, De to-da in-fluen-cia mun-da-nal
2. Dul-ce o-ra-ción, dul-ce o-ra-ción, Al tro-no ex-cel-so de bon-dad
3. Dul-ce o-ra-ción, dul-ce o-ra-ción, Que a-lien-to y go-zo al al-ma das,

E-le-vas tú mi co-ra-zón, Al tier-no Pa-dre ce-les-tial.
Tú lle-va-rás mi pe-ti-ción A Dios que es-cu-cha con pie-dad.
En es-ta tie-rra de a-flic-ción Con-sue-lo siem-pre me se-rás.

¡Oh, cuán-tas ve-ces tu-ve en ti Aux-i-lio en ru-da ten-ta-ción,
Por fe es-pe-ro re-ci-bir La gran di-vi-na ben-di-ción,
Has-ta el mo-men-to en que ve-ré Las puer-tas fran-cas de Si-ón,

Y cuán-tos bien-es re-ci-bí, Me-dian-te ti, dul-ce o-ra-ción.
Y siem-pre a mi Se-ñor ser-vir Por tu vir-tud, dul-ce o-ra-ción.
En-ton-ces me des-pe-di-ré Fe-liz, de ti, dul-ce o-ra-ción.

139 De Jesús El Nombre Guarda

Tr. T. M. Westrup
Lydia Baxter

William H. Doane

PRECIOSO NOMBRE

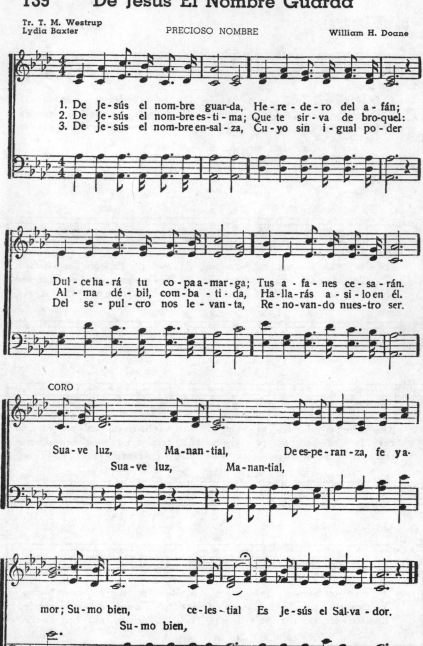

1. De Je-sús el nom-bre guar-da, He - re - de - ro del a - fán;
   Dul - ce ha - rá tu co - pa a - mar - ga; Tus a - fa - nes ce - sa - rán.

2. De Je-sús el nom-bre es-ti - ma; Que te sir - va de bro-quel:
   Al - ma dé - bil, com-ba-ti - da, Ha-lla-rás a - si - lo en él.

3. De Je-sús el nom-bre en-sal - za, Cu - yo sin i - gual po - der
   Del se - pul - cro nos le - van - ta, Re - no-van-do nues-tro ser.

CORO

Sua - ve luz, Ma-nan-tial, De es-pe-ran - za, fe y a-mor; Su - mo bien, ce-les - tial Es Je-sús el Sal-va - dor.

Sua - ve luz, Ma-nan-tial, Su - mo bien,

140 Dios Bendiga Las Almas Unidas

Es traducción   CANA   Daniel Hall

Dios ben - di - ga las al - mas u - ni - das   Por los la - zos de a-
Que el Se - ñor, con su dul - ce pre - sen - cia,   Ca - ri - ño - so es-tas
Que los dos que al Se-ñor se a-prox - i - man   A pres - tar - se su

mor sa - cro - san - to, Y las guar - de de to - do que-bran-to En el
bo - das pre - si - da, Y con-duz - ca por sen-das de vi - da A los
fe mu - tua-men - te, Bus-quen siempre de Dios en la fuen - te El se-

mun - do, de es-pi - nas e - rial, Que el ho - gar que a for - mar - se co-
que hoy se pro - me - ten leal - tad. Les re - cuer - de que na-da en el
cre - to de di - cha in-mor - tal. Y si a - ca - so de due-lo y tris-

mien - za Con la u-nión de es-tos dos co - ra - zo - nes, Go - ce siem-pre de
mun - do Es e - ter - no, que to - do ter - mi - na, Y por tan - to con
te - za Se em-pa - ña - sen sus sen-das un dí - a, En Je - sús ha - lla-

mil ben - di - cio - nes, Al am - pa - ro del Dios de Is - ra - el.
gra - cia di - vi - na, Ci - frar de - ben la di - cha en su Dios.
rán dul - ce guí - a, Que o-tra sen - da les mues - tre me - jor.

141 Paz, Paz, Cuán Dulce Paz

Tr. Vicente Mendoza
W. D. Cornell

MARAVILLOSA PAZ

W. G. Cooper

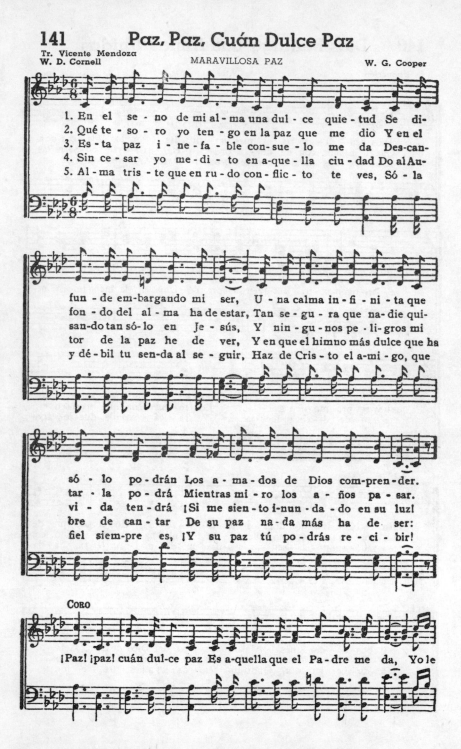

1. En el se - no de mi al - ma una dul - ce quie - tud Se di-
2. Qué te - so - ro yo ten - go en la paz que me dio Y en el
3. Es - ta paz i - ne - fa - ble con - sue - lo me da Des - can-
4. Sin ce - sar yo me - di - to en a - que - lla ciu - dad Do al Au-
5. Al - ma tris - te que en ru - do con - flic - to te ves, Só - la

fun - de em - bargando mi ser, U - na calma in - fi - ni - ta que
fon - do del al - ma ha de estar, Tan se - gu - ra que na - die qui-
san - do tan só - lo en Je - sús, Y nin - gu - nos pe - li - gros mi
tor de la paz he de ver, Y en que el himno más dulce que ha
y dé - bil tu sen - da al se - guir, Haz de Cris - to el a - mi - go, que

só - lo po - drán Los a - ma - dos de Dios com - pren - der.
tar - la po - drá Mientras mi - ro los a - ños pa - sar.
vi - da ten - drá ¡Si me sien - to i - nun - da - do en su luz!
bre de can - tar De su paz na - da más ha de ser:
fiel siem - pre es, ¡Y su paz tú po - drás re - ci - bir!

CORO

¡Paz! ¡paz! cuán dul - ce paz Es a - quella que el Pa - dre me da, Yo le

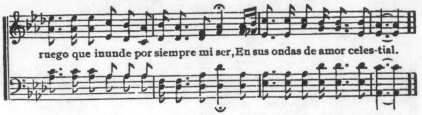

ruego que inunde por siempre mi ser, En sus ondas de amor celes-tial.

142　¡Oh Amor! Que No Me Dejarás

Tr. Vicente Mendoza
George Matheson

SANTA MARGARITA

Albert L. Peace

Andante espressivo.

1. ¡Oh A-mor! que no me de - ja - rás, Des - can - sa mi al-ma
2. ¡Oh Luz! que en mi sen-de - ro vas, Mi an-tor-cha dé - bil
3. ¡Oh Go - zo! que a buscar-me a mí, Vi - nis-te con mor-
4. ¡Oh Cruz! que mi - ro sin ce - sar, Mi or-gu - llo, glo-ria y

siem-pre en ti; Es tu - ya y tú la guardarás, Y en el o-
rin - do a ti; Su luz a - pa-ga el co - ra-zón, Se - gu - ro
tal do - lor; Tras la tor-men-ta el ar - co ví, Y ya el ma-
va - ni - dad; Al pol - vo de - jo por ha - llar, La vi - da

céa - no de tu a-mor Más ri - ca al fin se - rá. A - mén.
de en-contrar en ti Más be - llo res-plan-dor.
ña - na, yo lo sé, Sin lá - gri-mas se - rá.
que en su san-gre dio Je - sús, mi Sal - va - dor.

143 Del Santo Amor De Cristo

Tr. Vicente Mendoza
Mrs. C. H. Morris

NAYLOR

Mrs. C. H. Morris

1. Del san-to a-mor de Cris-to que no ten-drá su i-gual, De su di-
2. Cuan-do él vi-vió en el mun-do la gen-te lo si-guió, Y to-das
3. El pu-so en las pu-pi-las del cie-go nue-va luz, La e-ter-na
4. Su a-mor, por las e-da-des del mun-do es el fa-nal, Que marca es-

vi-na gra-cia, su-bli-me y e-ter-nal; De su mi-se-ri-
sus an-gus-tias en él de-po-si-tó, En-ton-ces bon-da-
luz de vi-da que cen-te-llea en la cruz, Y dio a las al-mas
plen-do-ro-so la sen-da del i-deal; Y el pa-so de los

cor-dia, in-men-sa co-mo el mar Y cual los cie-los al-ta, con
do-so, su a-mor bro-tó en rau-dal In-con-te-ni-ble, in-men-so,
to-das la glo-ria de su ser, Al im-par-tir su gra-cia, su Es-
a-ños, lo ha-rá más dulce y más Pre-cio-so al dar-la al al-ma, su in-

Coro

go-zo he de can-tar, El a-mor de mi Se-ñor,
sa-nan-do todo mal.
pí-ri-tu y po-der.
com-pa-ra-ble paz. El a-mor de mi Se-ñor,

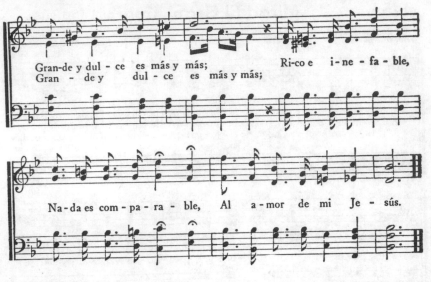

Gran-de y dul - ce es más y más;
Gran - de y dul - ce es más y más;

Ri-co e i-ne-fa-ble,

Na-da es com-pa-ra-ble, Al a-mor de mi Je-sús.

144   Cristo Me Ama

Es traducción
Anna B. Warner

CHINA

Wm. B. Bradbury

1. Cris-to me a-ma, bien lo sé, Su pa-la-bra me ha-ce ver, Que los
2. Cris-to me a-ma, pues mu-rió, Y el cie-lo me a-brió; El mis
3. Cris-to me a-ma— es ver-dad— Y me cui-da en su bon-dad, Cuan-do

CORO

ni - ños son de A-quel, Quien es nues-tro A-mi-go fiel. Cris-to me a-ma,
cul-pas qui-ta-rá, Y la en-tra-da me da-rá.
mue-ra, si soy fiel, Vi-vi-ré a-llá con El.

Cris-to me a-ma, Cris-to me a-ma, La Bi-blia di-ce a-sí.

145 Mirad El Gran Amor

Tr. Enrique Turral
Horatio Bonar

VICKERY

James McGranahan

1. Mi - rad el gran a - mor ¡A - le - lu - ya! ¡A - le - lu - ya! De nuestro Sal-va-dor ¡A - le - lu - ya! ¡A - le - lu - ya! Su tro - no él de - jó, al mun-do des - cen - dió, Su san-gre de-rra-mó por sal-var al pe - ca - dor. ¡A - le - lu - ya! ¡A - le - lu - ya! De-mos glo - ria a Je - sús; ¡A - le - lu - ya! ¡A - le - lu - ya! so-mos sal - vos por su cruz.

2. Lu - che-mos con va - lor ¡A - le - lu - ya! ¡A - le - lu - ya! En nom-bre del Se-ñor ¡A - le - lu - ya! ¡A - le - lu - ya! El dia-blo ru - gi - rá, el mun-do se rei - rá, El Sal - va - dor se - rá con no - so-tros has-ta el fin. ¡A - le - lu - ya! ¡A - le - lu - ya! con - fi - e - mos en Je - sús; ¡A - le - lu - ya! ¡A - le - lu - ya! ven - ce - re - mos por su cruz.

3. ¡Muy pron-to vol-ve - rá! ¡A - le - lu - ya! ¡A - le - lu - ya! ¡Qué go - zo nos da-rá! ¡A - le - lu - ya! ¡A - le - lu - ya! ¡Glo - rio - sa re - u - nión! ¡e - ter - na ben-di - ción! Y gra - ta co - mu-nión pa - ra siem-pre con Je - sús. ¡A - le - lu - ya! ¡A - le - lu - ya! pa - ra siem-pre con Je - sús; ¡A - le - lu - ya! ¡A - le - lu - ya! re - di - mi - dos por su cruz.

146 Dios Os Guarde

Es traducción
Jeremiah E. Rankin

DIOS OS GUARDE

William G. Tomer

1. Dios os guarde siem-pre en san-to a-mor; Hasta el día en que lle - gue -mos
2. Dios os guarde siem-pre en san-to a-mor; En   la sen-da pe - li - gro - sa,
3. Dios os guarde siem-pre en san-to a-mor; Os con-duz-ca su ban - de - ra;
4. Dios os guarde siem-pre en san-to a-mor; Con su gra-cia él os sos-ten - ga,

A   la pa-tria do es-ta - re - mos,   Pa - ra siem-pre con el Sal - va - dor.
De es-ta vi - da tor-men-to - sa,   Os con-ser-ve en paz y sin te - mor.
Y os es-fuer-ce en gran ma-ne - ra   Con su Es-pí - ri - tu Con - so - la - dor.
Has-ta que el Ma-es-tro ven - ga   A fun-dar su rei-no en es - plen-dor.

Coro

Al ve-nir Je - sús nos ve-re - mos A los pies de nuestro Sal-va - dor;

Re - u - ni-dos to-dos se - re - mos Un re-dil con nues-tro buen Pas-tor.

147

Sólo A Ti, Dios Y Señor

Pedro Castro · WORGAN o HIMNO PASCUAL · Henry Carey, en Lyra Davídica, 1708

1. So-lo a ti, Dios y Se-ñor, A - do - ra - mos,
2. Un Es-pí - ri - tu, no mas, Nos go - bier - na,
3. Dis-fru-ta-mos tu fa - vor So - la - men - te,
4. Só - lo tú, oh, Cre-a-dor, Dios e - ter - no,

Y la glo-ria y el ho - nor Tri - bu - ta - mos.
Y con él, Se - ñor, nos das Paz e - ter - na;
Por Je - sús, fuen - te de a - mor Per - ma - nen - te;
Nos li - bras - te del fu - ror Del in - fier - no;

So - lo a Cris - to, nues - tra luz A - cu - di - mos;
El es fue - go ce - les - tial, Cu - ya lla - ma,
So - lo él nos li - ber - tó De la muer - te:
Y por es - to con pla - cer Pro - cla - ma - mos,

Por su muer - te en la cruz Re - vi - vi - mos.
En a - mor an - ge - li - cal Nos in - fla - ma.
So - lo él se de - cla - ró Nues - tro Fuer - te.
Que so - lo en tu gran po - der Con - fi - a - mos.

148

Avívanos, Señor

Tr. Enrique Turral
Fanny J. Crosby

WOODSTOCK

William H. Doane

1. A - ví - va - nos, Señor, Sin - ta - mos el po - der
2. A - ví - va - nos, Señor, Te - ne - mos sed de ti;
3. A - ví - va - nos, Señor, Des - pier - ta más a - mor,

Del San - to Es-pí - ri - tu de Dios En to - do nues - tro ser.
La llu - via de tu ben - di - ción De - rra - ma a-ho - ra a - quí.
Más ce - lo y fe en tu pue - blo a-quí, En bien del pe - ca - dor.

Coro

A - ví - va - nos, Se - ñor Con nue - va ben - di - ción;

In - fla - ma el fue - go de tu a-mor En ca - da co - ra - zón.

149 Habladme Más De Cristo

Tr. Vicente Mendoza
J. M. Black

WILLIAMSPORT

J. M. Black

1. Quie - ro que ha-bléis de a-quel gran-de a-mor Que en el Cal - va - rio
2. Cuan-do me a-sal - te la ten - ta-ción Y que sus re - des
3. Cuan-do en la lu - cha fal - te la fe Y el al - ma sien - ta

Dios nos mos-tró; Quie - ro que ha-bléis del buen Sal - va - dor,
tien - da a mi pie Quie - ro te - ner en El pro - tec-ción,
des - fa - lle - cer, Quie - ro sa - ber que a - yu - da ten - dré,

Coro

¡Ha - blad - me más de Cris - to! Quie - ro es - cu - char la his-

to - ria fiel De mi Je - sús, mi Sal - va - dor; Quie - ro vi-

vir tan só - lo por El, ¡Ha - blad - me más de Cris - to!

150 Grande Gozo Hay En Mi Alma

Es traducción
Eliza E. Hewitt

LUZ DEL SOL (SWENEY)

John R. Sweney

1. Gran-de go - zo hay en mi al-ma hoy, Pues Je-sús con - mi-go es-tá;
2. Hay un can - to en mi al - ma hoy; Me - lo - dí - as a mi Rey;
3. Paz di - vi - na hay en mi al-ma hoy, Por-que Cris-to me sal - vó;
4. Gra - ti-tud hay en mi al - ma hoy, Y a - la-ban-zas a Je-sús;

Y su paz, que ya go-zan-do es-toy Por siem - pre du - ra - rá.
En su a-mor fe - liz y li - bre soy, Y sal - vo por la fe.
Las ca - de - nas ro - tas ya es-tán, Je - sús me li - ber - tó.
Por su gra - cia a la glo - ria voy, Go - zán - do-me en la luz.

Coro

Gran - de go - zo, ¡Cu-án her-mo — so!
- zo pa-ra mí con Je - sús

Pa - so to-do el tiem-po bien fe - liz; Por-que
el tiem-po bien fe - liz;

veo de Cris - to la son-rien-te faz, Gran-de go - zo sien-to en mí.

151 Acogida Da Jesús

Tr. T. M. Westrup
Erdmann Neumeister

NEUMEISTER

James McGranahan

1. A - co - gi - da da Je - sús, Crée - lo po - bre pe - ca - dor,
2. Ven, con El des - can - sa - rás; E - jer - ci - ta en El tu fe;
3. Haz - lo, por - que a - sí di - rás: "Ya no me con - de - na - ré;
4. A - co - ger - te pro - me - tió, Da - te pri - sa en a - cu - dir,

Al que en bus - ca de la luz, Va - gue cie - go y con te - mor
De tus ma - les sa - na - rás; A Je - sús, tu a - mi - go, ve.
Ya la ley no pi - de más; La cum - plió Je - sús, lo sé."
Ne - ce - si - tas, co - mo yo; Vi - da, que El te ha - rá vi - vir

Coro

Vol - ve - re - - - mos a can - tar,.......... Cris - to a -
A cantar volved,   A cantar volved; Cris - to a -

co - - ge al pe - ca - dor.......... Cla - ro ha - ced - lo
co-ge al pecador,   Cris - to a - co-ge al pecador.   Que resuene haced,

re - so - nar;.......... Cris - to a - co - ge al pe - ca - dor.
Que re-suene haced;

152   Jesús Es Mi Rey Soberano

Vicente Mendoza   MI REY Y MI AMIGO   Original de Vicente Mendoza

1. Je - sús es mi Rey so - be - ra - no, Mi go-zo es can-tar su lo-
2. Je - sús es mi A-mi-go an-he-la - do, Y en som-bras o en luz siem-pre
3. Se - ñor,¿ qué pu-die-ra yo dar-te Por tan-ta bon-dad pa-ra

or; Es Rey, y me ve cual her-ma-no, Es Rey y me im-par-
va Pa-cien-te y hu-mil-de a mi la-do, Y a-yu-da y con-sue-
mí; Me bas-ta ser-vir-te y a-mar-te? ¿Es to-do en-tre-gar-

te su a-mor. De-jan-do su tro-no de glor-ria, me vi-no a sa-car
lo me da. Por e-so con-stan-te lo si-go, por-que él es mi Rey
me yo a ti? En-ton-ces a-cep-ta mi vi-da, que a ti so-lo que-

de la es-co-ria, Y yo soy fe-liz, Y yo soy fe-liz por él.
y mi A-mi-go, Y yo soy fe-liz, Y yo soy fe-liz por él.
da ren-di-da, Pues yo soy fe-liz, Pues yo soy fe-liz por ti.

153 Escuchad, Jesús Nos Dice

Tr. T. M. Westrup
Daniel March

HARWELL

Lowell Mason

1. Es - cu-chad, Je-sús nos di - ce: "¿Quié-nes van a tra-ba-jar?
2. Si por tie - rras o por ma - res No pu - die - res tran-si-tar,
3. Si co-mo e-lo-cuen-te a-pós - tol, No pue-die - res pre-di-car,

Cam-pos blan-cos hoy a - guar-dan Que los va - yan a se-gar."
Pue-des en-con-trar ham-brien-tos En tu puer-ta que aux-i-liar;
Pue-des de Je - sús de - cir - les, Cuánto al hom-bre su-po a-mar;

El nos lla - ma ca - ri - ño - so, Nos con-stri - ñe con su a-mor;
Si ca - re - ces de ri - que-zas, Lo que dio la viu-da da;
Si no lo-gras que sus cul-pas Re - co - noz - ca el pe-ca-dor,

¿Quién res-pon-de a su lla-ma-da: "Héme aquí, yo i-ré, Se-ñor?"
Si por el Se-ñor lo die-res, El te re-com-pen-sa-rá.
Con - du-cir los ni-ños pue-des Al be-nig - no Sal-va-dor. A-mén

154 ¿Llevas Solo Tu Carga?

Vicente Mendoza

LAKEHURST

C. Austin Miles

1. ¿Has tra-ta-do de lle-var tu car-ga? Só-lo tú, Só-lo
2. Nunca ol-vi-des que al Cal-va-rio so-lo Fue Je-sús, Fue Je-
3. Só-lo en Cris-to pro-tec-ción y a-yu-da Ha-lla-rás; Ha-lla-

Sólo tú,

tú, ¿No sa-bien-do que ten-drás a-yu-da Si a-cu-
sús; Pa-ra dar-te sal-va-ción y vi-da Cuando
rás; Lle-va siempre a él tus car-gas to-das Que a nin-

Só-lo tú,

Coro

die-res al Se-ñor Je-sús? Si ten-go cargas que so-lo
so-lo su-cum-bió en la cruz. Si ten-go cru-ces que na-die
gu-no re-cha-zó ja-más.

1

de-bo lle-var, Pa-cien-te las al-zo y a-cu-do a mi Se-ñor;
pue-de car-gar. Su a- (Omit..............................)

2

yu-da siem-pre mi Se-ñor me pres-ta con a-mor.

155 El Oro y la Plata no me han Redimido

Tr. G. P. Simmonds
James M. Gray

CALLE LA SALLE

D. B. Towner

1. El o-ro y la pla-ta no me han re-di-mi-do, Mi ser del pe-
2. El o-ro y la pla-ta no me han re-di-mi-do, La pe-na te-
3. El o-ro y la pla-ta no me han re-di-mi-do, La paz no da-
4. El o-ro y la pla-ta no me han re-di-mi-do, La en-tra-da en los

ca-do no pue-den li-brar; La san-gre de Cris-to es mi
rri-ble no pue-den qui-tar; La san-gre de Cris-to es mi
rán e-llos al pe-ca-dor; La san-gre de Cris-to es mi
cie-los no pue-den com-prar; La san-gre de Cris-to es mi

so-la es-pe-ran-za, Su muer-te tan so-lo me pu-do sal-var.
so-la es-pe-ran-za, Mi cul-pa su muer-te la al-can-za bo-rrar.
so-la es-pe-ran-za, Tan so-lo su muer-te me qui-ta el te-mor.
so-la es-pe-ran-za, Su muer-te res-ca-te con-si-guió ga-nar.

Coro

Me re-di-mió mas no con
Me re-di-mió me re-di-

pla-ta Me com-pró el Sal-va-
mió mas no con pla-ta; Me com-pró me com-

dor Con o - ro no mas con su
pró el Sal - va - dor; Con o - ro no su

san - gre Gran-de pre - cio de su a - mor.
san - gre tan pre-cio-sa,

156   Roca De La Eternidad

Tr. T. M. Westrup
Augustus M. Toplady

TOPLADY

Thomas Hastings

1. Ro - ca de la e - ter - ni - dad, Fuis-te a-bier - ta tú por mí,
2. Aun-que se - a siem-pre fiel, Aun-que llo - re sin ce - sar,
3. Mien-tras ha - ya de vi - vir, Y al in-stan - te de ex-pi - rar;

Sé mi es-con - de-de - ro fiel Só - lo en-cuen - tro paz en ti,
Del pe - ca - do no po - dré Jus-ti - fi - ca-ción lo - grar;
Cuan-do va - ya a res-pon - der En tu au-gus - to tri-bu - nal,

Ri - co, lim - pio ma-nan-tial, En el cual la-va - do fuí.
Só - lo en ti te - nien-do fe Deu-da tal po-dré pa - gar.
Sé mi es-con - de - de - ro fiel, Ro - ca de la e-ter - ni - dad.

157 Himno Vespertino

Tr. Vicente Mendoza
Mary A. Lathbury

CHAUTAUQUA

Wm. F. Sherwin, 1877

1. Nues-tro sol se po - ne ya, To-do en cal - ma que-da - rá; La ple-
2. ¡Oh Se-ñor! tu pro - tec-ción Da - le hoy al co - ra-zón; Da-le a-
3. ¡Oh Se-ñor! que al des-can-sar Pue-da en tí se - gu-ro es-tar, Y ma-

ga - ria le-van-tad Que ben-di - ga la bon-dad De nues-tro Dios.
que-lla dul-ce paz Que a los tu - yos siempre das Con ple - ni - tud.
ña - na, mi de-ber Pue - da siem-pre fiel ha-cer En tu lo - or.

Coro

¡San - to, San - to, San - to, Se-ñor Je-ho - vá! Cie - lo y tie - rra,

de tu a-mor Lle - nos hoy es - tán, Se-ñor; ¡Lo - or a ti!

158 Alcancé Salvación

Tr. Pedro Grado
H. G. Spafford

Philip P. Bliss

VILLE DE HAVRE

1. De paz inundada mi senda ya esté O cúbrala un mar de aflicción, Mi suerte cualquiera que sea, diré: Alcancé, alcancé, salvación.

2. Ya venga la prueba o me tiente Satán, No amengua mi fe ni mi amor; Pues Cristo comprende mis luchas, mi afán Y su sangre obrará en mí favor.

8. Feliz yo me siento al saber que Jesús, Libróme de yugo opresor, Quitó mi pecado, clavó lo en la cruz. Gloria demos al buen Salvador.

4. La fe tornará se en gran realidad Al irse la niebla veloz, Desciende Jesús con su gran majestad, ¡Aleluya! Estoy bien con mi Dios.

Coro

Alcancé,........ salvación....... Alcancé, alcancé, salvación.
Alcancé,   salvación

159   No Me Importan Riquezas

Tr. Pedro Grado
Mary A. Kidder

Frank M. Davis

1. No me im-por-tan ri-que-zas De pre-cio-so me-tal, Si más ri-co te-
2. Mu-chos son mis pe-ca-dos Cual la a-re-na del mar, Mas Tu san-gre pre-
3. ¡Oh ciu-dad de-li-cio-sa Con man-sio-nes de luz! Do triun-fan-te el cris-

so-ro Pue-do ir a go-zar. En las pá-gi-nas be-llas De tu
cio-sa Me los pue-de lim-piar; Por-que Tú has pro-me-ti-do ¡Oh ben-
tia-no Go-za ya con Je-sús; Do no en-tra el pe-ca-do. Ni tris-

li-bro e-ter-nal, Di-ces, ¡oh Cris-to ben-di-to, Sí, mi nom-bre a-llí es-tá!
di-to E-ma-nuel! Si tus cul-pas son ne-gras Blan-cas yo las ha-ré.
te-za, ni mal; A-llí ten-go mi he-ren-cia; Sí, mi nom-bre a-llí es-tá.

Coro

¡Oh, el li-bro pre-cio-so De tu rei-no e-ter-nal!

Soy fe-liz pa-ra siem-pre Sí, mi nom-bre a-llí es-tá.

160   Guíame, Luz Divina

Tr. J. B. Cabrera
J. H. Newman, 1833   LUX BENIGNA   John B. Dykes

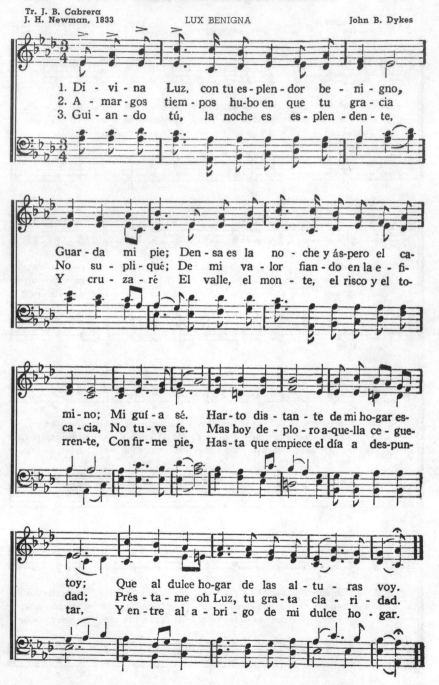

1. Di - vi - na   Luz, con tu es - plen - dor be - ni - gno,
2. A - mar - gos   tiem - pos hu-bo en que tu gra - cia
3. Gui - an - do   tú,   la noche es   es - plen - den - te,

Guar - da   mi   pie; Den - sa es la   no - che y ás-pero el ca-
No   su - pli - qué; De   mi   va - lor fian - do en la e - fi-
Y   cru - za - ré   El valle, el mon - te, el risco y el to-

mi - no; Mi guí - a   sé.   Har - to dis - tan - te de mi ho-gar es-
ca - cia, No tu - ve   fe.   Mas hoy de - plo - ro a-que-lla ce - gue-
rren-te, Con fir - me   pie,   Has - ta que empiece el día a   des-pun-

toy;   Que al dulce ho-gar de las al - tu - ras voy.
dad;   Prés - ta - me oh Luz, tu gra - ta cla - ri - dad.
tar,   Y en - tre al a - bri - go de mi dulce ho - gar.

161 En Las Aguas De La Muerte

Tr. Enrique Turral
V. E. Thomann

NETTLETON

Coll. de John Wyeth, 1812
Dr. Asahel Nettleton

1. En las a-guas de la muer-te, Su-mer-gi-do fue Je-sús,
2. En las a-guas del bau-tis-mo Hoy con-fie-so yo mi fe:
3. Yo que es-toy cru-ci-fi-ca-do, ¿Co-mo más po-dré pe-car?

Mas su a-mor no fue a-pa-ga-do Por sus pe-nas en la cruz.
Je-su-cris-to me ha sal-va-do Y en su a-mor me go-za-ré;
Ya que soy re-su-ci-ta-do, San-ta vi-da he de lle-var;

Le-van-tó-se de la tum-ba, Sus ca-de-nas que-bran-tó,
En las a-guas hu-mi-llan-tes A Je-sús si-guien-do es-toy,
Son las a-guas del bau-tis-mo Mi se-ñal de sal-va-ción,

Y triun-fan-te y vic-to-rio-so A los cie-los as-cen-dió.
Des-de a-ho-ra pa-ra el mun-do Y el pe-ca-do muer-to soy.
Y yo quie-ro con-sa-grar-me Al que o-bró mi re-den-ción.

162 El Mundo Es De Mi Dios

Tr. J. Pablo Simón
Maltbie D. Babcock

TERRA PATRIS

Franklin L. Sheppard

1. El mun - do es de mi Dios, Su e - ter - na po - se - sión.
2. El mun - do es de mi Dios; Es - cu - cho a - le - gre son
3. El mun - do es de mi Dios; Ja - más ol - vi - da - ré

E - le - va a Dios su dul - ce voz La en - te - ra cre - a - ción.
Del rui - se - ñor que a su Se - ñor E - le - va su can - ción.
Aun - que in - fer - nal pa - rez - ca el mal Mi Pa - dre Dios es Rey.

El mun - do es de mi Dios, Trae paz a - sí pen - sar.
El mun - do es de mi Dios, Y en to - do mi re - dor
El mun - do es de mi Dios, Y al Sal - va - dor Je - sús

El hi - zo el sol, y el a - rre - bol, La tie - rra, cie - lo y mar.
Las flo - res mil con voz su - til De - cla - ran fiel su a mor.
Ha - rá ven - cer por su po - der Por la o - bra de la cruz. A - mén.

163 ¡Despertad, Oh Cristianos!

Pedro Grado   CONTRASTE   Melodía amer. tradnal.

1. ¡Des-per-tad, des-per-tad, oh cris-tia-nos! Vues-tro sue-ño fu-nes-to de - jad,
2. Des-per-tad y bruñid vues-tras ar-mas, Vuestros lo-mos ce-ñid de ver-dad,
3. La glo-rio-sa ar-ma-du-ra de Cris - to A - cu-did con an-he-lo a to - mar,
4. No te-máis pues de Dios re-ves-ti - dos. ¿Qué e-ne-mi-go ven-ce-ros po - drá.

Que el cruel e - ne-mi-go os a - ce - cha, Y cau - ti - vos os quie-re lle-var.
Y cal-zad vuestros pies, a-pres-ta - dos Con el gra-to e-van-ge-lio de paz.
Con - fi - an-do que el dar-do e-ne-mi-go No la pue - de rom-per ni pa - sar.
Si to-máis por es-pa - da la Bi-blia, La pa - la - bra de Dios de ver-dad?

¡Des-per-tad! las ti-nie-blas pa - sa - ron, De la no - che no sois hi - jos ya,
Bas - ta ya de pro-fun-das ti - nie - blas, Bas-ta ya de pe-re - za mor-tal
¡Oh cris-tia-nos, an-tor-cha del mun - do! De es-pe-ran-za el yel-mo to - mad,
En la cruz ha-lla-réis la ban-de - ra, En Je - sús ha-lla-réis Ca - pi - tán,

Que lo sois de la luz y del dí - a, Y te-néis el de-ber de lu - char.
Re - ves-tid, re-ves-tid vues-tro pe-cho De la co - ta de fe y ca - ri - dad.
Em-bra-zad de la fe el es - cu - do Y sin mie-do co-rred a lu-char.
En el cie-lo ob-ten-dréis la co-ro - na: ¡A lu-char, a lu-char, a lu-char!

164 Del Culto el Tiempo Llega

Tr. El Cristiano
Samuel J. Stone, 1865

AURELIA

Samuel S. Wesley

1. Del cul - to el tiem - po lle - ga, Co - mien - za la o - ra - ción.
2. Mil co - ros ce - les - tia - les A Dios can - tan - do es - tán,
3. La Bi - blia ben - de - ci - da, De Dios re - ve - la - ción,

El al - ma a Dios se en - tre - ga: ¡Si - len - cio y a - ten - ción!
A e - llos los mor - ta - les Sus vo - ces u - ni - rán.
A me - di - tar con - vi - da En nues - tra con - di - ción.

Si al san - to Dios la men - te Que - re - mos e - le - var,
Al - ce - mos, pues, el al - ma Con san - ta de - vo - ción,
¡Si - len - cio! que ha lle - ga - do Del cul - to la o - ca - sión.

Si - len - cio re - ve - ren - te Ha - bre - mos de guar - dar.
Go - zan - do en dul - ce cal - ma De Dios la co - mu - nión.
Dios se ha-lla a nues - tro la - do: ¡Si - len - cio y de - vo - ción!

165 Firmes y Adelante

Tr. J. B. Cabrera
Sabine Baring-Gould
SANTA GERTRUDIS
Arthur S. Sullivan

1. Fir-mes y a-de-lan-te, Hues-tes de la fe, Sin te-mor al-gu-no,
2. Al sa-gra-do nom-bre De nues-tro A-da-lid, Tiembla el e-ne-mi-go
3. Mué-ve-se po-ten-te, La I-gle-sia de Dios; De los ya glo-rio-sos
4. Tro-nos y co-ro-nas Pue-den pe-re-cer; De Je-sús la I-gle-sia

Que Je-sús nos ve. Je-fe so-be-ra-no, Cris-to al fren-te va,
Y hu-ye de la lid. Nuestra es la vic-to-ria, Dad a Dios lo-or,
Mar-cha-mos en pos; So-mos só-lo un cuer-po, Y u-no es el Se-ñor,
Cons-tante ha de ser; Na-da en con-tra su-ya Pre-va-le-ce-rá,

Y la re-gia en-se-ña, Tre-mo-lan-do es-tá.
Y ói-ga-lo el a-ver-no Lle-no de pa-vor. Firmes y a-de-lan-te,
U-na la es-pe-ran-za, Y u-no nues-tro a-mor.
Por-que la pro-me-sa, Nun-ca fal-ta-rá.

CORO

Hues-tes de la fe, Sin te-mor al-gu-no, Que Je-sús nos ve.

Hogar, Dulce Hogar

Es traducción
John J. Payne

HOGAR

Henry R. Bishop

Andante dolce.

1. Ho - gar de mis re - cuer-dos, A ti vol-ver an - he - lo,
2. A - llí la luz del cie - lo Descien - de más se - re - na,
3. Más quie-ro que pla - ce - res Go-zar en tierra ex - tra - ña,

No hay si - tio ba-jo el cie - lo Más dul - ce que el ho - gar.
De mil de - li - cias lle - na La di - cha del ho - gar.
Vol - ver a la ca - ba - ña De mi tran-qui-lo ho - gar.

Po - sa - ra yo en pa - la - cios, Corrien-do el mundo en-te - ro,
A - llí las ho - ras co - rren Más bre - ves y go - zo - sas;
A - llí mis pa - ja - ri - llos Me a-le - gran con sus can - tos;

CORO.

A to-dos yo pre-fie - ro Mi ho-gar, mi dul-ce ho-gar.
A - llí to-das las co - sas Re-cuer-dan sin ce - sar. ¡Mi ho-gar,mi
A - llí con mil en-can-tos Es - tá la luz de paz.

dul-ce ho-gar, No hay sitio ba-jo el cie - lo Más dulce que el ho-gar.

167 Maravillosa Gracia

Tr. R. F. Maes
Haldor Lillenas

STORD

Haldor Lillenas

1. Ma - ra - vi - llo - sa gra - cia. De Cris - to ri - co don;
2. Ma - ra - vi - llo - sa gra - cia. U - ni - ca sal - va - ción;
3. Ma - ra - vi - llo - sa gra - cia. Cuán gran - de es su po - der;

Que pa - ra des - cri - bir - la Pa - la - bras va - nas son.
Ha - llo per - dón en e - lla, Com - ple - ta re - den - ción.
El co - ra - zón más ne - gro Blan - co lo pue - de ha - cer.

En - cuen - tro en e - lla a - yu - da, Mi car - ga ya qui - tó,
El yu - go del pe - ca - do De mi al - ma ya rom - pió,
Glo - ria del cie - lo o - fre - ce, Sus puer - tas ya me a - brió,

Pues de Cris - to di - vi - na gra - cia me al - can - zó

Coro

De Je - sús el Sal - va - dor ma - ra - vi - llo - sa gra - cia
De Je - sús ma - ra - vi - llo - sa gra - cia

In - son - da - ble es cual el an - cho mar, el an - cho mar
mar. - - - - - - -

Mi al - ma su sed a - llí pue -
Don in - com - pa - ra - ble Fuen - te in-a - go - ta - ble Mi al-ma pue-de a

de cal mar, su sed cal-mar. Don pre-cio - so, ri - co e in - e
llí su sed cal-mar.

fa - ble, Libre es pa - ra to - do pe - ca - dor - - - - -
fa-ble y al - - to Libre es pa - ra to - do pa - ra to - do pe - ca -dor,

¡Oh! en - sal-zad el nom - bre de Je - sús el Sal - va - dor.

168 Hoy Venimos Cual Hermanos

Es traducción — DORRNANCE — Isaac B. Woodbury

1. Hoy ve - ni - mos, cual her - ma - nos, A la ce - na del Se - ñor.
2. En me - mo - ria de su muer - te Y la san - gre que ver - tió,
3. Re - cor - dan - do las an - gus - tias Que su - frie - ra el Re - den - tor,
4. In - vo - que - mos la pre - sen - cia Del di - vi - no Re - den - tor,

A - cer - qué - mo - nos, cris - tia - nos, Res - pi - ran - do tier - no a - mor.
Ce - le - bre - mos el ban - que - te Que en su a - mor nos or - de - nó.
Di - vi - di - da es - tá nues - tra al - ma En - tre el go - zo y el do - lor.
Que nos mi - re con cle - men - cia Y nos lle - ne de su a - mor.

169 Objeto De Mi Fe

Tr. T. M. Westrup
Horatius Ray Palmer — OLIVET — Lovell Mason

1. Ob - je - to de mi fe, Di - vi - no Sal - va - dor,
2. Con - sa - gra el co - ra - zón Que ha de per - te - ne - cer
3. La sen - da al re - co - rrer Obs - cu - ra y de do - lor,
4. Pues el ca - mi - no sé De cé - li - ca man - sión,

Pro - pi - cio sé; Cor - de - ro de mi Dios, Li - bre por
A ti no más; Cal - mar, for - ta - le - cer, Gra - cia co -
Me has de gui - ar; A - sí ten - dré va - lor, A - sí po -
Luz y so - laz; Ben - di - to Sal - va - dor, Tú e - res e -

tu bon-dad Li - bre de mi mal-dad Me quie-ro ver.
mu - ni - car, Mi ce - lo a - cre - cen - tar Te dig - na - rás.
dré vi - vir, A - sí po - dré mo - rir En dul - ce paz.
sa ver - dad, Vi - da, con - fian - za, a - mor, Mi e - ter - na paz.

170   Lindas Manitas

Sra. E. E. Van D. de Edwards   OBEDIENCIA   Bishop W. Johns

1. Lin - das las ma - ni - tas son Que o - be - de - cen a Je - sús, Lin - dos o - jos
2. Lo que pue-des tú ha - cer Cris - to te lo ex - i - gi - rá; Haz - lo, pues, con
3. Las ma - ni - tas he-chas son Que le sir - van a Je - sús; También nuestro
4. Y los la - bios pa - ra o-rar Y a - la - bar al Sal - va - dor; Los pie-ci-tos han

CORO

son tam-bién Los que están lle-nos de luz.
gran pla-cer, Haz-lo, y con-ten-to es-ta - rás.
co - ra - zón De - be por Cris-to la - tir.
de an - dar Lis-tos en o-bras de amor.

Lindas son las ma - nos Que o-be -

de-cen al Se-ñor; Lin-dos tam-bién los o - jos, Lle-nos de amor de Dios.

171 ¡Aviva Tu Obra, Oh Dios!

Tr. Alberto Midlane
Fanny J. Crosby
George Kingsley

FERGUSON

1. A - vi - va tu o-bra, oh Dios! E - jer - ce tu po - der;
2. A tu o - bra vi - da da; Las al - mas tie - nen sed;
3. A - vi - va tu la - bor; Glo - rio - so fru - to dé;
4. La fuen-te es - pi - ri - tual A - vi - ve nues-tro a - mor;

Los muer - tos han de o - ír la voz Que hoy he - mos me - nes - ter.
Ham-brien-tas de tu buen ma - ná, A - guar - dan la mer - ced.
Me - dian-te el gran Con - so - la - dor Au - men - te nues - tra fe.
Se - rá tu glo - ria sin i - gual Y nues-tro el bien, Se - ñor.

172 La Merced De Nuestro Padre

Tr. J. N. de los Santos
Philip P. Bliss
Philip P. Bliss

LUCES DE LA COSTA

1. La mer-ced de nues-tro Pa - dre, Es un fa - ro en su bri - llar,
2. Rei - na no - che de pe - ca - do, Ru - ge ai-ra - da ne-gra mar,
3. Ten tu lám - pa-ra en-cen - di - da Que en la tem - pes-tad ha - brá,

El nos cui - da y nos pro - te - ge Con las lu - ces de al - ta mar.
Al - mas hay que van bus - can-do E - sas lu - ces de al - ta mar.
Al - gún náu - fra - go per - di - do Y tu luz le sal - va - rá.

CORO

¡Man - te - ned el fa-ro ar-dien-do! ¡A - rro-jad su luz al mar!

Que si hay nau - tas pe - re - cien-do Los po-dréis a - sí sal - var.

173 ¡Líquido Sepulcro!

Tomás M. Westrup   ZION   Thomas Hastings

1. ¡Lí - qui - do se - pul-cro! em-ble-ma Del de mi Se - ñor al ver, Es in-
2. Sig - no ca - ro es la me - mo - ria De su a-mor y de su cruz; E - se a-
3. Co - mu-nión con él te - nien - do, Mue-ra en cuanto a la mal - dad, Ben-di-

gra - ti - tud que te - ma Dar el lle - no a mi de - ber; A sus le - yes
mor se - rá mi glo - ria En el rei - no de la luz; Y es mi glo - ria
cio - nes re - ci - bien - do, Di - cha pu - ra y san - ti - dad; Dan-do siem-pre

Yo me quie-ro so - me - ter, A sus le - yes Yo me quie-ro so - me - ter.
Se - pul-tar - me con Je - sús, Y es mi glo - ria Se - pul - tar-me con Je - sús.
Pruebas de fi - de - li-dad, Dan-do siem-pre Pruebas de fi - de - li - dad.

174 Oh, Qué Amigo Nos Es Cristo

Tr. Leandro Garza Mora
Joseph Scriven

ERIE

Charles G. Converse

1. ¡Oh, qué a-mi-go nos es Cris-to! El lle-vó nues-tro do-lor,
2. ¿Vi-ves dé-bil y car-ga-do De cui-da-dos y te-mor?
3. Je-su-cris-to es nues-tro a-mi-go De es-to prue-bas Él nos dio

Y nos man-da que lle-ve-mos To-do a Dios en o-ra-ción.
A Je-sús, re-fu-gio e-ter-no, Dí-le to-do en o-ra-ción.
Al su-frir el cruel cas-ti-go Que el cul-pa-ble me-re-ció.

¿Vi-ve el hom-bre des-pro-vis-to De paz, go-zo y san-to a-mor?
¿Te des-pre-cian tus a-mi-gos? Cuén-ta-se-lo en o-ra-ción;
Y su pue-blo re-di-mi-do Ha-lla-rá se-gu-ri-dad

Es-to es por-que no lle-va-mos To-do a Dios en o-ra-ción.
En sus bra-zos de a-mor tier-no Paz ten-drá tu co-ra-zón.
Fian-do en es-te A-mi-go e-ter-no Y es-pe-ran-do en su bon-dad.

175 Con Cristo Tengo

Folklore americano

Con Cris-to ten-go Dul-ce co-mu-nión,

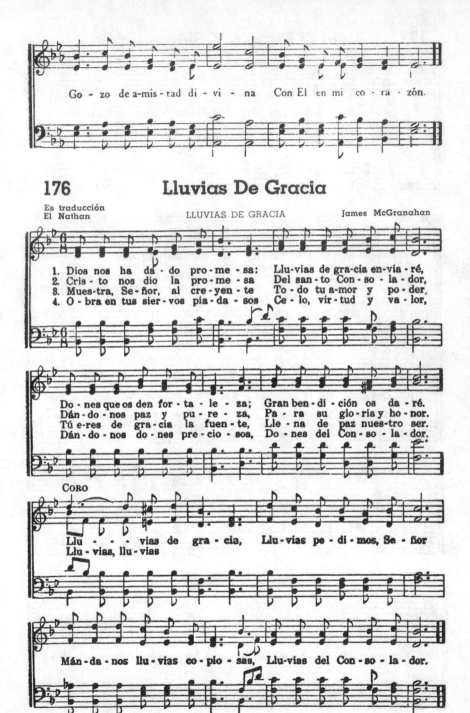

Go - zo de a - mis - tad di - vi - na Con El en mi co - ra - zón.

176 Lluvias De Gracia

Es traducción
El Nathan

LLUVIAS DE GRACIA

James McGranahan

1. Dios nos ha da - do pro - me - sa: Llu - vias de gra - cia en - via - ré,
2. Cris - to nos dio la pro - me - sa Del san - to Con - so - la - dor,
3. Mues - tra, Se - ñor, al cre - yen - te To - do tu a - mor y po - der,
4. O - bra en tus sier - vos pia - da - sos Ce - lo, vir - tud y va - lor,

Do - nes que os den for - ta - le - za; Gran ben - di - ción os da - ré.
Dán - do - nos paz y pu - re - za, Pa - ra su glo - ria y ho - nor.
Tú e - res de gra - cia la fuen - te, Lle - na de paz nues - tro ser.
Dán - do - nos do - nes pre - cio - sos, Do - nes del Con - so - la - dor.

CORO

Llu - - - vias de gra - cia, Llu - vias pe - di - mos, Se - ñor
Llu - vias, llu - vias

Mán - da - nos llu - vias co - pio - sas, Llu - vias del Con - so - la - dor.

177 Dejo El Mundo Y Sigo a Cristo

Tr. Vicente Mendoza
Fanny J. Crosby

DEJO EL MUNDO Y
SIGO A CRISTO

John R. Sweney

1. De - jo el mun - do y si - go a Cris - to Porque el mun - do pa - sa - rá,
2. De - jo el mun - do y si - go a Cris - to, Paz y go-zo en él ten - dré,
3. De - jo el mun - do y si - go a Cris - to, Su son - ri - sa quie - ro ver,
4. De - jo el mun - do y si - go a Cris - to A - co-gién - do-me a su cruz,

Mas su a-mor, a - mor ben - di - to, Por los sig - los du - ra - rá.
Y al mi - rar que va con-mi - go, Siem-pre sal - vo can-ta - ré.
Co - mo luz que mi ca - mi - no Ha - ga a-quí res-plan-de - cer.
Y des-pués po - dré mi-rar - le ¡Ca - ra a ca - ra en ple - na luz!

CORO

¡Oh, qué gran mi - se - ri - cor - dia! ¡Oh, de a-mor su - bli - me don!

¡Ple - ni - tud de vi - da e-ter - na, Pren-da vi - va de per - dón!

178 Cristo, Mi Salvador

Cris - to mí Sal - va - dor me guar-da - rá, Me guar-da - rá, me guar-da - rá:

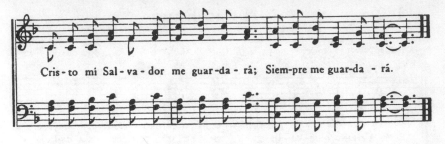

Cris-to mi Sal-va-dor me guar-da-rá; Siem-pre me guar-da-rá.

179 Cristo Está Buscando Obreros

Tr. Vicente Mendoza
J. O. Thompson

TIEMPO DE SIEGA

J. B. O. Clemm

1. Cris-to es-tá bus-can-do o-bre-ros hoy Que quie-ran ir con El;
2. Cris-to quie-re men-sa-je-ros hoy, Que a-nun-cien su ver-dad;
3. Hay lu-gar si quie-res tra-ba-jar, De Cris-to en la la-bor;
4. ¿Vi-ves ya sal-va-do por Je-sús Su a-mor co-no-ces ya?

¿Quién di-rá: "Se-ñor con-ti-go voy, Yo quie-ro ser-te fiel?"
¿Quién di-rá: "Se-ñor yo lis-to es-toy, Ha-ré tu vo-lun-tad?"
Pue-des de su glo-ria al mun-do ha-blar, De su bon-dad y a-mor.
¡Ha-bla pues, a-nun-cia que en la luz De Cris-to vi-ves ya!

CORO

¡Oh! Se-ñor, es mu-cha la la-bor, Y o-bre-ros fal-tan ya;

Da-nos luz, ar-dien-te fe y va-lor, Y o-bre-ros siem-pre ha-brá.

180 Nítido Rayo

Tr. S. D. Athans
Nellie Talbot

RAYO DE SOL SERE

E. O. Excell

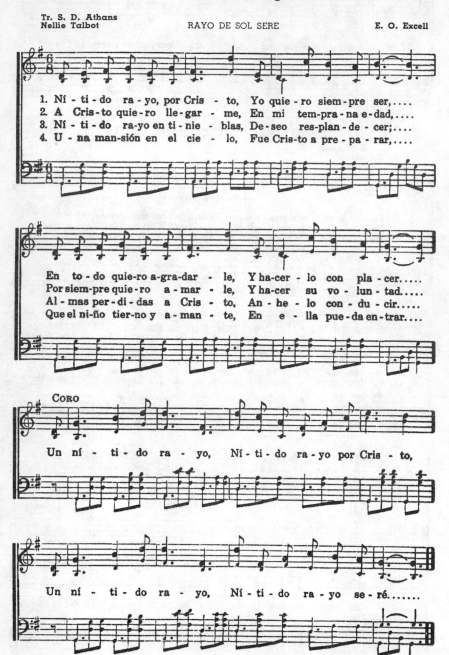

1. Ní - ti - do ra - yo, por Cris - to, Yo quie - ro siem - pre ser,....
2. A Cris - to quie - ro lle - gar - me, En mi tem - pra - na e - dad,....
3. Ní - ti - do ra - yo en ti - nie - blas, De - seo res - plan - de - cer;....
4. U - na man - sión en el cie - lo, Fue Cris - to a pre - pa - rar,....

En to - do quie - ro a - gra - dar - le, Y ha - cer - lo con pla - cer.....
Por siem - pre quie - ro a - mar - le, Y ha - cer su vo - lun - tad.....
Al - mas per - di - das a Cris - to, An - he - lo con - du - cir.....
Que el ni - ño tier - no y a - man - te, En e - lla pue - da en - trar....

CORO

Un ní - ti - do ra - yo, Ní - ti - do ra - yo por Cris - to,

Un ní - ti - do ra - yo, Ní - ti - do ra - yo se - ré.......

181 En El Templo

Tr. Alfredo y Olivia Lerín
Flora Kirkland

NORWALK

Howard E. Smith

1. En el tem-plo se en-con-tra-ba Un ni-ñi-to muy fe-liz,
2. E-se ni-ño en-se-ña-ba A los sa-bios la ver-dad:
3. En el tem-plo se en-con-tra-ba Je-su-Cris-to el Sal-va-dor:

Y sus pa-dres lo bus-ca-ban Con an-gus-tia y con a-mor.
Les ha-bla-ba de Su O-bra Y del Pa-dre Ce-les-tial.
A-nun-cian-do a los hom-bres La di-vi-na sal-va-ción.

CORO:

E-se ni-ño e-ra Cris-to En el tem-plo del buen Dios,

rit.

Y su ros-tro re-fle-ja-ba De los cie-los el ful-gor.

182 Escucha, Pobre Pecador

Tr. H. G. Jackson
J. H. Stockton

STOCKTON

J. H. Stockton

1. Es - cu - cha, po - bre pe - ca - dor, En Cris - to hay per - dón;
2. Por re - di - mir - te el Sal - va - dor, Su san - gre de - rra - mó;
3. Ca - mi - no cier - to es Je - sús, Ven y fe - liz se - rás,
4. Ven con el san - to pue - blo fiel, De - jan - do to - do mal;

Te in - vi - ta hoy, tu Re - den - tor, En él hay sal - va - ción.
Y en la cruz, con cru - el do - lor, Tu re - den - ción o - bró.
I - rás a la man - sión de luz, Des - can - so ha - lla - rás.
A - sí la paz de Dios ten - drás, Y glo - ria in - mor - tal.

CORO

Ven a Cris - to, ven a Cris - to, Ven a Em - ma - nuel;

Y la vi - da, vi - da e - ter - na, Ha - lla - rás en él.

Al Cansado Peregrino

Tr. C. B.
Nathaniel Niles

PRECIOSA PROMESA

Philip P. Bliss

1. Al can-sa-do pe-re-gri-no Que en el pe-cho sien-te fe
2. Cuan-do sus la-zos el mun-do A-rro-ja-re an-te tu pie,
3. Si tu es-pe-ran-za se a-le-ja Cual som-bra de lo que fue,
4. Cuan-do la muer-te a tu es-tan-cia Con a-fán gol-pean-do es-té,

El Se-ñor ha pro-me-ti-do:
Te di-rá Dios, tu re-fu-gio:
O-ye a-ten-to la pro-me-sa:
Ten con-sue-lo en las pa-la-bras: } "Con mi bra-zo te guia-ré;

Con mi bra-zo, con mi bra-zo, Con mi bra-zo te guia-ré";

1. El Se-ñor ha pro-me-ti-do:
2. Te di-rá Dios, tu re-fu-gio:
3. O-ye a-ten-to la pro-me-sa:
4. Ten con-sue-lo en las pa-la-bras: } "Con mi bra-zo te guia-ré."

184 Cerca De Ti, Señor

Tr. T. M. Westrup
Sarah F. Adams

BETANIA

Lowell Mason

1. Cer - ca de Ti, Se - ñor, Quie - ro mo - rar; Tu gran - de,
2. Pa - sos in - cier - tos doy, El sol se va; Mas si con - ti-
3. Dí - a fe - liz ve - ré Cre - yen-do en Ti, En que yo ha-

tier - no a-mor Quie - ro go - zar. Lle - na mi po - bre ser,
go es-toy, No te - mo ya. Him - nos de gra - ti - tud
bi - ta - ré, Cer - ca de Ti. Mi voz a - la - ba - rá,

Lim - pia mi co - ra - zón, Haz - me tu ros-tro ver En co-mu-nión.
Fer - vien-te can - ta - ré, Y fiel a Ti, Je - sús, Siem-pre se - ré.
Tu dul - ce nom-bre a-llí, Y mi al-ma go - za - rá, Cer - ca de Ti.

185 La Hermosura De Cristo

Tr. Ernesto Barocio
Albert Osborn

Tom Jones

La her-mo - su - ra de Cris-to de - seo te - ner De su a-

mor y pu - re - za re - fle - jo ser. Lim - pia mi co - ra - zón;

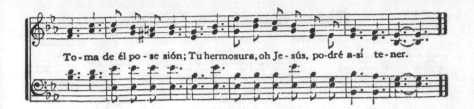

To - ma de él po - se sión; Tu hermosura, oh Je - sús, po-dré a-sí te - ner.

186 Años Mi Alma En Vanidad Vivió

Tr. G. P. Simmonds
Wm. R. Newell

CALVARIO (TOWNER)

Daniel B. Towner

1. A - ños mi al-ma en va - ni - dad vi - vió, Ig - no - ran-do a quien por
2. Por la Bib - lia mi - ro que pe - qué, Y su ley di - vi - na
3. To - da mi al-ma a Cris - to ya en-tre - gué, Hoy le quie-ro y sir - vo
4. En la cruz su a-mor Dios de - mos - tró Y de gra-cia al hom-bre

mi su - frió, O que en el Cal-va - rio su - cum-bió El Sal - va - dor.
que-bran-té; Mi al-ma en-ton-ces con-tem-pló con fe Al Sal - va - dor.
co-mo a Rey, Por los sig - los siem-pre can - ta - ré Al Sal - va - dor.
re - vis - tió Cuan-do por no-so - tros se en-tre - gó El Sal - va - dor.

Coro

Mi al-ma a-llí di - vi - na gra-cia ha-lló Dios a - llí per-dón y

paz me dio, Del pe - ca-do a-llí me li-ber-tó El Sal - va - dor.

187

Alma, Escucha a Tu Señor

Es traducción
Anna Laetitia Barbauld, 1792

HORTON

Xavier Schnyder Von Wartebsee

1. Al - ma, es-cu-cha a tu Se-ñor, A Je - sús, el Sal - va - dor;
2. "Vi - ne al mun-do por tu a-mor: Pre - so es-ta - bas; te li - bré;
3. "Vi - ves tú por mi do-lor; De mi gra - cia go - za - rás;

El te di - ce con a-mor: "¿Me a-mas tú, oh pe - ca - dor?"
Mo - ri - bun-do, te sal-vé; ¿Me a-mas tú, oh pe - ca - dor?"
Vi - da e - ter-na a - sí ten-drás; ¿Me a-mas tú, oh pe - ca - dor?" A-mén.

188

Piedad, Oh Santo Dios

M. N. Hutchinson, Adapt.
Isaac Watts

WINDHAM

Daniel Read

1. ¡Pie - dad, oh san - to Dios, pie-dad! Pie-dad te im-plo-ra el co - ra-zón,
2. Mis re - be - lio - nes gra-ves son; Son to-das só - lo con-tra ti;
3. No quie-res sa - cri - fi-cio más Que el hu-mi - lla - do co - ra-zón;
4. Oh, sál - va-me con tu po - der; Que mi es-pe-ran - za es só -lo en ti;

Oh, lá - va - me de mi mal-dad Y da-me go-zo, paz, per-dón.
Mas cre-a un nue-vo co - ra - zón Y un nue-vo es-pí-ri - tu en mí.
Mi o-fren-da no des - pre-cia - rás, Ya que e-res to-do com-pa-sión.
Tem-blan-do, aguardo tu que-rer, Sé com-pa-si-vo ha - cia mí. A-mén.

189 Dominará Jesús, El Rey

Tr. T. M. Westrup
Isaac Watts

CALLE DUQUE

John Hatton

1. Do - mi - na - rá Je - sús, el Rey, En to - do país que alumbra el sol;
2. Le en-sal-za - rán en la can-ción Que e-ter-na-men-te e - le - va - rán;
3. I - dó - la - tras trae-rán su don; De - lan-te de él se pos-tra - rán,
4. Be - né - fi - co des - cen - de - rá Ro - cí - o fer - ti - li - za - dor;

Los re - gi - rá su san - ta ley Y pro-ba-rán-se en su cri - sol.
En nom-bre de él ca - da o - ra - ción Cual un per-fu-me sua-ve ha-rán.
Y los que con-tu-ma - ces son La tie-rra tris-tes la - me-rán.
Del po - de - ro - so li - bra - rá: Al que no tie-ne a-yu - da - dor. A-mén.

190 Cristo Su Preciosa Sangre

Es traducción
Esteban, Griego, 725-794

STEPHANOS

Henry W. Baker

1. Cris - to su pre - cio - sa san - gre En Cal - va - rio dio;
2. Con su san - gre tan pre - cio - sa Hi - zo re - den - ción;
3. Es la san - gre tan pre - cio - sa Del buen Sal - va - dor,
4. Sin la san-gre es im - po - si - ble Que ha - ya re - mi - sión,

Por no - so - tros pe - ca - do - res, La ver - tió.
Y por e - so Dios te brin - da El per - dón.
Lo que qui - ta los pe - ca - dos Y el te - mor.
Por las o - bras no se al - can - za Sal - va - ción. A-mén

191 Cuando Brilla El Sol

Tr. A. P. Pierson
I. E. Reynolds

LURA

I. E. Reynolds

1. Cuan-do bri-lla el sol en mi co-ra-zón: Es Je-sús mi a-mi-go fiel;
2. Si ro-dea-do es-toy por la ad-ver-si-dad, Es Je-sús mi a-mi-go fiel;
3. Al lle-gar el tiem-po de mi par-tir Es Je-sús mi a-mi-go fiel;
4. Glo-ria can-ta-ré a mi Sal-va-dor: Es Je-sús mi a-mi-go fiel;

Si trai-do-ra lle-ga la ten-ta-ción: Es Je-sús mi a-mi-go fiel.
El me guar-da-rá por la e-ter-ni-dad: Es Je-sús mi a-mi-go fiel.
De su ma-no nun-ca po-dré sa-lir: Es Je-sús mi a-mi-go fiel.
So-lo él es dig-no de to-do ho-nor: Es Je-sús mi a-mi-go fiel.

CORO

Es Je-sús mi a-mi-go fiel, Na-die es se-me-jan-te a
(Siem - pre Je-sús es mi a-mi-go fiel) (Na - die es

él: El a-li-via mi pe-sar Y me a-
se - me-jan-te a él)

yu-da con bon-dad: Es Je-sús mi a-mi-go fiel. A-mén.

192 Mirad Al Salvador Jesús

H. G. Jackson, Adapt.
Mrs. Lydia Baxter   PUERTA ENTREABIERTA   Silas J. Vail

1. Mi - rad al Sal - va - dor Je - sús, El Prín - ci - pe be - nig - no,
2. El sol su ros - tro en - cu - brió Al ver su a - go - ní - a;
3. Y yo tam - bién al ver la cruz, Por e - lla soy ven - ci - do;

Por mí mu - rien - do en la cruz, Por mí, tan vil, in - dig - no.
La du - ra pe - ña se par - tió; ¿Lo o - yes, al - ma mí - a?
Mi co - ra - zón te doy, Je - sús, A tu a - mor ren - di - do.

Coro

De a - mor la prue - ba he - la a - quí: El Sal - va - dor mu - rió por mí

Por mí — por mí — Je - sús mu - rió por mí.
Por mí,   por mí;

193 Dulces Momentos

Tr. J. B. Cabrera
James Allen, 1757

CONSOLACION (WEBBE)

Samuel Webbe

1. ¡Dulces momen-tos   con-so-la-do-res,   Los que me pa-so   junto a la cruz!
2. Mi-ro sus brazos   de amor a-biertos,   Que me con-vi-dan   a ir a él.
3. De sus he-ri-das   la viva fuen-te,   De pu-ra sangre   ve-o ma-nar;
4. Mi-ro su angustia   ya termi-na-da,   He-cha la ofrenda   de la expiación;
5. ¡Dulces momentos,   ri-cos en do-nes,   De paz y gra-cia,   de vida y luz!

A-llí su-friendo   crueles do-lor-es,   Mi-ro al Cor-de-ro, Cris-to Je-sús.
Y haciendo su-yos   mis des-a-ciertos,   Por mi sus la-bios gustan la hiel.
Que salpi-can-do   mi impura fren-te,   La in-fa-me cul-pa lo-gra bo-rrar.
Su noble fren-te   mustia, incli-na-da,   Y con-su-ma-da mi redención.
Sólo hay consue-los   y bendi-cio-nes,   Cer-ca de Cris-to, junto a la cruz.

194 ¡Oh Célica Jerusalén!

Tr. T. M. Westrup
Bernardo de Cluny, Siglo XII

SANTA CRUZ

J. F. Wade, Adapt. 1847
Mendelssohn-Bartholdy

1. ¡Oh cé-li-ca Je-ru-sa-lén!   ¡Oh, cuán-do te ve-ré?
2. De-sea-da pa-tria ce-les-tial,   A-je-na de do-lor,
3. Sin som-bra te con-tem-pla-ré,   Hay vi-da y luz en ti;
4. Del cris-ta-li-no ma-nan-tial   De vi-da be-be-ré;
5. Al Rey de glo-ria, mi Je-sús,   A-llí ve-ré rei-nar;

Tus glo-rias que por fe se ven   ¡Oh, cuán-do go-za-ré?
A los que a-go-bia a-quí el mal,   Con-so-la-rá tu a-mor.
Cual as-tro res-plan-de-ce-ré   E-ter-na-men-te a-llí.
Del ár-bol de la e-ter-ni-dad   Go-zo-so co-me-ré.
Mi al-ma lle-na-rá de luz   En e-sa Sión sin par.

195 Refugio De Este Pecador

T. M. Westrup · DUNDEE · William Franc, en Salterio Escocés, 1615

1. Re - fu - gio de es - te pe - ca - dor, I - ré, Je - sús, a ti;
2. Con - fie - so que cul - pa - ble soy, Con - fie - so que soy vil,
3. Au - xí - lia - me, Se - ñor Je - sús, Li - bér - ta - me del mal;
4. En to - da mi ne - ce - si - dad Es - cu - cha mi cla - mor.

En las ri - que - zas de tu a - mor, A - cuér - da - te de mi.
Por ti, em - pe - ro, sal - vo es - toy Se - gu - ro en tu re - dil.
En mi de - rra - ma de tu luz, Be - lli - si - mo rau - dal.
Re - vis - te - me de san - ti - dad, Y cól - ma - me de a - mor.

196 Tu Reino Amo

Epigmenio Velasco, Adapt.
Timothy Dwight, 1800 · SANTO TOMAS · G. F. Handel, en Psalmody de A. Williams

1. Tu rei - no a - mo, ¡oh Dios! Tu ca - sa de o - ra - ción,
2. Tu i - gle - sia, mi Se - ñor, Su tem - plo, su ri - tual,
3. Por e - lla mi o - ra - ción, Mis lá - gri - mas, mi a - mor,
4. Un go - zo sin i - gual Me cau - sa en e - lla es - tar,
5. Yo sé que du - ra - rá, Oh Dios, cual tu ver - dad;

Y al pue - blo que en Je - sús ha - lló Com - ple - ta re - den - ción.
La i - gle - sia que gui - an - do es - tás Con ma - no pa - ter - nal.
So - li - ci - tud, cui - da - do a - fán, Por e - lla son, Se - ñor.
Y an - dan - do a - quí, su co - mu - nión An - he - lo dis - fru - tar.
Y vic - to - rio - sa, lle - ga - rá Has - ta la e - ter - ni - dad.

197   Santo Espíritu De Dios

G. P. Simmonds, Adapt.
Marcus M. Wells

GUIA

Marcus M. Wells

1. San-to Es-pí-ri-tu de Dios, Guí-a fiel de mi al-ma sé;
    Ven-ce mi de-bi-li-dad, Guar-da mi in-se-gu-ro pie.
2. E-res siem-pre A-mi-go fiel En la tie-rra y en el mar;
    Pues con-ti-go no hay te-mor Ni a las som-bras ni al pe-sar.
3. Pron-to el dí-a de do-lor Pa-ra siem-pre pa-sa-rá;
    Por ti, fiel Con-so-la-dor, Mi al-ma al cie-lo en-tran-do i-rá.

D. C.—Paz di-vi-na en mi al-ma das Y me in-vi-tas al Ho-gar.
         Vie-ne a mi tu in-vi-ta-ción, 'Va-mos jun-tos al Ho-gar.'
         Pues me lla-mas con a-mor, 'Hi-jo, va-mos al Ho-gar.'

D. C.

Vuel-ve en go-zo mi do-lor Tu di-vi-no y dul-ce ha-blar;
Cuan-do te-ma el co-ra-zón, Cuan-do ru-ja tem-pes-tad,
Mien-tras oi-ga yo tu voz No hay por-qué te-mer va-gar;

198   Cristo Llama

Tr. J. L. Santiago Cabrera
Cecil F. Alexander

GALILEA

Wm. H. Jude, 1874

1. Cris-to lla-ma del tu-mul-to De es-te mun-do pe-ca-dor;
2. En tris-te-zas y a-le-grí-as Cris-to, pue-do o-ír tu voz
3. Cris-to lla-ma. Por tu gra-cia Haz-me o-ír tu voz, Se-ñor;

Ca-da dí-a su voz lla-ma "Ven, cris-tia-no a tu Se-ñor."
Que re-cla-ma con ins-tan-cia Mi sin-ce-ra de-vo-ción.
Que o-be-dien-te a tu lla-ma-da Hoy te sir-va con a-mor. A-mén

199 Desciende, Espíritu de Amor

J. B. Cabrera, Adapt.
Isaac Watts

SANTA INES

John B. Dykes

1. Des-cien-de, Es-pí - ri - tu de a-mor, Pa - lo - ma ce - les - tial,
2. A - vi - va nues-tra es-ca - sa fe, Y da-nos tu sa - lud;
3. Con-sue-la nues-tro co - ra - zón, Y ha-bi - ta siem-pre en él:
4. De - rra-ma en pró - di - go rau-dal La vi - da, gra-cia y luz;
5. Al Pa - dre se - a to - do ho-nor, Y al Hi - jo sea tam-bién

Pro - me - sa fiel del Sal - va - dor, De gra - cia ma - nan - tial.
Be - nig - no guí - a nues - tro pie Por sen - das de vir - tud.
Con - cé - de - le el pre - cio - so don De ser - te siem-pre fiel.
Y a - pli - ca - nos el e - ter - nal Res-ca - te de la cruz.
Y al ce - les - tial Con - so - la - dor, E - ter - na - men-te. A-mén.

200 Ven a Cristo, Ven Ahora

Pedro Castro

VEN A CRISTO

John Fawcett

1. Ven a Cris - to, ven a - ho - ra, Ven a - sí cual es - tás;
2. Cree y fi - ja tu con-fian - za En su muer - te por ti:
3. Ven a Cris - to, con fe vi - va, Pien-sa mu-cho en su a - mor;
4. El an - he - la re - ci - bir - te, Y ha-cer - te mer - ced;

Y de él sin de - mo - ra El per - dón ob - ten - drás.
El go - zo al - can - za Quien lo hi-cie - re a - sí.
No du - des re - ci - ba Al más vil pe - ca - dor.
Las puer - tas a - brir - te Al e - ter - no pla - cer.

201 Jesús De Los Cielos

J. B. Cabrera, Adapt.
W. O. Cushing

CUANDO VENGA

Dr. George F. Root

1. Je - sús de los cie - los Al mun-do ba - jó, En bus-ca de
2. An - gus-tias y muer-te, Y ho-rri-ble a-flic-ción Cos - ta - ron las
3. Su her-mo-sa dia - de - ma De e-ter-no es-plen-dor, La a-dor-nan las
4. Los ni - ños y ni - ñas Que van al Se - ñor, Son to - dos, las
5. Ve - nid, pues, a - le-gres Al buen Re - den-tor; El quie - re las

CORO

jo - yas Que a-man-te com-pró. Los ni - ños sal - va - dos Serán co - mo el sol, Bri - llan-do en la glo - ria Del rey Sal - va - dor.

202 Oigo Hablar Dios Mío

Tr. T. M. Westrup
Elizabeth Codner

AUN A MI

Wm. B. Bradbury

1. Oi - go ha-blar Dios mío, de llu - vias Que por to - das par - tes caen,
2. No me o - mi - tas, Dios y Pa - dre, Pe - ca - dor in - dig - no soy,
3. No me o - mi - tas, com-pa - si - vo, Haz-me Tu - yo, oh Sal - va - dor;
4. No me o - mi - tas, Pa - ra - cle - to, Que haces a los cie - gos ver
5. No me o - mi - tas, com-pa - de - ce, y u-ne a Ti mi co - ra - zón;

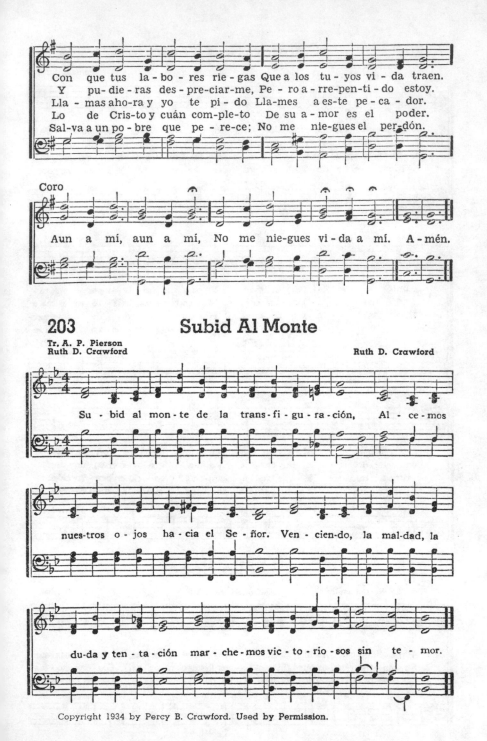

Con que tus la - bo - res rie - gas Que a los tu - yos vi - da traen.
Y pu - die - ras des - pre-ciar-me, Pe - ro a - rre-pen-ti - do estoy.
Lla - mas aho-ra y yo te pi - do Lla-mes a es-te pe - ca - dor.
Lo de Cris-to y cuán com-ple-to De su a - mor es el poder.
Sal-va a un po - bre que pe - re-ce; No me nie-gues el per-dón.

Coro

Aun a mí, aun a mí, No me nie-gues vi-da a mí. A - mén.

203 Subid Al Monte

Tr. A. P. Pierson
Ruth D. Crawford

Ruth D. Crawford

Su - bid al mon-te de la trans-fi-gu-ra-ción, Al - ce-mos

nues-tros o - jos ha-cia el Se - ñor. Ven - cien-do, la mal-dad, la

du-da y ten - ta-ción mar - che-mos vic - to - rio-sos sin te - mor.

Cuando Sea Tentado

Tr. Vicente Mendoza
James Montgomery, 1834

PENITENCIA

Spencer Lane

1. Cuan-do sea ten-ta-do, Cris-to, ven a mí, Que no ce-da
2. Al cru-zar el mun-do, me fas-ci-na-rá Con ri-que-zas
3. Si la prue-ba en-via-res a mi vi-da a-quí, El do-lor, la
4. Cuan-do el fin de to-do ya cer-ca-no es-té Y a-ca-ba-dos

nun-ca a la ten-ta-ción, Y con sus ha-la-gos yo te
va-nas y fa-laz pla-cer, Mas en-ton-ces, Cris-to, mi al-ma a
pe-na, lu-to y a-flic-ción, Haz que nun-ca du-de que ven-
mi-re lu-cha, a-fán, do-lor; Cuan-do al pol-vo vuel-va lo que

rall.

de-je a ti, Al a-bis-mo yen-do de la con-fu-sión.
ti ven-drá A bus-car a-yu-da, gra-cia, luz, po-der.
drás a mí, Y que tú lo cam-bias to-do en ben-di-ción.
pol-vo fue, ¡En tu paz e-ter-na guár-da-me, Se-ñor!

205

Al Bello Hogar

Tr. T. M. Westrup
Mrs. E. W. Griswold

VAMOS AL HOGAR

P. P. Bliss

1. Al be-llo ho-gar, A-llí a mo-rar, De to-do mal ex-en-tos, A des-can-sar
2. En-con-tra-rán Los que a-llí van Las ca-lles de o-ro pu-ro, Glo-ria y so-laz
3. Los que par-tís, Los que dor-mís, Y los de tris-te en-de-cha, La vis-ta al al-zad

CORO

Sin un pe - sar, Va - mos con pa - sos len - tos. Por la man - sión
E - ter - na paz, El don de Dios se - gu - ro.
Te - néis ciu-dad; Se - guid la ví - a es - tre - cha. Por la man-sión, por la man-sión

Fe - liz que nos in - vi - ta El co - ra - zón Cris-tia-no fiel pal - pi - ta.
Fe - liz que nos in - vi - ta El co - ra-zón, el co - ra-zón Cris-tia-no fiel pal - pi - ta.

206 Tocad Trompeta Ya

Tr. Guillermo H. Rule
Charles Wesley, 1750   LENOX   Lewis Edson

1. To - cad trom-pe - ta ya, A - le - gres en Si - ón; Al mun - do pro - cla-mad
2. A Cris - to pre - di - cad; De-cid que ya mu-rió, Y con su po - tes - tad
3. Vos - o - tros que el fa - vor Del cie - lo des - pre-ciáis, Ved que por el a - mor
4. Lla-mad-les con a - mor; Id, o - fre-ced - les paz. Es tar-de, a - pre-su - rad;

CORO

La e - ter - na re - den - ción.
La muer - te des - tru - yó
De Cris - to lo al - can - záis. "Es - te es el a - ño de bon - dad,
Que vuel - van a su faz.

Vol - ved a vues-tra li - ber - tad, Vol - ved a vues-tra li - ber - tad."

207 Bendecido El Gran Manantial

Tr. T. M. Westrup
E. R. Latta

MAS BLANCO QUE LA NIEVE

H. S. Perkins

Moderato

1. ¡Ben-de-ci-do el gran ma-nan-tial Que de san-gre Dios nos mos-tró!
2. La pun-zan-te in-sig-nia lle-vó; En la cruz de-jó de vi-vir;
3. Pa-dre, de Ti le-jos va-gué, Ex-tra-vió-se mi co-ra-zón;

¡Ben-de-ci-do el Rey que mu-rió; Su pa-sión nos li-bra del mal!
Gran-des ma-les qui-so su-frir; No en va-no em-pe-ro, su-frió.
Co-mo gra-na mis cul-pas son; No con a-gua lim-pio se-ré.

Le-jos del re-dil de mi Due-ño Ví-me mí-se-ro, pe-que-ño, vil.
Al gran ma-nan-tial con-du-ci-do Que de mi mal-dad ha si-do fin,
A tu fuen-te mag-na a-cu-dí, Tu pro-me-sa cre-o buen Je-sús,

El Cor-de-ro san-gre ver-tió; Me lim-pia só-lo es-te rau-dal.
"Lá-va-me" le pu-de de-cir, Y ní-vea blan-cu-ra me dio.
La e-fi-caz vir-tud de tu don La ní-vea blan-cu-ra me dé.

CORO

Sé............... que só-lo a-sí.............. Me em---blan-
Sé que só-lo a-sí Me em-blan-que-ce-ré Sé que só-lo a-sí,

que - ce - ré.................... Lá - ve - me en su san - gre Je-
Me em-blan-que - ce - ré

sús............. Y ní - vea blan-cu - ra me dé. . . . .
Sí, Je - sús   A mí.

rit.

208 Cristo El Señor

Es traducción
Marianne Nunn

Hubert P. Main

¡OH, CUANTO AMA!

1. Un a - mi-go hay más que hermano, Cris - to el Se - ñor, Quien lle-vó en su
2. Co - no - cer-le es vi - da e-ter-na, Cris - to el Se - ñor; To - do a-quel que
3. Hoy, a - yer y por los sig - los, Cris - to el Se - ñor Es el mis-mo

cuer-po hu-ma-no Nues-tro do - lor. Es - te a - mi-go, mo - ri-bun - do, Pa-de-
quie - ra, ven-ga Al Re - den - tor. Por no-so-tros él de-rra-ma Vi - da
fiel a - mi-go; Ven, pe - ca - dor. Es ma - ná en el de-sier - to, Nues-tro

cien-do por el mun-do, De-mos-tró su a-mor pro-fun-do. ¡Dad - le lo - or!
su - ya, pues nos a - ma, Ya a su la-do a to-dos lla - ma. ¡Dad - le lo - or!
guí - a, nues - tro puer-to, Es su a-mor el mis-mo cie - lo. ¡Dad - le lo - or!

209
Luchando Estáis

Tr. E. R.
Mrs. C. H. Morris

SE ESTA LUCHANDO

Mrs. C. H. Morris

1. Lu - chan-do es - táis, aun sue - na la trom-pe - ta hoy, Lla-
2. Lu - chan-do es - táis, sol - da - dos del Se - ñor Je - sús, Lu-
3. Lu - chan-do es - táis, con - fia - dos en Je - sús marchad, Ha-

man - do a los sol - da - dos a la lid; A Je - su-
chan-do es - táis, en con - tra de Sa - tán; Es Je - su-
cien-do hu - ir al e - ne - mi - go vil, Y Je - su-

cris - to con va - lor de-cid: "Yo voy," Y él os di - rá: "¡Ve-
cris - to nues - tra for - ta - le - za y luz, Y él tam - bién es
cris - to nues - tro Je - fe a-man - te y fiel, Sos-tén se - rá de

CORO

nid, oh sí, ve-nid!"
nuestro Ca - pi-tán. La lu - cha si - gue, oh Cris - tia - nos, Y bra-zo a
to - dos en la lid.

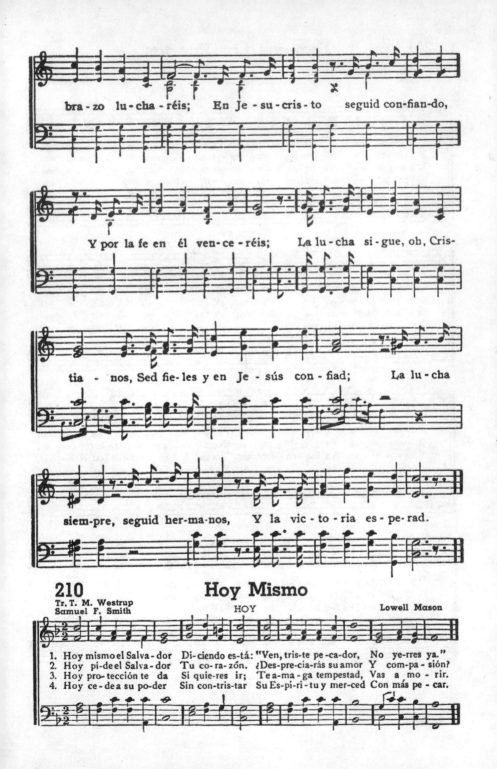

bra - zo lu - cha - réis; En Je - su - cris - to seguid con - fian - do,

Y por la fe en él ven - ce - réis; La lu - cha si - gue, oh, Cris-

tia - nos, Sed fie - les y en Je - sús con - fiad; La lu - cha

siem - pre, seguid her - ma - nos, Y la vic - to - ria es - pe - rad.

210 Hoy Mismo

Tr. T. M. Westrup
Samuel F. Smith

HOY

Lowell Mason

1. Hoy mismo el Salva - dor Di - ciendo es - tá: "Ven, tris - te pe - ca - dor, No ye - rres ya."
2. Hoy pi - de el Salva - dor Tu co - ra - zón. ¿Des - pre - cia - rás su amor Y com - pa - sión?
3. Hoy pro - tección te da Si quie - res ir; Te a - ma - ga tempestad, Vas a mo - rir.
4. Hoy ce - de a su po - der Sin con - tris - tar Su Es - pí - ri - tu y mer - ced Con más pe - car.

Francas Las Puertas

Tr. T. M. Westrup
G. M. J.

¿Y TU? ¿Y YO?

James McGranahan

1. Fran - cas las puer - tas en - con - tra - rán, U - nos sí, O - tros no;
2. Fie - les dis - cí - pu - los de Je - sús, U - nos sí, O - tros no;
3. Lle - gan a tiem - po pa - san - do bien, U - nos sí, O - tros no;
4. Son he - re - de - ros del por - ve - nir, U - nos sí, O - tros no;

De al-guien las glo - rias sin fin se - rán: ¿Y tú? ¿y yo? ¿Y tú? ¿y yo?
Lo - gran co - ro - na en vez de cruz: ¿Y tú? ¿y yo? ¿Y tú? ¿y yo?
Es - tos las puer-tas ce - rra - das ven: ¿Y tú? ¿y yo? ¿Y tú? ¿y yo?
Los que pro-cu - ran por Dios vi - vir: ¿Y tú? ¿y yo? ¿Y tú? ¿y yo?

Ca - lles de o - ro, mar de cris - tal, Ple - no re - po - so, per - fec - to a - mor,
Mo - ra el Rey en glo - rio - sa luz, Con él no pue - de ha - ber do - lor,
Cie - gos y sor - dos hoy na - da creen, Tar-de la - men - ta - rán tal e - rror,
Cuan-do con - clu - ya la du - ra lid, En com-pa - ñí - a del Sal - va - dor,

U - nos ten-drán ce - les - tial ho - gar: ¿Y tú? ¿y yo? ¿Y tú? ¿y yo?
De al-guien es es - ta be - a - ti - tud: ¿Y tú? ¿y yo? ¿Y tú? ¿y yo?
El que des-de - ñan se - rá su Juez: ¿Y tú? ¿y yo? ¿Y tú? ¿y yo?
Al-guien se - rá sin ce - sar fe - liz: ¿Y tú? ¿y yo? ¿Y tú? ¿y yo?

212

Sol De Mi Ser

Tr. T. M. Westrup
John Keble, 1820
HURSLEY
Arr. por Wm. H. Monk, 1861
P. Ritter, 1792

1. Sol de mi ser, mi Sal - va - dor, Con - ti - go vi - vo sin te - mor;
2. Al blan - do sue - ño al en - tre - gar Mi cuer - po pa - ra des - can - sar,
3. Tu ben - di - ción, al des - per - tar Con - cé - de - me, y al tran - si - tar,

No quie - ras es - con - der ja - más De mi la glo - ria de tu faz.
Pen - san - do en ti me a - cor - da - ré Di - jis - te, "Te pro - te - ge - ré."
Cual pe - re - gri - no, a tu man - sión, Al - can - ce paz y sal - va - ción.

213 # ¡Oh Quién Pudiera Andar Con Dios!

Tr. T. M. Westrup y otros
MANOAH
En Col. de H. W. Greatrex, 1851
Franz J. Haydn

1. ¡Oh! quién pu - die - ra an - dar con Dios, Su dul - ce paz go - zar,
2. ¡Oh! tiem - po a - quel en que lo vi, ¡Bea - tí - fi - ca vi - sión!
3. A - que - llas ho - ras de so - laz, ¡Cuán ca - ras aún me son!
4. Pa - lo - ma san - ta, vuel - ve a mí, ¡Oh, Pa - ra - cle - to, ven!

Vol - vien - do a ver de nue - vo el sol De san - ti - dad y a - mor.
Su fiel a - cen - to de a - mor O - yó mi co - ra - zón.
Del mun - do ha - la - gos no po - drán Su - plir su fal - ta, no.
Pues o - dio ya el pe - ca - do vil Con que te con - tris - té.

214 La Cruz Excelsa Al Contemplar

Tr. W. T. Millham
Isaac Watts

HAMBURGO

Canto llano gregoriano
Arr. por Lowell Mason

1. La cruz ex-cel-sa al con-tem-plar Do Cris-to a-llí por mí mu-rió,
2. ¿En qué me glo-ria-ré, Se-ñor? Si no en tu sa-cro-san-ta cruz.
3. De su ca-be-za, ma-nos, pies, Pre-cio-sa san-gre a-llí co-rrió;
4. El mun-do en-te-ro no se-rá Dá-di-va dig-na de o-fre-cer.

De to-do cuan-to es-ti-mo a-quí, Lo más pre-cio-so es su a-mor.
Las co-sas que me en-can-tan más, O-frez-co a Ti, Se-ñor Je-sús.
Co-ro-na vil de es-pi-nas fue La que Je-sús por mí lle-vó.
A-mor tan gran-de y sin i-gual En cam-bio e-xi-ge to-do el ser. A-mén.

215 Bellas Canciones Perennes

Tr. T. M. Westrup y otros
Wm. F. Sherwin

KELLEY

Wm. F. Sherwin

1. Be-llas can-cio-nes pe-ren-nes, Vo-ces de li-ra y laúd,
2. Cé-li-co al-cá-zar con-stru-ye Su gran fi-de-li-dad:
3. Pue-blo fe-liz el que sa-be De su ve-ni-da el son;

Di-gan con sua-ves mur-mu-llos: "Dios ya nos da sa-lud."
Ba-jo sus bó-ve-das rei-nan Mi-se-ri-cor-dia y paz.
Luz de su ros-tro le i-rra-dia, Vi-vi-do el co-ra-zón.

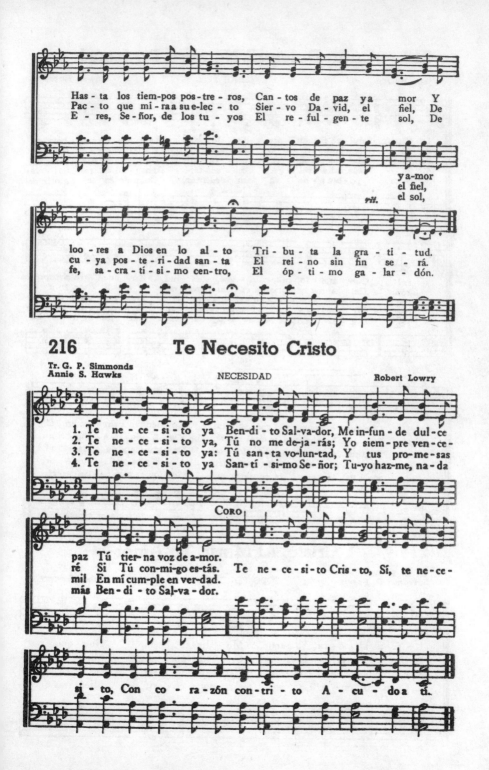

Has - ta los tiem-pos pos-tre - ros, Can - tos de paz y a mor Y
Pac - to que mi - ra a su e - lec - to Sier - vo Da - vid, el fiel, De
E - res, Se - ñor, de los tu - yos El re - ful - gen - te sol, De

y a-mor
el fiel,
el sol,

rit.

loo - res a Dios en lo al - to Tri - bu - ta la gra - ti - tud.
cu - ya pos - te - ri - dad san - ta El rei - no sin fin se - rá.
fe, sa - cra - tí - si - mo cen - tro, El óp - ti - mo ga - lar - dón.

216 Te Necesito Cristo

Tr. G. P. Simmonds
Annie S. Hawks

NECESIDAD

Robert Lowry

1. Te ne - ce - si - to ya Ben-di - to Sal-va-dor, Me in-fun - de dul-ce
2. Te ne - ce - si - to ya, Tú no me de - ja - rás; Yo siem - pre ven - ce -
3. Te ne - ce - si - to ya: Tú san - ta vo - lun - tad, Y tus pro - me - sas
4. Te ne - ce - si - to ya San - tí - si - mo Se - ñor; Tu - yo haz-me, na - da

Coro

paz Tú tier - na voz de a-mor.
ré Si Tú con-mi-go es-tás.   Te ne - ce - si - to Cris - to, Sí, te ne - ce -
mil En mí cum-ple en ver-dad.
más Ben - di - to Sal-va - dor.

si - to, Con co - ra - zón con-tri - to A - cu - do a ti.

217 ¡Cuán Dulce El Nombre De Jesús!

Tr. J. B. Cabrera
John Newton

ZERAH

Lowell Mason

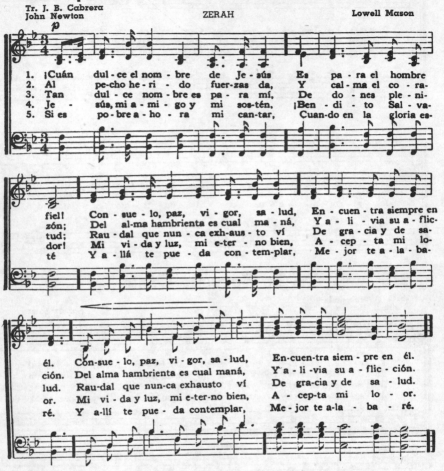

1. ¡Cuán dul-ce el nom-bre de Je-sús Es pa-ra el hombre fiel! Con-sue-lo, paz, vi-gor, sa-lud, En-cuen-tra siempre en él. Con-sue-lo, paz, vi-gor, sa-lud, En-cuen-tra siem-pre en él.
2. Al pe-cho he-ri-do fuer-zas da, Y cal-ma el co-ra-zón; Del al-ma hambrienta es cual ma-ná, Y a-li-via su a-flic-ción. Del alma hambrienta es cual maná, Y a-li-via su a-flic-ción.
3. Tan dul-ce nom-bre es pa-ra mí, De do-nes ple-ni-tud; Rau-dal que nun-ca exh-aus-to ví De gra-cia y de sa-lud. Rau-dal que nun-ca exhausto ví De gra-cia y de sa-lud.
4. Je-sús, mi a-mi-go y mi sos-tén, ¡Ben-di-to Sal-va-dor! Mi vi-da y luz, mi e-ter-no bien, A-cep-ta mi lo-or. Mi vi-da y luz, mi e-ter-no bien, A-cep-ta mi lo-or.
5. Si es po-bre a-ho-ra mi can-tar, Cuan-do en la gloria es-té Y a-llá te pue-da con-tem-plar, Me-jor te a-la-ba-ré. Y a-llí te pue-da contemplar, Me-jor te a-la-ba-ré.

218 Cristo, Al Morir, Tu Amor

Tr. G. P. Simmonds
Sylvanus D. Phelps

TODO POR JESUS

Robert Lowery

1. Cris-to, al mo-rir, tu a-mor Me dis-te a mí, No quie-ro
2. Hoy Tú ro-gan-do es-tás Cris-to por mí; Mi dé-bil
3. ¡Oh! da-me un co-ra-zón Fiel cual tu ser, Qu ca-da
4. Cuan-to po-se-o y soy Tu don es, sí; Mien-tras que

(verse)			
de - te - ner	Na - da de	Ti.	Mi al-ma se in - cli - na ya,
fe, Se - ñor,	Es - pe - ra en	Ti.	La cruz yo lle - va - ré,
dí - a, ¡oh Dios!	Me pue - das	ver	Tu gra - cia de - cla - rar,
vi - va yo	Lo doy a	Ti;	Mi al-ma a ti al fin i - rá

Sus vo - tos pa - ga - rá,	O - fren-das te da - rá:	To - do por Ti.
Tu a-mor de - cla - ra - ré,	Him-nos te can - ta - ré:	To - do por Ti.
Bon - da - des prac - ti - car,	Y al pe - ca - dor bus-car:	To - do por Ti.
Sal - va te mi - ra - rá,	Siem-pre ja - más se - rá	To - do por Ti.

219   Por La Justicia De Jesús

Tr. T. M. Westrup
Edward Mote

LA ROCA SOLIDA

Wm. B. Bradbury

1. { Por la jus - ti - cia de Je-sús,	la san-gre que por mí ver-tió,	} Que só - lo él res-
{ Al - cán-za - se per-dón de Dios	y cuan-to bien nos pro-me-tió.	}
2. { A - sí tur - ba - do no ve - ré	mi paz, su in-compa-rable don,	} En mí no puede ha-
{ Aunque un tiem-po o-culto esté me	de - ja - rá su ben-di-ción.	}
3. { En la tor-men-ta es mi sos - tén	el pac - to que ju - ró y se-lló,	} La pe - ña e - ter-na
{ Su amor es mi su - pre-mo bien, su a-mor que mi alma re-di-mió.		}

ca - ta sé: Se - gu - ra ba-se es de mi fe,	Se - gu - ra ba-se es de mi fe.	
ber ja - más Nin-gu - na ba - se real de paz,	Nin-gu - na ba - se real de paz.	
que me da, Ba - se ú - ni - ca que du - ra - rá,	Ba - se ú - ni - ca que du - ra - rá.	

220 ¡Oh! Yo Quiero Andar Con Cristo

Tr. H. C. Ball
Charles F. Weigle

LAFAYETTE

Charles F. Weigle

1. ¡Oh! yo quiero andar con Cristo, Quiero oir su tierna voz
Meditar en su palabra Y cumplir su voluntad.
Consagrar a El mi vida, Mis dolores y afán;
Y algún día a con mi Cristo, Gozaré la claridad.

2. ¡Oh! yo quiero andar con Cristo, El es mi ejemplo fiel;
En la Biblia yo lo leo, Y yo sé que es la verdad.
Cristo era santo en todo El Cordero de la cruz,
Y yo anhelo ser cristiano, Seguidor de mi Jesús.

3. ¡Oh! yo quiero andar con Cristo, De mi senda El es la luz,
Dejaré el perverso mundo Para ir al Salvador.
Este mundo nada ofrece, Cristo ofrece salvación;
Y es mi única esperanza Vida eterna hallar con Dios.

CORO

¡Oh, sí, yo quiero andar con Cristo! ¡Oh, sí, yo quiero vivir con Cristo!

¡Oh, sí, yo quie-ro ser-vir a Cris-to! Quie-ro ser-le un tes-ti-go fiel.

221 La Nueva Proclamad

Tr. Vicente Mendoza
Wm. J. Kirkpatrick

CONSOLADOR

Wm. J. Kirkpatrick

1. Do-quier el hombre esté,   La nue-va pro-cla-mad   Do-quier ha-ya a-flic-ción
2. La no-che ya pa-só,   y al fin bri-lló la luz   Que vi-no a di-si-par
3. El es quien da sa-lud   y ple-na li-ber-tad   A los que enca-de-nó
4. ¡Oh gran-de eterno amor!   Mi len-gua de-bil es   Pa-ra po-der ha-blar

mi-se-rias y do-lor;   Cris-tia-nos, a-nun-ciad que el Pa-dre nos en-vió
las som-bras del te-rror;   A-sí del al-ma fue   au-ro-ra ce-les-tial
el fie-ro ten-ta-dor;   Los ro-tos hie-rros hoy di-rán que vi-no   ya
Del don que re-ci-bí,   Al re-no-var en mí la i-ma-gen ce-les-tial

D. S.—de-cid que vi-no ya

CORO

el fiel Con-so-la-dor.   El fiel Con-so-la-dor el fiel Con-so-la-dor

el fiel Con-so-la-dor.

D. S.

Que Dios nos pro-me-tió,   Al mun-do des-cen-dió; Doquier que el hombre es-té,

222 Si Cristo Conmigo Va

Tr. H. C. Ball
C. Austin Miles

PITMAN

C. Austin Miles

1. Ya se - a en el va - lle do el pe - li-gro es-té, O que en la luz glo-
2. Si al de-sier-to quie-re Je-sús que va- ya yo Lle-van-do bue-nas
3. Aun-que mi par-te se - a mi du-ra cruz lle-var, Di - ré a mis her-
4. La vo - lun-tad de Cris-to yo quie-ro o-be-de-cer, Pues en la San - ta

rio - sa de paz ha - bi - te yo, A mi Je - sús di - ré: "Tu
nue-vas de san - ta sal - va - ción, Si a-llí en du - ra lid, mi
ma-nos tam-bién su gran po - der, Con-ten - to que-da - ré, mi
Bi - blia en-cuen-tro mi sa - ber, Y con su gran po - der al

vo - lun-tad ha - ré," Si Cris-to me guí - a do-quie-ra yo i - ré.
cam-po se - ña - ló, A Cris-to yo si - go, sin más di - la - ción.
luz ha - ré bri - llar, Tes-ti-go de Cris - to, do-quie-ra yo i - ré.
mun-do ven-ce - ré, Si él va con-mi - go, do-quie-ra yo i - ré.

Coro

Si Cris-to con-mi-go va,.... Yo i - ré, Yo no te-me-ré, Con

go-zo i - ré, con-mi-go va; Es gra-to ser-vir a Je - sús, Lle-

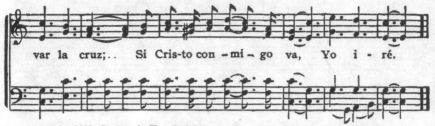

var la cruz;.. Si Cris-to con-mi-go va, Yo i-ré.

223 Ama A Tus Prójimos

Tr. P. H. Goldsmith
Fanny J. Crosby
RESCATE
William H. Doane

1. A - ma a tus pró-ji-mos, pien-sa en sus al - mas, Dí - les la his-to - ria del
2. Aun-que re-chá-zan-le, tie - ne pa-cien-cia Has - ta que pué-da-les
3. Den - tro del co - ra-zón, tris-te a-ba-ti - do, Mo-ra el Es-pí - ri-tu
4. Sal - va a tus pró-ji-mos, Cris - to te a-yu - da, Fuer-za de Dios se - rá

tier - no Se - ñor; Cui - da del huér-fa - no, haz - te su a - mi - go;
dar - la sa - lud; Ven - le los án - ge - les cer - ca del tro - no;
de Sal - va - ción, Dán - do-le el á - ni - mo pa - ra sal - var - se,
tu - ya en ver-dad; El te ben-de-ci - rá en tus es - fuer - zos,

CORO

Cris - to le es Pa - dre y fiel Sal - va - dor.
Vi - gi - la - rán - les con so - li - ci - tud. Sal-va al in-cré-du-lo,
Llé - va-lo al Maes-tro con ab - ne - ga - ción.
Con él dis-fru - ta - rás la e - ter - ni - dad.

mi - ra el pe - li - gro; Dios le per-do-na - rá, Dios le a-ma - rá.

224 Ama El Pastor Las Ovejas

Tr. Epigmenio Velasco
Mary B. Wingate

PARQUE WINTER

Wm. J. Kirkpatrick

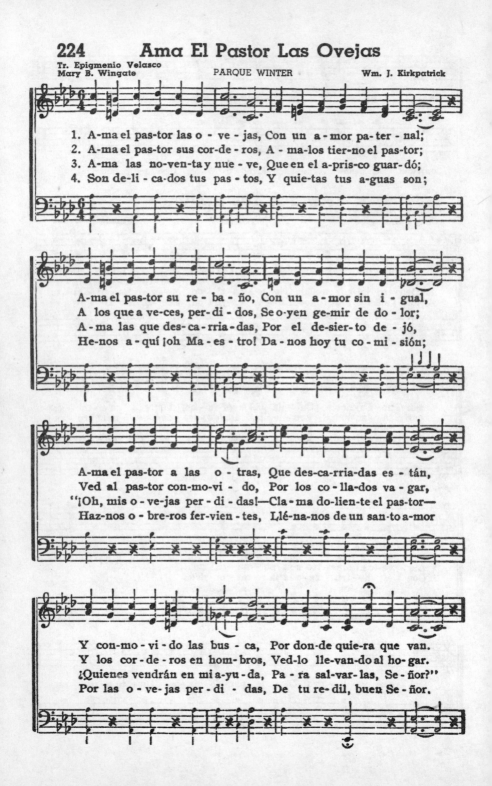

1. A-ma el pas-tor las o - ve - jas, Con un a-mor pa-ter - nal;
2. A-ma el pas-tor sus cor-de - ros, A - ma-los tier-no el pas-tor;
3. A-ma las no-ven-ta y nue - ve, Que en el a-pris-co guar-dó;
4. Son de-li - ca-dos tus pas - tos, Y quie-tas tus a-guas son;

A-ma el pas-tor su re - ba - ño, Con un a-mor sin i - gual,
A los que a ve-ces, per-di - dos, Se o-yen ge-mir de do - lor;
A-ma las que des-ca-rria-das, Por el de-sier-to de - jó,
He-nos a-quí ¡oh Ma-es-tro! Da - nos hoy tu co-mi - sión;

A-ma el pas-tor a las o - tras, Que des-ca-rria-das es - tán,
Ved al pas-tor con-mo-vi - do, Por los co-lla-dos va-gar,
"¡Oh, mis o-ve-jas per-di - das!—Cla-ma do-lien-te el pas-tor—
Haz-nos o - bre-ros fer-vien - tes, Llé-na-nos de un san-to a-mor

Y con-mo - vi - do las bus - ca, Por don-de quie-ra que van.
Y los cor-de - ros en hom-bros, Ved-lo lle-van-do al ho - gar.
¿Quienes vendrán en mi a-yu-da, Pa - ra sal-var-las, Se - ñor?"
Por las o - ve-jas per-di - das, De tu re-dil, buen Se - ñor.

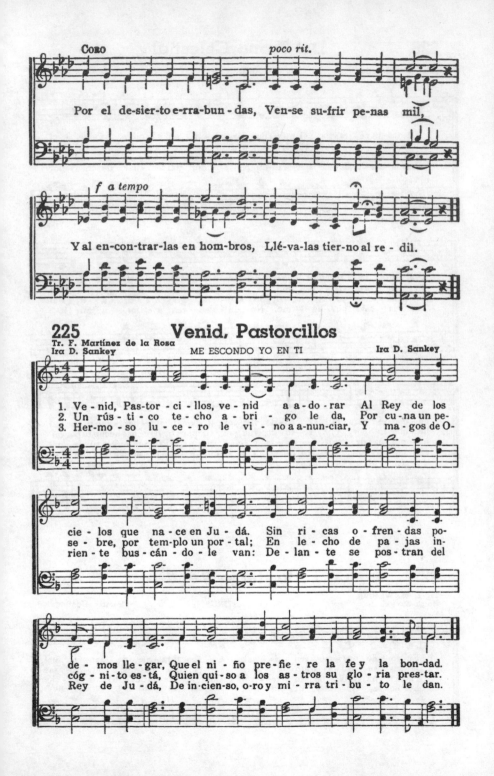

Coro   poco rit.

Por el de-sier-to e-rra-bun - das, Ven-se su-frir pe-nas mil,

f a tempo

Y al en-con-trar-las en hom-bros, Llé-va-las tier-no al re - dil.

225 Venid, Pastorcillos

Tr. F. Martínez de la Rosa
Ira D. Sankey

ME ESCONDO YO EN TI

Ira D. Sankey

1. Ve - nid, Pas-tor - ci - llos, ve - nid   a a-do - rar   Al Rey de los
2. Un rús - ti - co te - cho a - bri - go le da, Por cu-na un pe-
3. Her-mo - so lu - ce - ro le vi - no a a-nun-ciar, Y ma - gos de O-

cie - los que na-ce en Ju - dá. Sin ri - cas o - fren-das po-
se - bre, por tem-plo un por - tal; En le - cho de pa - jas in-
rien - te bus-cán-do-le van: De - lan - te se pos-tran del

de - mos lle - gar, Que el ni - ño pre-fie - re la fe y la bon-dad.
cóg - ni - to es - tá, Quien qui-so a los as - tros su glo - ria pres-tar.
Rey de Ju - dá, De in-cien-so, o-ro y mi - rra tri-bu - to le dan.

226 Del Trono Celestial

Sebastián Cruellas SACRIFICIO J. E. White

1. Del tro-no ce-les-tial al mun-do des-cen-dí, sed y hambre pa-de-cí
2. Por dar-te la sa-lud su-frí, pe-né, mo-rí, tu sus-ti-tu-to fui
3. Del Pa-dre ce-les-tial com-ple-ta ben-di-ción, la e-ter-na sal-va-ción,
4. Los la-zos de Sa-tán que-bran-ta, pe-ca-dor, y el nec-tar de mi a-mor

cual mi-se-ro mor-tal. Y to-do fue por ti, por ti, ¿Qué has
en du-ra es-cla-vi-tud. Y to-do fue por ti, por ti, ¿Qué has
la di-cha pe-ren-nal, Las doy de gra-cia a ti, a ti, ¿Y aun
tus la-bios pro-ba-rán. No du-des, ven a mí, a mí: ¡Je-

he-cho tú por mí? Y to-do fue por ti, por ti, ¿Qué has hecho tú por mi?
he-cho tú por mí? Y to-do fue por ti, por ti, ¿Qué has hecho tú por mi?
hu-yes tú de mí? Las doy de gracia a ti, a ti, ¿Y aun huyes tú de mí?
sús me rin-do a ti! No dudes, ven a mí, a mí, ¡Je-sús me rin-do a ti!

227 En Todo Recio Vendaval

Tr. T. M. Westrup
Hugh Stowell ASILO (HASTINGS) Thomas Hastings

1. En to-do re-cio ven-da-val, En to-do a-me-na-zan-te mal,
2. Je-sús su bál-sa-mo de paz En el que bus-que a-llí su faz
3. Pa-ra el hu-mil-de co-ra-zón Que e-le-va al cie-lo su o-ra-ción,
4. Los fie-les to-dos u-no son, Y están en dul-ce co-mu-nión;

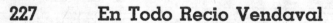

In - ex - pug - na - ble a - si - lo es él, Pro - pi - cia - to - rio pa - ra el fiel.
De - rra - ma y glo - ri - fi - ca a - quel Pro - pi - cia - to - rio pa - ra el fiel.
Son las bon - da - des del Se - ñor Pro - pi - cia - to - rio de su a - mor.
Es el san - tua - rio que la da, Pro - pi - cia - to - rio de Jeho - vá.

228   La Voz De Cristo Os Habla

Ernesto Barocio   VUELTA   William Stone

1. La voz de Cris - to os ha - bla, o - íd:
2. Ha - béis pe - ca - do, ¿lo ol - vi - dáis?
3. Su ley ho - llas - teis ve - ces mil: ¡Vol - ved (vol - ved) a Dios!
4. En Je - su - cris - to fe te - ned:

Se a - cer - ca vues - tra vi - da al fin:
Vues - tro pe - ca - do os ha - lla - rá:
Mas él per - dón os da: ve - nid: ¡Vol - ved (vol - ved) a Dios!
No hay sal - va - ción si - no por él:

Coro

Vol - ved (vol - ved) a Dios; Vol - ved, vol - ved (vol - ved) a Dios; (vol - ved)

Se a - cer - ca vues - tra vi - da al fin: ¡Vol - ved a Dios!
(vol - ved a)

229

Salvador, Mi Bien Eterno

Tr. T. M. Westrup
Fanny J. Crosby

JUNTO A TI

Silas J. Vail

1. Sal-va-dor, mi bien e-ter-no, Más que vi-da pa-ra mi, En mi fa-ti-go-sa
2. No me a-fa-no por pla-ce-res, Ni re-nom-bre bus-co aquí; Ven-gan pruebas o des-
3. No te a-le-jes en el va-lle De la muer-te, si-no a-llí, An-tes y des-pués del

sen-da Ten-me siem-pre jun-to a ti. Jun-to a ti, jun-to a ti, Jun-to a
de-nes, Ten-me siem-pre jun-to a ti. Jun-to a ti, jun-to a ti, Jun-to a
tran-ce Ten-me siem-pre jun-to a ti. Jun-to a ti, jun-to a ti, Jun-to a

ti, jun-to a ti; En mi fa-ti-go-sa sen-da Ten-me siem-pre jun-to a ti.
ti, jun-to a ti; Ven-gan prue-bas o des-de-nes, Ten-me siem-pre jun-to a ti.
ti, jun-to a ti; An-tes y des-pués del tran-ce Ten-me siem-pre jun-to a ti.

230

¡Santo! ¡Santo! ¡Santo!

T. González Valle

ADORACION

¡San-to! ¡San-to! ¡San-to! Tu glo-ria lle-na cie-lo y tie-rra

¡Ho-san-na, hosan-na, glo-ria a Dios!

1. Te ben-de-ci-mos, te a-do-
2. No veas del hom-bre la falta im-
3. Dig-nos se-a-mos de ben-de-

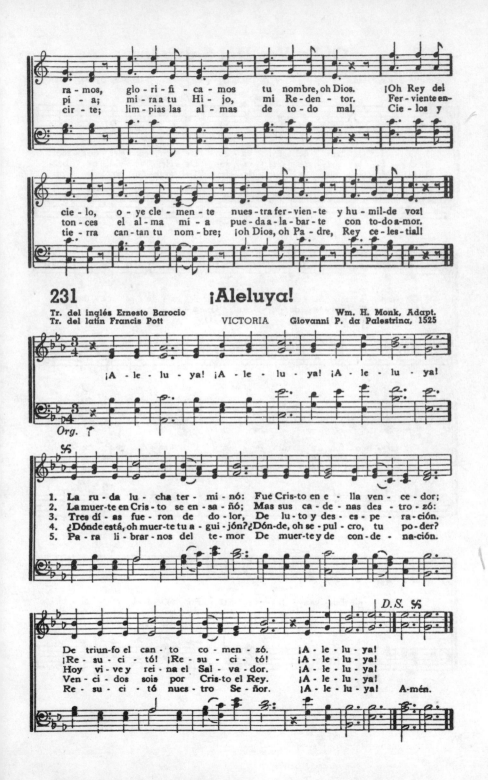

ra - mos, glo - ri - fi - ca - mos tu nombre, oh Dios. ¡Oh Rey del
pi - a; mi - ra a tu Hi - jo, mi Re - den - tor. Fer - viente en -
cir - te; lim - pias las al - mas de to - do mal, Cie - los y

cie - lo, o - ye cle - men - te nues - tra fer - vien - te y hu - mil - de voz!
ton - ces el al - ma mí - a pue - da a - la - bar - te con to - do a - mor.
tie - rra can - tan tu nom - bre; ¡oh Dios, oh Pa - dre, Rey ce - les - tial!

231 ¡Aleluya!

Tr. del inglés Ernesto Barocio
Tr. del latín Francis Pott
VICTORIA
Wm. H. Monk, Adapt.
Giovanni P. da Palestrina, 1525

¡A - le - lu - ya! ¡A - le - lu - ya! ¡A - le - lu - ya!

Org.

1. La ru - da lu - cha ter - mi - nó: Fué Cris - to en e - lla ven - ce - dor;
2. La muer - te en Cris - to se en - sa - ñó; Mas sus ca - de - nas des - tro - zó:
3. Tres dí - as fue - ron de do - lor, De lu - to y des - es - pe - ra - ción.
4. ¿Dónde está, oh muer - te tu a - gui - jón? ¿Dón - de, oh se - pul - cro, tu po - der?
5. Pa - ra li - brar - nos del te - mor De muer - te y de con - de - na - ción.

D. S.

De triun - fo el can - to co - men - zó. ¡A - le - lu - ya!
¡Re - su - ci - tó! ¡Re - su - ci - tó! ¡A - le - lu - ya!
Hoy vi - ve y rei - na el Sal - va - dor. ¡A - le - lu - ya!
Ven - ci - dos sois por Cris - to el Rey. ¡A - le - lu - ya!
Re - su - ci - tó nues - tro Se - ñor. ¡A - le - lu - ya! A - mén.

232 Oí La Voz Del Salvador

Es traducción
Horatio Bonar, 1846   VOX DILECTI   John B. Dykes, 1868

1. O - í la voz del Sal - va - dor De - cir con tier - no a - mor:
2. O - í la voz del Sal - va - dor De - cir: "Ve - nid, be - bed;
3. O - í su dul - ce voz de - cir: "Del mun - do soy la luz;

"¡Oh ven a mí, des - can - sa - rás, Car - ga - do pe - ca - dor!"
Yo soy la fuen - te de sa - lud, Que a - pa - ga to - da sed."
Mi - rad - me a mí y sal - vos sed; Hay vi - da por mi cruz."

Tal co - mo fuí, a mi Je - sús, Can - sa - do yo a - cu - dí,
Con sed de Dios, del vi - vo Dios, Bus - qué a mi Em - ma - nuel,
Mi - ran - do a Cris - to, lue - go en él Mi nor - te y sol ha - llé;

Y lue - go dul - ce a - li - vio y paz Por fe de él re - ci - bí.
Lo ha-llé, mi sed él a - pa - gó, Ya - ho - ra vi - vo en él.
Y en e - sa luz de vi - da, yo Por siem - pre vi - vi - ré.

En Jesús Mi Esperanza Reposa

Anónimo   ESPERANZA   Melodía española

1. En Jesús mi es-pe-ran-za re-po-sa, Mi con-sue-lo tan só-lo es Je-sús,
2. Yo su-frí mil pe-sa-res del mun-do, Y la di-cha del al-ma per-dí,

Ya mi vi-da por él es glo-rio-sa Cual glo-rio-sa es su muer-te de cruz.
E-ra a-cí-bar mi llan-to pro-fun-do, E-ra in-men-so el do-lor que sen-tí.

Al-ma tris-te que al cie-lo te e-le-vas, Pal-pi-tan-do en sus-pi-ros de a-mor,
Pe-ro lue-go en Jesús la mi-ra-da, Aun-que des-fa-lle-cien-do fi-jé,

En Je-sús tu es-pe-ran-za re-nue-va, Porque en él se tem-pló tu do-lor.
Y mi al-ma que-dó con-so-la-da, Porque en él mis ven-tu-ras ha-llé.

En Je-sús tu es-pe-ran-za re-nue-va, Porque en él se tem-pló tu do-lor.
Y mi al-ma que-dó con-so-la-da, Porque en él mis ven-tu-ras ha-llé.

234 El Conflicto De Los Siglos

Tr. Vicente Mendoza
Charles H. Marsh

Charles H. Marsh

LA JOLLA

1. So-mos a-lia-dos de las hues-tes de Je-sús, Que por
2. Fueron vi-den-tes que en sus éx-ta-sis de luz I-rra-
3. ¡Va-mos con ellos el con-flic-to a sos-te-ner, Ins-pi-

sig-los sin ce-jar, Con ar-dien-te fe fue-ron con la cruz
dia-ron cla-ri-dad, Y pu-die-ron ver, só-lo por la cruz
ra-dos en su ar-dor, Y su mis-ma fe, nues-tra habrá de ser,

Es-te mundo a trans-for-mar. ¡No-bles he-ral-dos
U-na salva hu-ma-ni-dad. Már-ti-res fue-ron
Co-mo nuestro es ya su ho-nor. Es u-na lu-cha

de u-na vi-da su-pe-rior Se en-fren-ta-ron con el
que en su-blime ab-ne-ga-ción Die-ron todo a su Se-
que ja-más ten-drá su igual Y es for-zo-so con-ti-

mal, Y ja-más ce-diendo al des-ho-nor Su pug-na
ñor, Y o-be-dien-tes siendo a la Vi-sión Ca-ye-ron
nuar Hasta el día que el Je-fe ce-les-tial Nos man-de

Coro

fue inmortal!
con va - lor!
des - can - sar!

El Con - flic - to de los si - glos es El que

libra el Sal - va - dor, Y ja - más el mal puede en su al - ti - vez

A - ba - tir nue - stra fe y va - lor. ¡Sos - te - ni - dos, pues, por

e - sa fe Que a vic - to - ria cier - ta va, Cuando

rit.

caiga el mal, e impotente es - té, Nues - tra lu - cha ce - sa - rá!

235   ¿Qué Significa Ese Rumor?

J. B. Cabrera   ROBINSON   Theodore E. Perkins

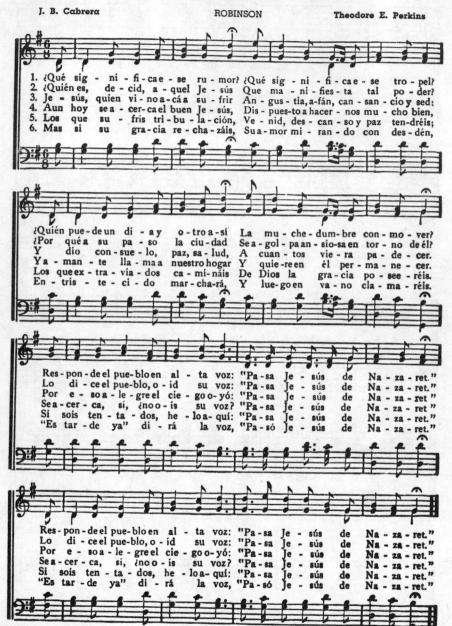

1. ¿Qué sig - ni - fi - ca e - se ru - mor? ¿Qué sig - ni - fi - ca e - se tro - pel?
2. ¿Quién es, de - cid, a - quel Je - sús Que ma - ni - fies - ta tal po - der?
3. Je - sús, quien vi - no a - cá a su - frir An - gus - tia, a - fán, can - san - cio y sed;
4. Aun hoy se a - cer - ca el buen Je - sús, Dis - pues-to a hacer - nos mu - cho bien,
5. Los que su - fris tri - bu - la - ción, Ve - nid, des - can - so y paz ten - dréis;
6. Mas si su gra - cia re - cha - záis, Su a - mor mi - ran - do con des - dén,

¿Quién pue - de un di - a y o - tro a - sí La mu - che - dum - bre con - mo - ver?
¿Por qué a su pa - so la ciu - dad Se a - gol - pa an - sio-sa en tor - no de él?
Y dio con - sue - lo, paz, sa - lud, A cuan - tos vie - ra pa - de - cer.
Y a - man - te lla - ma a nuestro hogar Y quie - re en él per - ma - ne - cer.
Los que ex - tra - via - dos ca - mi - náis De Dios la gra - cia po - see - réis.
En - tris - te - ci - do mar - cha - rá, Y lue - go en va - no cla - ma - réis.

Res - pon - de el pue - blo en al - ta voz: "Pa - sa Je - sús de Na - za - ret."
Lo di - ce el pue - blo, o - íd su voz: "Pa - sa Je - sús de Na - za - ret."
Por e - so a - le - gre el cie - go o - yó: "Pa - sa Je - sús de Na - za - ret."
Se a - cer - ca, sí, ¿no o - ís su voz? "Pa - sa Je - sús de Na - za - ret."
Si sois ten - ta - dos, he - lo a - quí: "Pa - sa Je - sús de Na - za - ret."
"Es tar - de ya" di - rá la voz, "Pa - só Je - sús de Na - za - ret."

Res - pon - de el pue - blo en al - ta voz: "Pa - sa Je - sús de Na - za - ret."
Lo di - ce el pue - blo, o - íd su voz: "Pa - sa Je - sús de Na - za - ret."
Por e - so a - le - gre el cie - go o - yó: "Pa - sa Je - sús de Na - za - ret."
Se a - cer - ca, sí, ¿no o - is su voz? "Pa - sa Je - sús de Na - za - ret."
Si sois ten - ta - dos, he - lo a - quí: "Pa - sa Je - sús de Na - za - ret."
"Es tar - de ya" di - rá la voz, "Pa - só Je - sús de Na - za - ret."

236 Cristo Es Mi Dulce Salvador

Tr. S. D. Athans
Will L. Thompson

ELIZABETH

Will L. Thompson

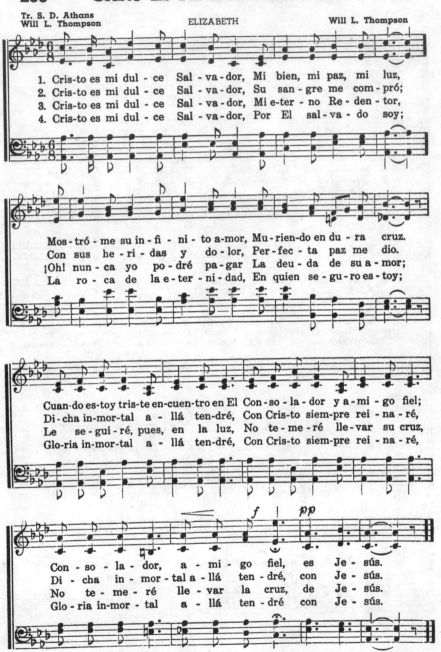

1. Cris-to es mi dul - ce Sal - va - dor, Mi bien, mi paz, mi luz,
2. Cris-to es mi dul - ce Sal - va - dor, Su san - gre me com - pró;
3. Cris-to es mi dul - ce Sal - va - dor, Mi e-ter - no Re - den - tor,
4. Cris-to es mi dul - ce Sal - va - dor, Por El sal - va - do soy;

Mos-tró - me su in - fi - ni - to a-mor, Mu-rien-do en du - ra cruz.
Con sus he - ri - das y do - lor, Per - fec - ta paz me dio.
¡Oh! nun - ca yo po - dré pa - gar La deu - da de su a - mor;
La ro - ca de la e-ter - ni - dad, En quien se - gu-ro es - toy;

Cuan-do es-toy tris-te en-cuen-tro en El Con - so - la - dor y a - mi - go fiel;
Di - cha in-mor-tal a - llá ten-dré, Con Cris-to siem-pre rei - na - ré,
Le se - gui - ré, pues, en la luz, No te - me - ré lle-var su cruz,
Glo-ria in-mor-tal a - llá ten-dré, Con Cris-to siem-pre rei - na - ré,

Con - so - la - dor, a - mi - go fiel, es Je - sús.
Di - cha in - mor - tal a - llá ten - dré, con Je - sús.
No te - me - ré lle - var la cruz, de Je - sús.
Glo - ria in-mor - tal a - llá ten - dré con Je - sús.

237 **Venid, Cantad de Gozo**

T. M. Westrup   GENESEO   James McGranahan

1. Ve - nid, can - tad de go - zo en ple - ni - tud, Y dad lo-
2. El Dios de a- mor que vi - no a-cá a su - frir, Lle - van - do en
3. Ho - nor y glo - ria en to - do su es-plen - dor Se - rán el
   Ve - nid, can - tad, Y dad

or al que su san - gre dio, Y lue-go en e - lla nos la - vó,
si por nos la mal - di - ción, Y en vez de e - ter - na per - di - ción
fin del que si - ga a Je - sús; Que to-me en pos de él su cruz,
lo - or

De nues-tra le - pra nos lim - pió, Y a-sí li - bró-nos de la es-cla - vi - tud.
Nos pro-por-cio-na sal - va - ción, Que sin él na - die pue - de con - se - guir.
Y guia-do siempre por su luz, Re - ci - be a el se - llo de su Sal - va - dor.

CORO

El nos li - bró de cul-pa - bi - li-dad, Y nos lim - pió pa - ra la e-ter - ni-dad; Con

án-ge-les del cie-lo él nos i - gua - ló; Pre-cio-so Salva - dor, el que por nos mu-rió.

238 Cual Mirra Fragante

Tr. H. M.
Edward L. White

EDIMBURGO

Edward L. White

1. Cual mi-rra fra-gan-te que ex-ha-la su o-lor, Y ri-cos per-fu-mes es-par-ce al-re-dor, Tu nombre ¡oh A-ma-do! a mi co-ra-zón Lo lle-na de go-zo, Trans-pór-ta-lo a Sión.

2. Cual voz a-mi-ga-ble que al tris-te via-dor, En bos-que per-di-do le ins-pi-ra va-lor, Tu nom-bre me a-ni-ma y me ha-ce sa-ber Que o-fre-ce pia-do-so, Res-ca-te a mi ser.

3. Cual luz que, bri-llan-do del al-to fa-nal, Al nau-ta en la no-che se-ña-la el ca-nal, Tu nom-bre es-par-cien-do be-né-fi-ca luz, Al cie-lo me lle-va, Ben-di-to Je-sús.

CORO

A-le-lu-ya, A-le-lu-ya al Cor-de-ro de Dios:

A-le-lu-ya al A-ma-do, al ben-di-to Je-sús.

Es Jesucristo La Vida, La Luz

Pedro Grado, Adapt.
A. N.

PASTOR ENVIADO

E. E. Hasty

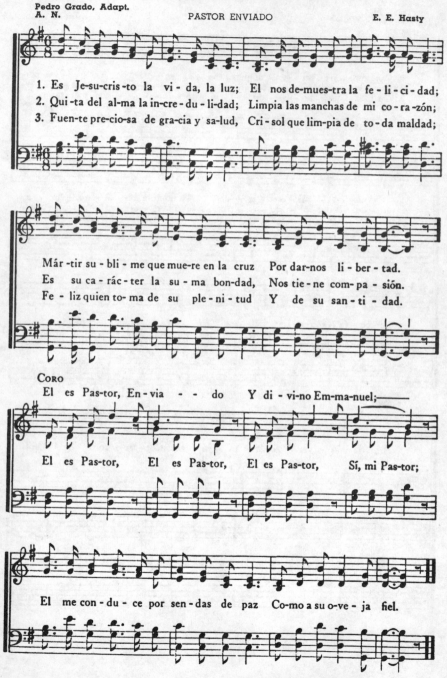

1. Es Je-su-cris-to la vi - da, la luz; El nos de-mues-tra la fe - li - ci - dad;
2. Qui -ta del al-ma la in-cre - du - li-dad; Limpia las manchas de mi co - ra -zón;
3. Fuen-te pre-cio-sa de gra-cia y sa-lud, Cri - sol que lim-pia de to - da maldad;

Már -tir su - bli - me que mue-re en la cruz Por dar-nos li - ber - tad.
Es su ca - rác - ter la su - ma bon-dad, Nos tie - ne com-pa - sión.
Fe - liz quien to - ma de su ple - ni - tud Y de su san - ti - dad.

Coro

El es Pas-tor, En-via - - do Y di - vi-no Em-ma-nuel;——

El es Pas-tor, El es Pas-tor, El es Pas-tor, Sí, mi Pas-tor;

El me con - du - ce por sen-das de paz Co-mo a su o-ve - ja fiel.

240 El Llorar No Salva

Tr. T. M. Westrup
Robert Lowry

NINGUNO SINO CRISTO

Robert Lowry

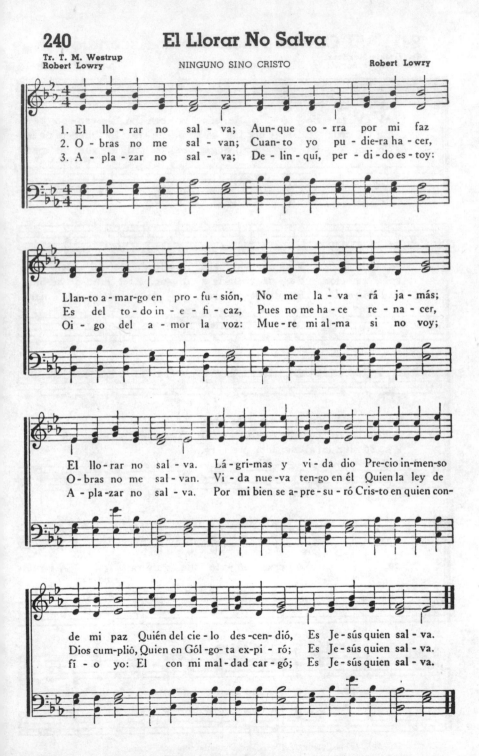

1. El llo-rar no sal - va; Aun-que co - rra por mi faz
2. O - bras no me sal - van; Cuan-to yo pu - die-ra ha - cer,
3. A - pla-zar no sal - va; De - lin-quí, per - di-do es-toy:

Llan-to a-mar-go en pro-fu-sión, No me la-va-rá ja-más;
Es del to-do in - e - fi - caz, Pues no me ha-ce re - na-cer,
Oi - go del a - mor la voz: Mue-re mi al-ma si no voy;

El llo-rar no sal - va. Lá-gri-mas y vi-da dio Pre-cio in-men-so
O-bras no me sal-van. Vi-da nue-va ten-go en él Quien la ley de
A - pla-zar no sal - va. Por mi bien se a-pre-su - ró Cris-to en quien con-

de mi paz Quién del cie-lo des-cen-dió, Es Je-sús quien sal - va.
Dios cum-plió, Quien en Gól-go-ta ex-pi - ró; Es Je-sús quien sal - va.
fi - o yo: El con mi mal-dad car-gó; Es Je-sús quien sal - va.

241 Al Calvario Sólo Jesús Ascendió

Tr. Vicente Mendoza
Jessie Brown Pounds

RUMBO A LA CRUZ

Charles H. Gabriel

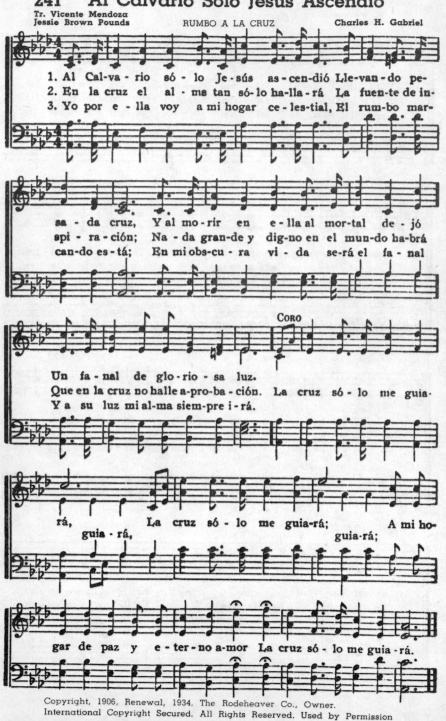

1. Al Cal-va - rio só - lo Je-sús as-cen-dió Lle-van-do pe-
2. En la cruz el al - ma tan só-lo ha-lla-rá La fuen-te de in-
3. Yo por e - lla voy a mi hogar ce-les-tial, El rum-bo mar-

sa - da cruz, Y al mo-rir en e - lla al mor-tal de-jó
spi - ra - ción; Na - da gran-de y dig-no en el mun-do ha-brá
can-do es - tá; En mi obs-cu - ra vi - da se-rá el fa - nal

Un fa - nal de glo-rio - sa luz.
Que en la cruz no halle a-pro-ba - ción. La cruz só - lo me guia
Y a su luz mi al-ma siem-pre i - rá.

CORO

rá, La cruz só - lo me guia-rá; A mi ho-
guia - rá, guia-rá;

gar de paz y e-ter-no a-mor La cruz só - lo me guia - rá.

242 Soy Feliz En El Servicio Del Señor

Tr. Enrique Sánchez
A. H. Ackley

AL SERVICIO DEL REY

B. D. Ackley

1. Soy fe - liz en el ser - vi - cio del Se - ñor, Muy a - le - gre,
2. Soy fe - liz en el ser - vi - cio del Se - ñor, Muy a - le - gre,
3. Soy fe - liz en el ser - vi - cio del Se - ñor, Muy a - le - gre,
4. Soy fe - liz en el ser - vi - cio del Se - ñor, Muy a - le - gre,

tan a - le - gre; Ten - go paz, con - ten - ta - mien - to y a - mor,
tan a - le - gre; Hoy de - di - co mis ta - len - tos al Se - ñor,
tan a - le - gre; En la lu - cha nun - ca fal - ta - rá el va - lor,
tan a - le - gre; En la no - che va con - mi - go el buen Pas - tor,

CORO

En ser - vir al Sal - va - dor.
Ser - vi - ré al Sal - va - dor. En ser - vir al
Que me da el Sal - va - dor.
Cuan - do sir - vo al Sal - va - dor,

Sal - va - dor, En ser - vir - le con a - mor; ¡Cuán a -

le - gre yo me sien - to, En ser - vir a mi Se - ñor!

243 Diré a Cristo Todas Mis Pruebas

Tr. G. P. Simmonds
Elisha A. Hoffman

ORWIGSBURGO

Elisha A. Hoffman

1. Di - ré a Cris - to to-das mis prue - bas, So - lo yo no las pue-do lle - var; En mis an-gus-tias Cris-to me a-yu-da, El de los su - yos sa-be cui - dar.

2. Di - ré a Cris - to to-da mi an-gus - tia, ¡Cuán bon-da - do - so a - mi-go y tan fiel! Me li - bra - rá si yo se lo pi - do, Di - si - pa - rá mis an-gus-tias El.

3. He me - nes - ter de un Sal-va - dor fuer - te Quien con mis cui - tas pue-da car-gar; Di - ré a Cris - to pues me con - vi - da, Cris-to me quie-re en to-do au-xi - liar.

4. ¡Cuán-to es-te mun-do al mal me se - du - ce! Pues mi al-ma siem - pre ten-ta-da es-tá; Di - ré a Cris-to y El la vic - to - ria So-bre es-te mun-do me o-tor-ga - rá.

Coro

Di - ré a Cris - to, Di - ré a Cris - to, No pue-do yo mi car - ga lle - var; Di - ré a Cris - to, Di - ré a Cris - to; Pues El tan só - lo pue-de a-yu - dar.

244 Dime La Historia De Cristo

Tr. G. P. Simmonds
Fanny J. Crosby
HISTORIA DE CRISTO
John R. Sweney

1. Di - me la his-to - ria de Cris - to   Grá - ba-la en mi co - ra - zón;
2. Di - me del tiem-po en que a so - las   En el de-sier - to se ha - lló;
3. Di cuan-do cru - ci - fi - ca - do   El por no-so-tros mu - rió;

Coro—Di - me la his-to - ria de Cris - to   Grá - ba-la en mi co - ra - zón;

Fin

Di - me la his-to - ria pre - cio - sa: ¡Cuán me - lo - dio-so es su son!
De Sa - ta - nás fue ten - ta - do Mas con po - der le ven - ció.
Di del se - pul - cro se - lla - do; Di co - mo re - su - ci - tó.

Di - me la his-to - ria pre - cio - sa, ¡Cuán me - lo - dio-so es su son!

Di co - mo cuan-do na - cí - a An - ge - les con dul - ce voz
Di - me de to - das sus o - bras, De su tris - te - za y do - lor,
En e - sa his-to - ria tan tier - na Mi - ro las prue-bas de a - mor,

al Coro

„Paz en la tie - rra," can - ta - ron, „Y en las al-tu-ras glo-ria a Dios."
Pues sin ho - gar, des - pre - cia - do An - du - vo nues-tro Sal-va - dor.
Mi re - den-ción ha com - pra - do El bon - da-do-so Sal - va - dor.

246 Cual Pendón Hermoso

Tr. Enrique Turral
El Nathan

REGIO PENDON

James McGranahan

1. Cual pen-dón her-mo-so des-ple-gue-mos hoy La ban-de-ra
2. Pre-di-que-mos siem-pre lo que di-ce Dios De la san-gre
3. En el mun-do pro-cla-me-mos con fer-vor Es-ta his-to-ria
4. En el cie-lo nues-tro cán-ti-co se-rá A-la-ban-zas

de la cruz, La ver-dad del E-van-ge-lio, el blas-ón
de Je-sús, Co-mo lim-pia del pe-ca-do al mor-tal
de la cruz, Ben-di-ga-mos sin ce-sar al Re-den-tor,
a Je-sús; Nues-tro co-ra-zón a-llí re-bo-sa-rá

Coro

Del sol-da-do de Je-sús.
Y le com-pra la sa-lud.
Quien nos tra-jo paz y luz.
De a-mor y gra-ti-tud.

A-de-lan-te, A-de-lan-te, En pos de nues-tro Sal-va-dor. Nos da

go-zo y fe nues-tro Rey, A-de-lan-te con va-lor.

247 Como María En Bethania

Alejandro Cativiela   ATENDED, ATENDED   Samuel W. Beazley

1. Co-mo Ma-rí-a en Be-ta-nia Jun-to a los pies del Se-ñor,
2. En nuestro hogar ca-da di-a Huésped ha-ga-mos de ho-nor
3. ¡Cuántos ho-ga-res in-dig-nos Del dul-ce nom-bre de ho-gar!

Las que ado-ra-mos al Cris-to, Hoy es-cu-cha-mos su voz.
A Je-su-cris-to y vi-va-mos De su pre-sen-cia al ca-lor.
¡Cuán-tos se ven des-ga-rra-dos Ba-jo el im-pe-rio del mal

¡Cuán pla-cen-te-ro es mir-ar-le, De co-ra-zón a-la-bar-le
Hi-jos, es-po-sos y her-ma-nos! Siempre a su luz man-ten-ga-mos:
Quie-re el Se-ñor que le de-mos La vi-da que po-se-e-mos:

Vi-vi-fi-car nuestras al-mas al fuego de su a-mor!
Trozo del cie-lo se-rá nuestro hogar, gracias al Se-ñor.
¡A esos que su-fren, lle-ve-mos la eter-na fe-li-ci-dad!

Coro:

¡Ve-nid, si, ven-id! ¡o-rad, si, o-rad! Re-ci-ba-mos del Se-ñor

go- zo, paz, po-der! Lu - chad por Je - sús, ha - blad de su a-mor!

¡ No per-mi-táis que se pierdan el ni - ño y la mu - jer! A - mén

248 El Hijo del Altísimo

Tr. T. M. Westrup
E. P. Hammond

LE ALABARE

George C. Stebbins

1. El Hi - jo del Al - tí - si - mo Su-frir la muer-te qui-so
2. Con in - ce - san - te jú - bi - lo En - to - no mil can-ta-res;
3. El be - llo poe-ma cé - li - co De Cristo es la me-mo-ria,

Por pe - ca - do - res mí - se - ros Que her-ma-nos su - yos hi - zo.
Cris-to en-ju - gó mis lá - gri-mas, Ce - sa - ron mis pe - sa - res.
La pá - gi - na e-van-gé - li - ca, Y sor-pren - den-te his-to-ria.

CORO

¡Qué a gus-to canto! Todo el tiempo canto; Canto, canto, sí; Canto sin cesar.

249 Suenen Dulces Himnos

J. B. Cabrera, Adapt.
W. O. Cushing   CAMPANAS CELESTIALES   Dr. George F. Root

1. ¡Sue-nen dul- ces him - nos gra - tos al Se - ñor, Y ói-gan-se en con-
2. Mon-tes y co - lla - dos flu - yan le-che y miel, Y a-bun-dan-cia es-
3. Sal - te, de a-le - grí - a lle-no el co - ra - zón, La a - ba - ti-da y
4. La-ta en nuestros pe - chos no - ble gra - ti - tud Ha-cia quien nos

cier-to u-ni - ver - sal! Des-de el al - to cie - lo ba-ja el Sal-va-dor
par-zan y so - laz. Gó-cen-se los pue-blos, gó - ce-se Is-ra-el,
po-bre hu-ma-ni - dad; Dios se com-pa-de - ce vien-do su a-flic-ción,
brin-da re-den - ción; Y a Je-sús el Cris - to, que nos da sa - lud,

Pa - ra be - ne - fi - cio del mor- tal.
Que a la tie-rra vie-ne ya la paz.
Y le muestra bue-na vo - lun-tad.
Tri-bu - te-mos nuestra a-do-ra - ción.

CORO

¡Glo - ria! ¡glo - ria se - a a

nues-tro Dios! ¡Glo - ria! sí, can-te-mos a u - na voz, Y el cantar de

glo - ria, que se o-yó en Belén, Se - a nues-tro cán-ti-co tam-bién.

250 Es Promesa De Dios a Los Fieles

Tr. T. M. Westrup
P. P. Bliss

ASTABULA

P. P. Bliss

1. Es pro-me-sa de Dios a los fie-les sal-var; Nos in-vi-ta be-
2. Re-co-noz-co que lu-cha muy lar-ga y te-naz Es pre-ci-so sos-
3. No ca-mi-no yo so-lo sin nor-te ni luz; Ni con-sue-lo me
4. En el cie-lo por si-glos sin fin vi-vi-ré; Con mi-lla-res de

CORO

nig-no la vi-da a go-zar.
ten-ga quien bus-que e-sa paz.
fal-ta car-gan-do mi cruz
sal-vos, fe-liz can-ta-ré.

¡A-le-lu-ya! fe ten-go, vo-lun-

tad a-bri-gan-do De se-guir a Je-sús mi Ma-es-tro y Se-ñor.

¡A-le-lu-ya! soy su-yo; ya por na-da me a-pu-ro,

Sal-vo el gra-to de-ber de vi-vir en su a-mor.

251 Arrolladas Las Neblinas

Tr. T. M. Westrup
Mrs. Annie H. Baker

DISIPADAS LAS NEBLINAS

Ira D. Sankey

1. A - rro - lla - das las ne - bli - nas An - te el bri - llo y es - plen - dor
2. Ca - mi - nar a - tri - bu - la - dos Con - tem - plan - do el por - ve - nir,
3. To - dos, di - cha re - bo - san - do, Del gran so - lio en de - rre - dor,

De las sie - rras y las rí - as, A la luz y a - mor del sol; Del Se -
Es som - brí - o, du - ro y lar - go En la so - le - dad su - frir. Mas la
En - tre a - man - tes y a - ma - dos, Rec - ta y san - ta com - pren - sión; Do los

ñor el ar - co vien - do, De pro - me - sas la se - ñal, Con a -
voz, "Ve - nid, ben - di - tos", A las pe - nas fin pon - drá; En la au -
re - di - mi - dos can - tan Su res - ca - te sin ce - sar, Tras de au -

Coro

mi - gos ver - da - de - ros Go - za - re - mos cla - ri - dad. Co - mo nos——
ro - ra a - llá reu - ni - dos, Tras las nie - blas cla - ri - dad. Co - mo
gus - ta ca - ra el ve - lo, Go - za - re - mos cla - ri - dad.

— co - no - ce - rán, Lle - ga - re - - - mos a te -
nos co - no - ce - rán, Lle - ga - re - mos a te -

ner   Ple-no y rec-to en-ten- di-mien- to, Paz, tran-qui - li-dad, pla-cer;
ner, a te-ner

Jus - ta-men - te juz-ga-re-mos Sin las nie - blas del a - yer.

252   Un Fiel Amigo Hallé

TODO POR JESUS

Es traducción   Robert Lowry

1. Un fiel a - mi-go ha-llé: Mi buen Je - sús; ...   Su a-mor no
2. Di - cho-so yo se - ré: Mi buen Je - sús; ...   El sos-ten-
3. El mun-do pa - sa - rá: Mi buen Je - sús; ...   El día fi-

per - de - ré: Mi buen Je - sús.   Si a - mi - gos y so - laz,
drá mi fe: Mi buen Je - sús.   El me so - co - rre - rá,
nal ven - drá: Mi buen Je - sús.   ¡Oh, qué pla - cer sin par!

A- quí no encuentro más, Me o-fre-ce e-ter-na paz, Mi buen Je-sús.
Su bra - zo cer-ca es-tá, Y gra - cia me da-rá, Mi buen Je-sús.
A - llí a mi Rey mi-rar, Su glo-ria ce - le-brar, Mi buen Je-sús.

253 Juventud Cristiana

Tr. T. M. Westrup
Wm. G. Tarrant, 1853

VIA MILITARIS

Adam Geibel

1. Ju - ven - tud cris - tia - na, No de - jéis pa - sar
2. Cuan-to os en -no -blez -ca, Pro-cu - rad-lo hoy;
3. Del a - mor di - vi - no Cé - li - ca es la luz,

Vues-tra pri - ma - ve - ra, Vues - tra be - lla e - dad;
Pa - ra to - da o-fren - da Da Dios lo me - jor;
Fa - ro ben - de - ci - do, As - tro de sa - lud.

Os es - pe - ra la hon - ra Si ven - céis al mal;
Dad ca - bi - da to - dos Al in - men - so bien;
Dios sin fin de - rra - ma Pa - ra sal - va - ción,

Ó - ra, ve - la y o - bra, Es - to es lo i - deal.
Paz, pu - re - za y go - zo Ha - lla - rás en él.
Luz en ca - da al - ma, Ce - les - tial ca - lor.

Coro

Nun - ca te glo - rí - es; Glo - ria da a Dios,
Nunca, Nunca

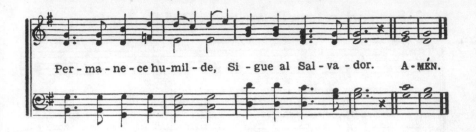

Per - ma - ne - ce hu-mil - de, Si - gue al Sal - va - dor. A - MÉN.

254   Debo Ser Fiel

Tr. J. T. Ramírez
Howard A. Walter   PEEK   Joseph Yates Peek

1. De - bo ser fiel por los que en mi con - fí - an, El al - ma
2. A - mi - go fiel se - ré del des - va - li - do, Sin pre-mio al-

pu - ra siem-pre guar - da - ré; Fuer - za ten-dré pa-
gu - no ha-cer el bien sa - bré; Co - mo soy frá - gil

ra su-frir las prue-bas, Y con va - lor el mal ven-cer po-
de - bo ser hu - mil - de, Y al-ta la fren-te a-le - gre lle-va-

dré, Y con va - lor el mal ven - cer po-dré.
ré, Y al - ta la fren-te a - le - gre lle - va - ré. A-mén.

255 Todas Las Promesas Del Señor Jesús

Tr. Vicente Mendoza
R. Kelso Carter   PROMESAS   R. Kelso Carter

1. To-das las pro-me-sas del Se-ñor Je-sús, Son a-po-yo po-de-ro-so de mi fe; Mien-tras lu-che a-quí bus-can-do yo su luz, Siempre en sus pro-me-sas con-fia-ré.

2. To-das sus pro-me-sas pa-ra el hom-bre fiel, El Se-ñor en sus bon-da-des, cum-pli-rá, Y con-fia-do sé que pa-ra siem-pre en él, Paz e-ter-na mi al-ma go-za-rá.

3. To-das las pro-me-sas del Se-ñor se-rán, Go-zo y fuer-za en nuestra vi-da te-rre-nal; E-llas en la du-ra lid nos sos-ten-drán, Y triun-far po-dre-mos so-bre el mal.

CORO

Gran - des, fie - les, Las pro-me-sas que el Se-ñor Je-sús ha da-do, Gran - des,

Grandes, grandes, fieles son, Grandes, grandes, fieles son, Gran-des, grandes, fie-les son,

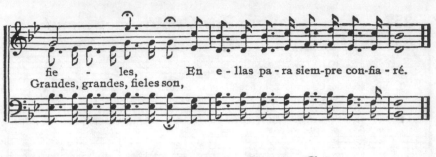

fie - les, En e - llas pa - ra siem-pre con-fia - ré.

Grandes, grandes, fieles son,

256 No Hay Amigo Como Cristo

Tr. Ernesto Barocio
M. J. Babbitt

NO HAY AMIGO COMO CRISTO

M. J. Babbitt

1. No hay a - mi - go co - mo Cris - to: Cuan-to ne - ce - si - to da;
2. To - do bien en-cuen-tro en Cris-to: Sal-va-ción, des-can-so, paz;
3. Nun - ca de - ja - ré de a-mar-le: Mi lu - gar to-mó en la cruz:

Me sal - vó y fiel me guar - da; Nin - gún bien me ne - ga - rá.
Me di - ri - ge en el ca - mi - no, Y me es - cu - da con-tra el mal.
Su - yo soy y es-pe-ro ver - le, En el rei-no de la luz.

CORO

A él mi vi - da he con - fia - do: Por su gra - cia ven - ce - ré.

Sé que sal - va y que me guar-da, Y a vi - vir con él i - ré. A-mén.

257
Vivo Por Cristo

Tr. George P. Simmonds
Thomas O. Chisholm

VIVIENDO

C. Harold Lowden

1. Vi-vo por Cris-to, con-fian-do en su a-mor, Vi-da me im-par-te, po-
2. Vi-vo por Cris-to, mu-rió pues por mí; Siem-pre ser-vir-le yo
3. Vi-vo por Cris-to do-quie-ra que es-té, Ya por su a-yu-da sus
4. Vi-vo sir-vien-do, si-guien-do al Se-ñor; Quie-ro i-mi-tar a mi

der y va-lor; Gran-de es el go-zo que ten-go por El,
qui-sie-ra a-quí; Por-que me ha da-do tal prue-ba de a-mor
o-bras ha-ré; Prue-bas hoy lle-vo con go-zo y a-mor,
buen Sal-va-dor. Bus-co a las al-mas ha-blán-do-les de El,

Es de mi sen-da Je-sús guí-a fiel.
Quie-ro ren-dir-me por siem-pre al Se-ñor.
Pues ve-o en e-llas la cruz del Se-ñor.
Y es mi de-se-o ser cons-tan-te y fiel.

CORO

¡Oh Sal-va-dor ben-

di-to! me doy tan só-lo a Ti, Por-que Tú en el Cal-va-rio te

dis-te a-llí por mí; No ten-go más Ma-es-tro, yo fiel Te ser-vi-

ré, A Ti me doy, pues tu - yo soy De mi al-ma e-ter-no Rey.

258 La Bondadosa Invitación

Tr. Ernesto Barocio
Elizabeth Reed

CALVINO

J. Calvin Bushby

1. La bon-da-do-sa in-vi-ta-ción A-cep-ta de tu Sal-va-dor;
2. Qui-zá de un nue-vo día la luz Ja-más tus o-jos mi-ra-rán;
3. ¡Con cuánto a-mor te lla-ma! Ven Al que por ti en la cruz mu-rió.
4. Ja-más de-se-cha al pe-ca-dor Que a él a-cu-de por per-dón;

No cie-rres, no, tu co-ra-zón; ¡Oh, sé sal-vo hoy!
Ven, pe-ca-dor, ¡ven a Je-sús! ¡Oh, sé sal-vo hoy!
¿Po-drás a-un re-bel-de ser? ¡Oh, sé sal-vo hoy!
Con-fí-a; en él hay sal-va-ción. ¡Oh, sé sal-vo hoy!

CORO

Sí; sé salvo hoy; Sí; sé salvo hoy;
Salvo hoy, sé salvo hoy. salvo hoy, sé salvo hoy.

Ven, pe - ca-dor Y sé sal - vo hoy.
Ven, pe-ca-dor, ven, pe-ca-dor Y sé sal-vo, sé sal-vo hoy.

259 Si Hay Valor y Fe

Tr. Vicente Mendoza
Lezzie DeArmond

SI RECTO SE MANTIENE TU CORAZON

B. D. Ackley

1. Si en tu sen - da las nu-bes, A - gol-par - se ves, No va - ci - les por
2. Si es tu vi-da u-na car - ga, De cui-da-dos mil, Ol - vi - da - do de
3. Pon en al - to los o - jos, Sin du-dar ja-más, Que en las li-des del

e - llo, Ni fla-queen tus pies; Ca - da nu - be que ven-ga, No po-
to - do, Te po-drás sen-tir; Si tu a-yu-da a - cu-die-res, A lle-
mundo, Ven-ce-dor sal-drás; Que si hay flo-res y en-can-tos, Tras in-

drá tra - er, Más que prue-bas que pa-san, Si hay va-lor y fe.
var do-quier, Es-to en-dul - za la vi-da, Si hay va-lor y fe.
vier - no cruel, Trae en-can - tos la vi - da, Si hay va-lor y fe.

Coro

Si hay va - lor y fe, si hay va - lor y fe, En la más obs-

cu - ra no-che, Siempre hay luz. Si hay va - lor y fe, si hay va-

lor y fe; Go-zo y paz trae-rá la lu-cha, Si ha va-lor y fe.

260   Me Niega Dios

Tr. Ernesto Barocio
Lida S. Leech   ALGUN DIA ESCLARECIDO QUEDARA   Adam Geibel

Solo, o al unísono

1. Me nie-ga Dios, no sé por qué, Lo que al-can-zar tan-to an-he-lé,
2. Del in-fi-ni-to a-mor son-dear No pue-do la pro-fun-di-dad,
3. Su gra-cia bas-ta, bien lo sé; Si dé-bil soy po-ten-te es él;

No pue-do el plan di-vi-no ver; Más tarde lo he de comprender.
¿Pro-bar-me quie-re Dios? Tal vez Más tarde me di-rá por qué.
Me se-gui-rán su a-mor y bien Y ven-ce-dor por él se-ré:

CORO

Lu-cha y do-lor han de pa-sar, Y en su pre-sen-cia me ve-ré;

El con su luz me a-lum-bra-rá Y en-ton-ces lo com-pren-de-ré.

261
No Habrá Sombras

Tr. Vicente Mendoza
Robert Harkness

SOMBRAS

Robert Harkness

1. No habrá sombras en el va-lle de la muer-te Cuan-do
2. Al de-jar-nos los que a-ma-mos no habrá som-bras, Si su
3. Cuan-do ven-ga por los su-yos no habrá som-bras, Pues su

ce-se de la vi-da el ba-ta-llar, Y es-cu-che-mos del Se-
fe de-po-si-ta-ron en Je-sús, Por-que i-rán pa-ra vi-
glo-ria y ma-jes-tad las des-trui-rán, Y las hues-tes re-di-

ñor el lla-mamien-to Ya lle-ván-donos con él a des-can-sar.
vir por las e-da-des Con quien quiso re-di-mir-los en la cruz.
mi-das con su Je-fe, A las cé-li-cas mansiones en-tra-rán.

CORO

Sombras, na-da de sombras, Al de-jar el mun-do de do-lor;

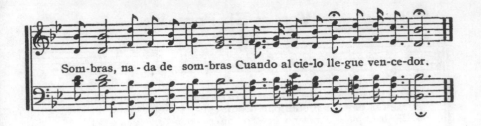

Som-bras, na - da de som-bras Cuando al cie-lo lle-gue ven-ce-dor.

262   Dame La Fe De Mi Jesús

V. Mendoza, Adapt.
Frederick W. Faber

SANTA CATALINA

Henri F. Hemy

1. Da-me la fe de mi Je-sús, La fe ben-di-ta del Se-ñor,
2. Da-me la fe que trae po-der, De los de-mo-nios ven-ce-dor;
3. Da-me la fe que ven-ce-rá, En to-do tiem-po, mi Je-sús;
4. Da-me la fe que da el va-lor, Que a-yu-da al dé-bil a triun-far,

Que al a-fli-gi-do dé la paz, La fe que sal-va de te-mor;
Que fie-ras no po-drán ven-cer, Ni do-mi-nar-la el o-pre-sor,
Da-me la fe que fi-ja-rá Mi vis-ta en tu di-vi-na cruz;
Que to-do su-fre con a-mor, Y pue-de en el dolor can-tar,

Fe de los san-tos ga-lar-dón, Glo-rio-sa fe de sal-va-ción.
Que pue-da ho-gue-ras so-por-tar Pre-mio de már-tir al-can-zar.
Que pue-da pro-cla-mar tu a-mor. Tu vo-lun-tad ha-cer, Se-ñor.
Que pue-da el cie-lo es-ca-lar, O a-quí con Cris-to ca-mi-nar.

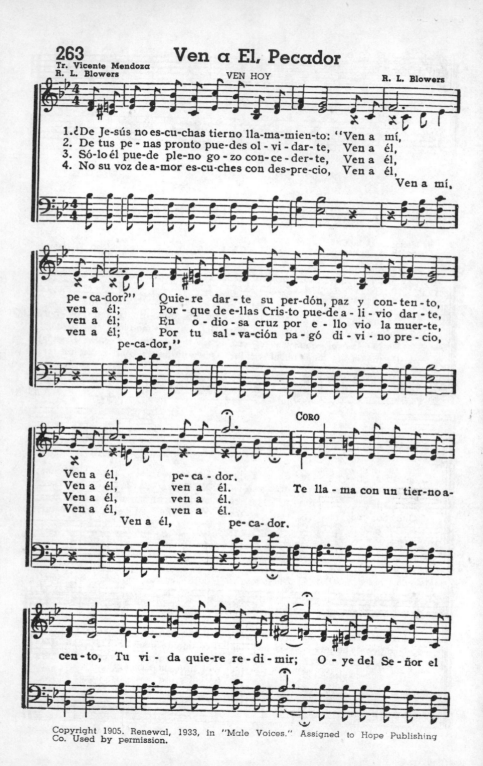

263
Ven a El, Pecador

Tr. Vicente Mendoza
R. L. Blowers

VEN HOY

R. L. Blowers

1.¿De Je-sús no es-cu-chas tierno lla-ma-mien-to: "Ven a mí,
2. De tus pe - nas pronto pue-des ol - vi - dar- te, Ven a él,
3. Só-lo él pue-de ple-no go - zo con-ce-der-te, Ven a él,
4. No su voz de a-mor es-cu-ches con des-pre-cio, Ven a él,

Ven a mí,

pe - ca-dor?" Quie-re dar - te su per-dón, paz y con - ten-to,
ven a él; Por - que de e-llas Cris-to pue-de a - li - vio dar-te,
ven a él; En o - dio-sa cruz por e - llo vio la muer-te,
ven a él; Por tu sal - va-ción pa - gó di - vi - no pre - cio,

pe-ca-dor,"

CORO

Ven a él, pe - ca - dor.
Ven a él, ven a él.
Ven a él, ven a él.
Ven a él, ven a él.

Ven a él, pe - ca- dor.

Te lla - ma con un tier-no a-

cen - to, Tu vi - da quie-re re - di - mir; O - ye del Se - ñor el

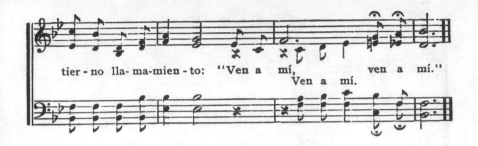

tier - no lla - ma - mien - to: "Ven a mí, ven a mí."
Ven a mí.

264   ¡Dios Eterno! En Tu Presencia

T. M. Westrup, Adapt.
Richard Mant
FABEN
John Henry Wilcox

1. ¡Dios e - ter - no! en tu pre - sen - cia Nues - tros sig - los ho - ras son,
2. O - tro a - ño ha fe - ne - ci - do Que la vi - da ya a - cor - tó.
3. Tú pro - te - ges las fa - mi - lias Vi - si - tan - do ca - da ho - gar.

Y un se - gun - do la ex - is - ten - cia De la ac - tual ge - ne - ra - ción.
Y el des - can - so a - pe - te - ci - do Po - co más se a - pro - xi - mó.
¡Oh Se - ñor! si nos au - xi - lias ¿Que nos pue - de a - quí fal - tar?

Mas el hom - bre que a tu la - do Quie - re ya vo - lar con fe,
Gra - cias mil por tus mer - ce - des Hoy tu I - gle - sia, Dios, te da,
Por do - quier que te a - me el hom - bre y te sir - va ha - cien - do bien,

En su cur - so pro - lon - ga - do Len - to el tiem - po siem - pre ve.
Y pues to - do tú lo pue - des, Tu po - der nos sos - ten - drá.
Haz que sea tu san - to nom - bre En - sal - za - do siem - pre ¡A - mén! A - mén.

265 ¡Oh Gran Dios!

Pedro Castro, Adapt.
Marcus M. Wells

GUIA FIEL

Marcus M. Wells

1. ¡Oh gran Dios! yo soy un vil, Mi - se - ra - ble pe - ca - dor,
2. En mi al - ma no hay ver - dad, Y mi po - bre co - ra - zón
3. Ten ¡oh Dios! pie - dad de mí, Que de - bi - li - ta - do es - toy:

Que fal - té mil ve - ces mil A la ley de mi Se - ñor;
Por su gran - de i - ni - qui - dad Lle - no es - tá de con - fu - sión;
Da - me, por a - mor de ti, La sa - lud que bus - co hoy;

Que tus sen - das ol - vi - dé, Y tu a - mor men - os - pre - cié.
He per - di - do mi vi - gor Y fa - llez - co de do - lor.
No me de - jes pe - re - cer. Ven mi cár - cel a rom - per. A - mén.

266 Del Trono Santo En Derredor

Es traducción
Mrs. Anne H. Shepherd, 1841

PATMOS

H. E. Mathews, 1854

1. Del tro - no san - to en de - rre - dor Ni - ñi - tos mil es - tán,
2. ¿Có - mo al mun - do su - pe - rior, A - que - lla Sión sin par
3. Porque el Se - ñor su san - gre dio En pre - cio de ex - pia - ción;
4. Bus - ca - ron e - llos a Je - sús, Su nom - bre aman - do a - quí:
5. Ro - pa - je blan - co de es - plen - dor Ca - da u - no vis - te a - llí;

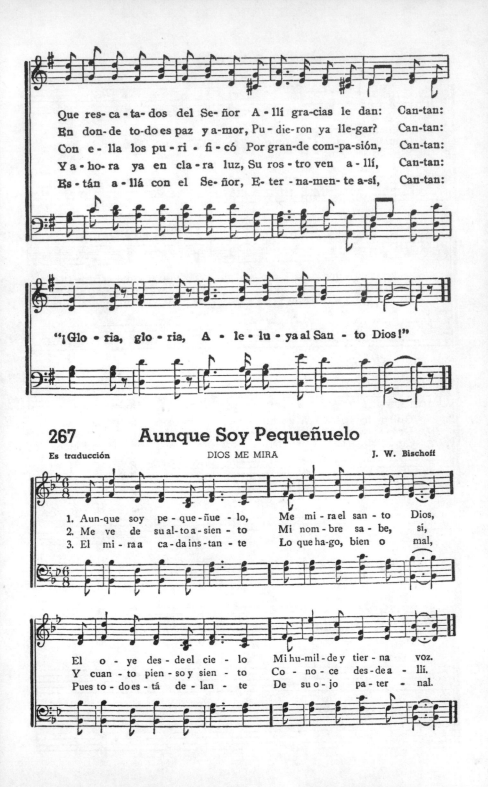

Que res-ca-ta-dos del Se-ñor A-llí gra-cias le dan: Can-tan:
En don-de to-do es paz y a-mor, Pu-die-ron ya lle-gar? Can-tan:
Con e-lla los pu-ri-fi-có Por gran-de com-pa-sión, Can-tan:
Y a-ho-ra ya en cla-ra luz, Su ros-tro ven a-llí, Can-tan:
Es-tán a-llá con el Se-ñor, E-ter-na-men-te a-sí, Can-tan:

"¡Glo-ria, glo-ria, A-le-lu-ya al San-to Dios!"

267 Aunque Soy Pequeñuelo

Es traducción   DIOS ME MIRA   J. W. Bischoff

1. Aun-que soy pe-que-ñue-lo, Me mi-ra el san-to Dios,
2. Me ve de su al-to a-sien-to Mi nom-bre sa-be, sí,
3. El mi-ra a ca-da ins-tan-te Lo que ha-go, bien o mal,

El o-ye des-de el cie-lo Mi hu-mil-de y tier-na voz.
Y cuan-to pien-so y sien-to Co-no-ce des-de a-llí.
Pues to-do es-tá de-lan-te De su o-jo pa-ter-nal.

268 ¿Quién a Cristo Quiere?

Tr. J. S. Paz
Eliza E. Hewitt

¿QUIEN A CRISTO SEGUIRA?

Wm. J. Kirkpatrick

1. ¿Quién a Cris - to quie - re De hoy en más se - guir,
2. ¿Quién se - guir - le quie - re Con pro - fun - do a - mor,
3. ¿Quién se - guir - le quie - re Sin va - ci - la - ción,

Su pen - dón al - zan - do, Yen - do a com - ba - tir?
Dán - do - le la glo - ria, Dán - do - le el ho - nor,
A su se - no hu - yen - do De la ten - ta - ción,

¿Quién le quie - re hu - mil - de Siem - pre a - quí ser - vir,
De su no - ble cau - sa, Sien - do de - fen - sor,
Sin du - dar con - fian - do En su pro - tec - ción,

Siem - pre o - be - de - cer - le, Dar - le su ex - is - tir?
Y en su san - ta vi - ña Fiel tra - ba - ja - dor?
Y go - zan - do siem - pre De su ben - di - ción.

CORO.

¿Quién se - guir - le quie - re? ¿Quién res - pon - de - rá

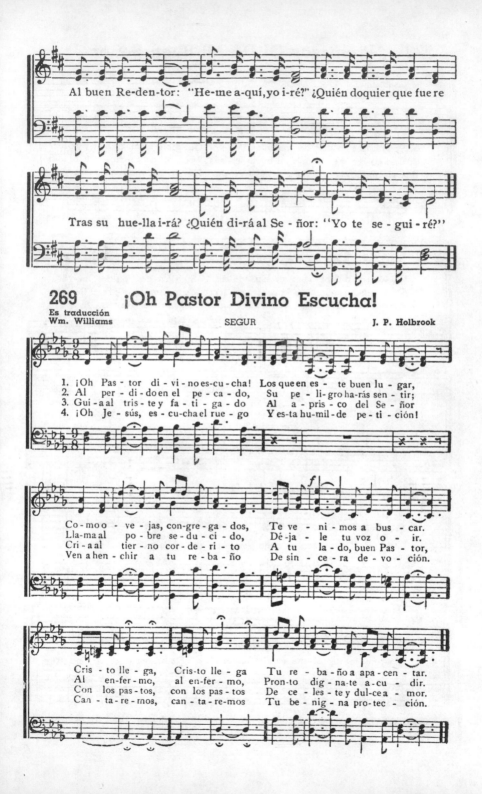

Al buen Re-den-tor: "He-me a-quí, yo i-ré?" ¿Quién doquier que fue re

Tras su hue-lla i-rá? ¿Quién di-rá al Se - ñor: "Yo te se - gui - ré?"

269 ¡Oh Pastor Divino Escucha!

Es traducción
Wm. Williams

SEGUR

J. P. Holbrook

1. ¡Oh Pas - tor di - vi - no es-cu-cha! Los que en es - te buen lu - gar,
2. Al per - di - do en el pe - ca - do, Su pe - li - gro ha-rás sen - tir;
3. Gui - a al tris - te y fa - ti - ga - do Al a - pris - co del Se - ñor
4. ¡Oh Je - sús, es - cu-cha el rue - go Y es-ta hu-mil-de pe - ti - ción!

Co - mo o - ve - jas, con-gre-ga - dos, Te ve - ni-mos a bus - car.
Lla-ma al po - bre se - du - ci - do, Dé - ja - le tu voz o - ir.
Cri - a al tier - no cor - de - ri - to A tu la - do, buen Pas - tor,
Ven a hen - chir a tu re - ba - ño De sin - ce - ra de - vo - ción.

Cris - to lle - ga, Cris-to lle - ga Tu re - ba - ño a apa - cen - tar.
Al en - fer - mo, al en-fer - mo, Pron-to dig - na-te a-cu - dir.
Con los pas - tos, con los pas - tos De ce - les - te y dul-ce a - mor.
Can - ta - re - mos, can - ta - re-mos Tu be - nig - na pro-tec - ción.

270 Promesas Oí De Mi Buen Señor

Tr. A. P. Pierson
J. P. Scholfield

SU AMOR CONQUISTO MI CORAZON

J. P. Scholfield

1. Pro-me-sas o - í de mi buen Se - ñor Que die-ron con-fian-za y va-lor,
2. Con go - zo me rin-do a mi buen Je - sús: Mi guí - a, mi fa - ro y mi luz;
3. Can-tan-do la glo-ria del Sal - va-dor Di - ré su men-sa-je de a-mor,

Cal-ma-ron mis pe - nas; y sin du-dar Su gra-cia pu-de mi - rar.
En prue-bas o en lu-chas ten-dré va - lor: Me a-ni-ma siem-pre el Se-ñor.
Pues él es mi A-mi - go, Pas-tor y Luz: ¡In - vic -to Rey es Je-sús!

CORO

Su a-mor me sal - vó, Por gra-cia la vi - da me dio;
Sí, me sal-vó; sí, vi-da me dio;

1
Lim - pió él mi ser, Me dio su po - der, Su a-mor me sal - vó.

2
Y a-nhe-la mi al-ma ser fiel a la ley De mi so - be - ra - no Rey.

271 Bello Amor, Divino, Santo

T. M. Westrup   ORACION VESPERTINA   G. C. Stebbins

1. Be - llo amor, di - vi - no, san - to, Cé - li - ca Re - ve - la - ción,
2. Cris -to a-man - te, com-pa - si - vo, Tu infi - ni - ta ca - ri - dad
3. Ven, Li - ber - ta - dor po - ten - te; Mi - ra a to - dos con fa - vor;
4. Haz tu nue - va cri - a - tu - ra Fiel, oh Dios, y sin bo-rrón;

Mo-ra en mí, de bien col-man-do Tan hu-mil - de ha-bi - ta-ción.
Trae per - pe - tuo re - go - ci - jo E in-te-rior tran-qui - li - dad.
Vuel-ve pron-to, y mo - ra siempre En tu tem - plo el co - ra-zón.
Pa - ten - ti - za la o - bra tu -ya, Tu per-fec - ta sal - va-ción. A-MÉN.

272 Imploramos Tu Presencia

J. B. Cabrera   SAN SILVESTRE   John B. Dykes

1. Im - plo - ra - mos tu pre - sen - cia, San - to Es-pí - ri - tu de Dios,
2. Da a las men-tes luz di - vi - na, Y tu gra - cia al co - ra-zón;
3. Que del Dios ben - di - to ten - ga Nues-tro cul - to a-cep - ta-ción,

Vi - vi - fi - que tu in - fluen - cia Nues-tra dé - bil fe y a - mor.
Nues-tro pe-cho a Dios in - cli - na En sin - ce - ra a-do - ra - ción.
So - bre nues-tras al - mas ven - ga En rau-da - les ben-di - ción. A-mén.

273 En Cristo Feliz Es Mi Alma

Tr. Epigmenio Velasco
E. O. Excell

YO SOY FELIZ EN EL

E. O. Excell

1. En Cris - to feliz es mi al-ma.   Precioso es su celeste don:
2. Mucho antes que yo, El buscó-me;   Me atrajo a su ama-do re-dil.
3. Su amor pa - ternal me circunda,   Su gra - cia conforta mi ser;
4. A él se-ré un día se-me - jante,   De-jan-do es-te cuerpo mortal;

Su voz me devuelve la calma,   Su faz me anticipa el perdón.
De amor en sus brazos llevóme   Do hay dichas y encantos a mil.
Su Espíritu Santo me in-un - da   De un noble y extraño poder.
Y mientras, discípulo a-man - te   Ser quiero hasta el día final.

Coro

Yo soy feliz en El.   Yo soy feliz en El;   El

go-zo y la paz in-undan mi ser. Pues yo soy feliz en El.   A-mén

274 Amigo Hallé

Tr. Ernesto Barocio
J. P. Scholfield

J. P. Scholfield

¡SALVO!

1. A - mi - go ha - llé____ que no tie ne i - gual;____ Ja-
2. De dí - a en dí____ a su pro - tec - ción____ Me
3. Cui - ta - do y po - bre Je - sús me ha - lló,____ Y

más fal - tó su a - mor;____ Me li - ber - tó de mí
da po - ten - te y fiel;____ Ya no me es - pan - ta la
se a - pia - dó de mí;____ "Por ti", me di - jo, "he

gra - ve mal.__ Sal - var - te pue - de, pe - ca - dor.
ten - ta - ción;__ Mi sen - da si - go fia - do en él.__
muer - to yo; __ Hay vi - da e - ter - na pa - ra ti".__

CORO

¡Sal - vo por su po - der! ¡Vi - da con él te - ner!
Salvo sí, sal vo por su po - der, Vi - da sí, vi - da con él te - ner,

¡Es la can - ción de mi co - ra - zón, Por - que sal - vo soy!

275 Deja Al Salvador Entrar

Es traducción

DEJA AL SALVADOR ENTRAR

Charles H. Gabriel

1. ¿Te-mes que en la lu-cha no po-drás ven-cer? ¿Con den-sas ti-
2. ¿Es tu fe muy dé-bil en la obs-cu-ri-dad? ¿Son tus fuer-zas
3. ¿Quie-res ir go-zán-do-te en la sen-da a-quí? ¿Quie-res que el Se-

1. nie-blas has de con-ten-der?
2. po-cas con-tra la mal-dad? ¿A-bre bien la puer-ta de tu
3. ñor te u-ti-li-ce a ti?

CORO

1.—3. co-ra-zón, De-ja al Sal-va-dor en-trar
De-ja al Sal-va-dor en-
De-ja al Sal-va-dor, Sal-va-

1.—3. trar, De-ja al Sal-va-dor en-trar;
dor en-trar, De-ja al Sal-va-dor, Sal-va-dor en-trar; A-bre bien la

1.—3. puer-ta de tu co-ra-zón, Y en-tra-rá el Sal-va-dor.

276

Tr. T. M. Westrup
Charles Wesley, 1740

Cariñoso Salvador

REFUGIO

Joseph P. Holbrook, 1864

1. Ca - ri - ño - so Sal - va - dor, Hu - yo de la tem-pes-tad,
2. O - tro a - si - lo nin-gu-no hay; In - de-fen-so a - cu - do a Ti;
3. Cristo en - cuen-tro to - do en Ti, Y no ne - ce - si - to más;

A tu se - no pro - tec-tor, Fián-do me de tu bon-dad.
Mi ne - ce - si-dad me trae, Por-que mi pe - li - gro ví.
Caí-do, me pu - sis - te en pie: Dé - bil, á - ni - mo me das;

Sál - va - me, Se - ñor Je - sús, De las o - las del tur-bión,
So - la - men - te en Ti, Se - ñor, Pue-do ha-llar con - sue - lo y luz;
Al en - fer - mo das sa - lud, Das la vis - ta al que no ve;

Hasta el puer-to de sa - lud, Guía mi po-bre em-bar - ca-ción.
Ven - go con fer-vien - te a - mor, A los pies de mi Je-sús.
Con a -mor y gra - ti - tud; Tu bon-dad en - sal - za - ré.

277 Cuando Mis Luchas Terminen Aquí

Tr. Vicente Mendoza
Charles H. Gabriel

CANTO DE GLORIA

Charles H. Gabriel

1. Cuando mis lu-chas ter-mi-nen a-quí   Y ya se-gu-ro en los
2. Cuando por gra-cia yo pue-da te-ner En sus man-sio-nes mo-
3. Go-zo in-fi-ni-to se-rá contemplar, To-dos los se-res que

cie-los es-té, Cuando al Se-ñor mi-re cer-ca de mí,
ra-da de paz, Y que a-llí siem-pre su faz pue-da ver,
yo tan-to a-mé, Mas la pre-sen-cia de Cris-to go-zar,

rit.   Coro

¡Por las e-da-des mi glo-ria se-rá!   ¡E-sa se-rá
¡E - sa se-

glo-ria sin fin, Gloria sin fin, glo-ria sin fin! Cuando por gra-
rá   gloria sin fin, Gloria sin fin, gloria sin fin,........

rit.

cia su faz pue-da ver, ¡E-sa mi glo-ria sin fin ha de ser!

278

La Peña Fuerte

Tr. T. M. Westrup
V. J. C.

JESUS ES LA PEÑA

Ira D. Sankey

1. La Pe - ña fuerte, el san - to Dios Nos guar-da de la tempes-
2. De dí - a templa el gran ca - lor; Nos guar-da de la tempes-
3. Pro - ce - las sur - jan con fu - ror; Nos guar-da de la tempes-
4. La Pe - ña de mi co - ra - zón Nos guar-da de la tempes-

tad; Bus - que-mos, pues, su pro - tec - ción: Nos guar-da de la
tad; Da paz de no - che en de - rre - dor; Nos guar-da de la
tad, Al - ber-gue o-fré - ce -nos su a-mor; Nos guar-da de la
tad; En ca - da a-mar - ga ten - ta-ción Nos guar-da de la

CORO

tem - pes - tad. En tie - rra ca - lu - ro - sa Je - sús nos da

Su som - bra, sí, su som - bra, sí; Je - sús es el pe -

ñas - co que som-bra da; Nos guar-da de la tem-pes-tad.

Cantar Nos Gusta Unidos

J. B. Cabrera

COMPAÑERISMO

1. Can-tar nos gus-ta u-ni-dos, Can-tar nos gus-ta u-ni-dos, A - cor-des
2. O - rar nos gus-ta u-ni-dos, O - rar nos gus-ta u-ni-dos Con san-ta
3. Le - er nos gus-ta u-ni-dos, Le - er nos gus-ta u-ni-dos La fiel re -
4. Es - tar nos gus-ta u-ni-dos, Es - tar nos gus-ta u-ni-dos En fe y a-

y a u-na voz, A nues-tro e-ter-no Pa - dre, A nues-tro e-ter-no Pa - dre, Y a
de - vo - ción A Cris-to, que nos ha - ga, A Cris - to, que nos ha - ga A-
ve - la - ción, Que a-lum-bra nuestros pa-sos, Que a-lum-bra nues-tros pa-sos Con
do - ra - ción, Go - zan - do las de - li - cias, Go- zan - do las de - li - cias Del

su Hi-jo el Sal-va-dor. ¡Cuán bue-no es, cuán bue - no es, Cuán bue-no es can-tar
cep - tos en su a-mor. ¡Cuán bue - no es, cuán bue- no es, Cuán bue-no es o - rar
cla - ro res-plan-dor. ¡Cuán bue - no es, cuán bue- no es, Cuán bue-no es le - er
dí - a del Se - ñor. ¡Cuán bue - no es, cuán bue- no es, Cuán bue-no es es-tar

jun-tos! ¡Cuán bue - no es, cuán bue - no es, Cuán bue- no loar a Dios!

280 Te Cuidará El Señor

Tr. Ernesto Barocio
Civilla D. Martin

MARTIN

W. Stillman Martin

1. Nun - ca des - ma-yes: en to - do a-fán Te cui - da-rá el Se - ñor.
2. Cuan-do fla - quea-re tu co - ra-zón Te cui - da-rá el Se - ñor.
3. De sus ri - que-zas te pro - vee-rá; Te cui - da-rá el Se - ñor.
4. Qué prue-bas ven-gan, no im-por-ta, no; Te cui - da-rá el Se - ñor.

Sus fuer-tes a - las te cu - bri - rán; Te cui - da-rá el Se-ñor.
En tus con - flic-tos y ten - ta - ción Te cui - da-rá el Se-ñor.
Ja - más sus bie-nes te ne - ga - rá Te cui - da-rá el Se-ñor.
Tus car - gas to-das en Cris - to pon; Te cui - da-rá el Se-ñor.

Te cui - da - rá el Se - ñor: No te ve - rás So - lo ja - más;

Ve - lan-do es-tá su a-mor: Te cui - da - rá el Se-ñor. A-mén.
Te cui - da - rá el fiel Se-ñor.

281 Dílo a Cristo

Es traducción
J. E. Rankin, D.D.

DILO A CRISTO

E. S. Lorenz

1. Cuan-do es-tás can - sa-do y a - ba - ti - do, Dí - lo a Cris-to,
2. Cuan-do es-tás de ten - ta-ción cer - ca - do, Mi - ra a Cris-to,
3. Si se a - par-tan o - tros de la sen - da, Si - gue a Cris-to,
4. Cuan-do lle - gue la fi - nal jor - na - da, Fí - a en Cris-to,

Dí - lo a Cris - to; Si te sien-tes dé - bil, con-fun - di - do,
Mi - ra a Cris - to; Cuan-do ru - gen hues-tes de pe - ca - do,
Si - gue a Cris - to; Si a-cres-cien-ta en tor - no la con-tien-da,
Fí - a en Cris - to; Te da-rá en el cie - lo fran-ca en-tra-da,

CORO

Dí - lo a Cris-to el Se - ñor. Dí - lo a Cris - to, Dí - lo a Cris-to,
Mi - ra a Cris-to el Se - ñor. Mi - ra a Cris - to, Mi - ra a Cris-to,
Si - gue a Cris-to el Se - ñor. Si - gue a Cris - to, Si - gue a Cris-to,
Fí - a en Cris-to el Se - ñor. Fí - a en Cris - to, Fí - a en Cris-to,

El es tu a - mi - go más fiel; No hay o - tro a-

mi - go co - mo Cris - to Dí - lo tan só - lo a El.

282 Pasando Por El Mundo

Tr. A. P. Pierson
B. B. McKinney

COLEMAN

B. B. McKinney

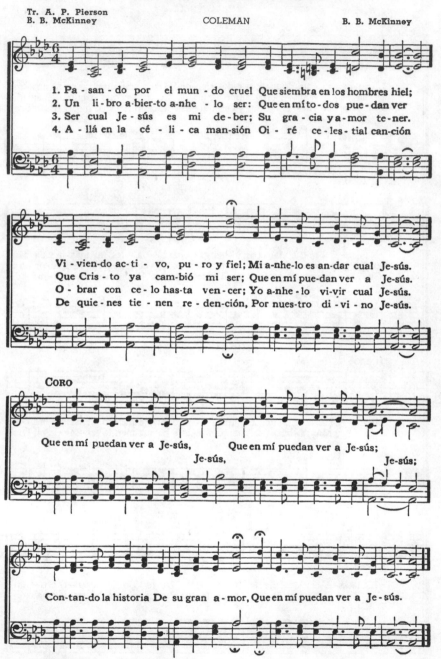

1. Pa - san - do por el mun - do cruel Que siembra en los hombres hiel;
2. Un li - bro a-bier-to a-nhe - lo ser: Que en mí to-dos pue-dan ver
3. Ser cual Je - sús es mi de - ber: Su gra - cia y a-mor te-ner.
4. A - llá en la cé - li - ca man-sión Oi - ré ce - les-tial can-ción

Vi - vien-do ac-ti - vo, pu - ro y fiel; Mi a-nhe-lo es an-dar cual Je-sús.
Que Cris - to ya cam-bió mi ser; Que en mí pue-dan ver a Je-sús.
O - brar con ce - lo has-ta ven-cer; Yo a-nhe - lo vi-vir cual Je-sús.
De quie - nes tie - nen re - den-ción, Por nues-tro di - vi - no Je-sús.

CORO

Que en mí puedan ver a Je-sús, Que en mí puedan ver a Je-sús;
Je-sús, Je-sús;

Con-tan-do la historia De su gran a-mor, Que en mí puedan ver a Je - sús.

Soberana Bondad

T. M. Westrup   OMNIPOTENCIA   Chas. Edw. Pollock

1. So-be-ra-na Bondad, con-des-cien-de Has-ta mí mientras pa-sa mi a-fán;
2. Cla-ma-ré al Al-tí-si-mo y Fuer-te, Cu-yos fi-nes se cumplen en mí;
3. En-tre leo-nes el al-ma y con quie-nes E-chan lla-mas, en paz dor-mi-ré,

A mi es-pí-ri-tu fal-ta un al-ber-gue Que tus a-las no más me da-rán.
Con-tra quien me impropera a va-ler-me El so-co-rro en-via-rá que pe-dí.
Cu-ya len-gua es es-pa-da, y sus dientes Lan-zas, flechas, que no te-me-ré.

CORO

Muy a-llá   del a-zul   Fir-ma-men-to te ensalcen, mi Dios;
Muy a-llá   del a-zul Fir-ma-men-to te ensalcen, mi Dios;

Lle-na es-té   de la luz   De tu glo-ria la vas-ta crea-ción.
Lle-na es-té   de la luz De tu glo-ria la vas-ta crea-ción.

284 Tenebroso Mar, Undoso

Tr. Ramón Bon
Miralles

HIMNO AUSTRIACO

Franz J. Haydn

1. Te - ne - bro - so mar, un - do - so, Vas sur - can - do, pe - ca - dor;
2. De - se - a - do puer - to a - ma - do, Fuen - te vi - va de sa - lud,
3. Só - lo an - sí - o, Cris - to mí - o, Re - ves - tir - me de tu a - mor,

Y al pre - sa - gio del nau - fra - gio Se a - cre - cien - ta tu te - mor.
En ti el al - ma dul - ce cal - ma Go - za li - bre de in - quie - tud.
A - do - rar - te, y a - ca - tar - te Cual hu - mil - de ser - vi - dor.

¿Ves no le - jos los re - fle - jos De u - na a - mi - ga, blan - ca luz?
¿Qué es el mun - do? Fo - co in - mun - do; De él me quie - ro re - ti - rar,
Ro - ca fuer - te que la muer - te Ni los si - glos des - trui - rán;

E - se be - llo, fiel des - te - llo Es el fa - ro de la cruz.
Y el tran - qui - lo, gra - to a - si - lo De los jus - tos dis - fru - tar.
De los fie - les los lau - re - les En tu cum - bre lu - ci - rán.

285 Lejos De Mi Padre Dios

Es traducción
Fanny J. Crosby

CERCA DE LA CRUZ

Wm. H. Doane

1. Le - jos de mi Pa - dre Dios Por Je - sús fui ha - lla - do,
2. En Je-sús, mi Sal - va - dor, Pon-go mi con - fian - za;
3. Cer - ca de mi buen Pas - tor, Vi - vo ca - da dí - a;
4. Guár-da-me, Se - ñor Je - sús, Pa - ra que no cai - ga;

Por su gra-cia y por su a - mor Só - lo fui sal - va - do.
To - da mi ne - ce - si - dad, Su-ple en a - bun-dan - cia.
To - da gra-cia en su Se - ñor, Ha - lla el al - ma mí - a.
Co-mo un sar-mien-to en la vid, Vi - da de ti trai - ga.

Coro

En Je - sús, mi Se - ñor, Sea mi glo - ria e - ter - na;

El me a - mó y me sal - vó, En su gra - cia tier - na.

A Tu Puerta Cristo Está

Tr. G. P. Simmonds
J. B. Atkinson

ABRELE

E. O. Excell

1. A tu puer - ta Cris - to es - tá;
2. Rín - de - le tu co - ra - zón;
3. ¿No o - yes tú Su dul - ce voz?
4. A es - te hués - ped a - bre ya;

¡A - bre - le!

Abre al Salvador   Abre al Salvador

Mu - cho tiem - po tie - ne a - llá;
Y ten - drás la Sal - va - ción;
¡Oh! re - ci - be ya a tu Dios;
El con - ti - go ce - na - rá;

¡A - bre - le!

Abre al Salvador   Abre al Salvador

A - bre a - ho - ra al buen Se - ñor,   Hi - jo es, pues, del Dios de a - mor,
Fiel a - mi - go El te se - rá,   Siem - pre te de - fen - de - rá,
A la puer - ta aún es - tá,   Go - zo te res - tau - ra - rá,
Cier - to, te da - rá el per - dón,   Y por fin en Su man - sión.

A - bre ya a tu Sal - va - dor;
Y has - ta el fin te guar - da - rá;
Y tu ser le a - do - ra - rá;
Go - za - rás e - ter - no don;

¡A - bre - le!

Abre al Salvador.   Abre al Salvador

287 En Presencia Estar De Cristo

Tr. Vicente Mendoza
Mrs. Frank A. Breck
Grant Colfax Tullar

CARA A CARA

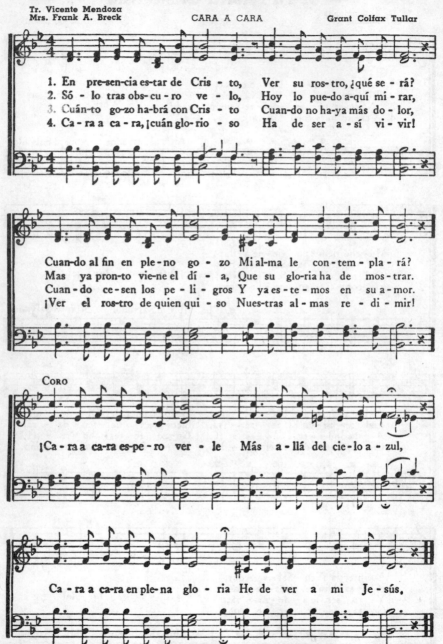

1. En pre-sen-cia es-tar de Cris - to, Ver su ros-tro, ¿qué se - rá?
2. Só - lo tras obs-cu - ro ve - lo, Hoy lo pue-do a-quí mi - rar,
3. Cuán-to go-zo ha-brá con Cris - to Cuan-do no ha-ya más do - lor,
4. Ca - ra a ca - ra, ¡cuán glo-rio - so Ha de ser a - sí vi - vir!

Cuan-do al fin en ple-no go - zo Mi al-ma le con-tem-pla - rá?
Mas ya pron-to vie-ne el dí - a, Que su glo-ria ha de mos-trar.
Cuan-do ce-sen los pe - li - gros Y ya es-te - mos en su a-mor.
¡Ver el ros-tro de quien qui - so Nues-tras al - mas re - di - mir!

Coro

¡Ca - ra a ca-ra es-pe - ro ver - le Más a - llá del cie-lo a - zul,

Ca - ra a ca-ra en ple-na glo - ria He de ver a mi Je-sús.

288 Todos Los Que Tengan Sed

T. M. Westrup, Adapt.
Priscilla J. Owens

JESUS SALVA

Wm. J. Kirkpatrick

1. To - dos los que ten - gan sed Be - be - rán, be - be - rán;
2. Si le pres - tan a - ten - ción, Les da - rá, les da - rá
3. Co - mo ba - ja bien - he - chor Sin vol - ver, sin vol - ver,

Ven - gan cuan - tos po - bres hay: Co - me - rán, co - me - rán;
Par - te en su pac - ta - do bien, E - ter - nal, e - ter - nal,
Rie - go que las nu - bes dan, Ha de ser, ha de ser,

No mal - gas - ten el ha - ber; Com - pren ver - da - de - ro pan.
Con el mís - ti - co Da - vid, Rey, Ma - es - tro, Ca - pi - tán
La Pa - la - bra del Se - ñor, Pro - duc - ti - vo, ple - no bien,

Si a Je - sús a - cu - den hoy, Go - za - rán, go - za - rán.
De las hues - tes que al E - dén Lle - va - rá, lle - va - rá.
Ven - ce - do - ra al fin se - rá Por la fe, por la fe.

289 ## Por Ti Estamos Hoy Orando

Tr. Ernesto Barocio
El Nathan

¿POR QUE NO AHORA?

Charles C. Case

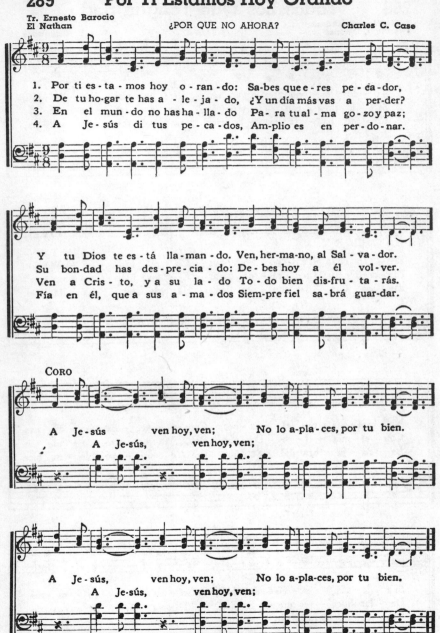

1. Por ti es-ta-mos hoy o-ran-do: Sa-bes que e-res pe-ca-dor,
2. De tu ho-gar te has a-le-ja-do, ¿Y un día más vas a per-der?
3. En el mun-do no has ha-lla-do Pa-ra tu al-ma go-zo y paz;
4. A Je-sús di tus pe-ca-dos, Am-plio es en per-do-nar.

Y tu Dios te es-tá lla-man-do. Ven, her-ma-no, al Sal-va-dor.
Su bon-dad has des-pre-cia-do: De-bes hoy a él vol-ver.
Ven a Cris-to, y a su la-do To-do bien dis-fru-ta-rás.
Fía en él, que a sus a-ma-dos Siem-pre fiel sa-brá guar-dar.

CORO

A Je-sús ven hoy, ven; No lo a-pla-ces, por tu bien.
A Je-sús, ven hoy, ven;

A Je-sús, ven hoy, ven; No lo a-pla-ces, por tu bien.
A Je-sús, ven hoy, ven;

Niños, Joyas de Cristo

Tr. H. C. Ball
J. S. Fearis

ESTRELLITAS

J. S. Fearis

1. Los ni - ños son de Cris - to, El es su Sal - va - dor,
2. Los ni - ños son te - so - ros, Pues que del cie - lo son,
3. Los ni - ños son es - tre - llas, De gra - ta cla - ri - dad,
4. Los ni - ños son de Cris - to, Por e - llos El ven - drá;

Son jo - yas muy pre - cio - sas, Com - pró - las con su a - mor.
Luz re - ful - gen - te es - par - cen, En ho - ras de a - flic - ción.
Quie - re Je - sús que a - nun - cien Al mun - do su ver - dad.
Y con El pa - ra siem - pre, Di - cho - sos vi - vi - rán.

CORO

Jo - yas, jo - yas, jo - yas, Jo - yas del Sal - va - dor,

Es - tán en es - ta tie - rra, Cual luz y dul - ce a - mor.

291 Preste Oídos El Humano

J. B. Cabrera, Adapt.
Helen R. Young

VINIENDO ESTOY

Ira D. Sankey

1. Pres-te o-í-dos el hu-ma-no A la voz del Sal-va-dor;
2. Ven-gan to-dos los que su-fren, Los que sien-ten ham-bre o sed,
3. Ven-gan cuan-tos se a-con-go-jan Por lo-grar con qué ves-tir,
4. ¿Por qué en rum-bo siem-pre in-cier-to Vues-tra vi-da re-co-rréis?

Re-go-cí-je-se el que sien-te El pe-ca-do a-bru-ma-dor.
Los que dé-bi-les se en-cuen-tran De es-te mun-do a la mer-ced:
Y a su a-fán tan só-lo rin-den Ser-vi-dum-bre has-ta el mo-rir:
A Je-sús ve-nid, mor-ta-les, Que muy cer-ca le te-néis:

Ya re-sue-na el e-van-ge-lio, De la tie-rra en an-cha faz;
En Je-sús hay pron-to aux-i-lio, Hay har-tu-ra y bien-es-tar,
Un ves-ti-do hay más pre-cio-so, Blan-co, pu-ro y e-ter-nal;
El es vi-da en tie-rra y cie-lo, Y el ex-ce-so de su a-mor

Y de gra-cia o-fre-ce al hom-bre El per-dón, con-sue-lo y paz.
Hay sa-lud y for-ta-le-za Cual nin-gu-no pue-de dar.
Es Je-sús quien da a las al-mas E-se man-to ce-les-tial.
Os me-jo-ra la pre-sen-te Y os re-ser-va o-tra me-jor.

292 Mi Salvador En Su Bondad

Tr. Vicente Mendoza
Charlotte G. Homer

ME LEVANTO

Charles H. Gabriel

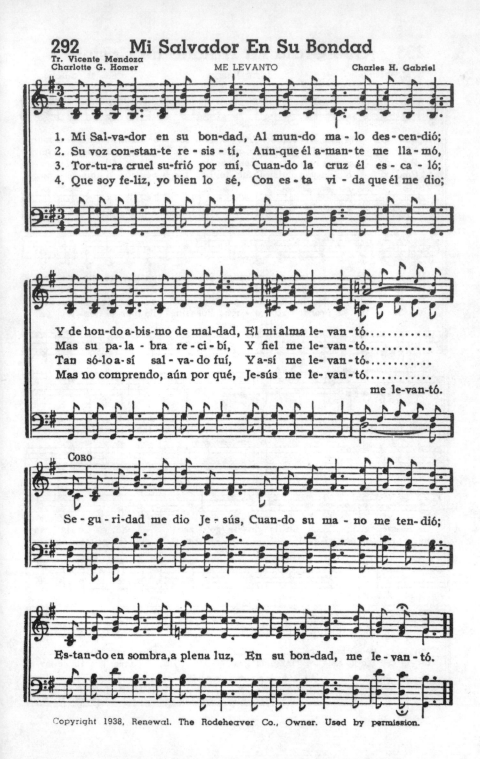

1. Mi Sal-va-dor en su bon-dad, Al mun-do ma - lo des-cen-dió;
2. Su voz cons-tan-te re - sis - tí, Aun-que él a-man-te me lla - mó,
3. Tor-tu-ra cruel su-frió por mí, Cuan-do la cruz él es - ca - ló;
4. Que soy fe-liz, yo bien lo sé, Con es - ta vi - da que él me dio;

Y de hon-do a-bis-mo de mal-dad, El mi alma le- van-tó............
Mas su pa-la - bra re-ci - bí, Y fiel me le- van-tó............
Tan só-lo a - sí sal - va-do fuí, Ya-sí me le- van-tó...........
Mas no comprendo, aún por qué, Je-sús me le- van-tó............

me le-van-tó.

Coro

Se - gu - ri-dad me dio Je - sús, Cuan-do su ma - no me ten-dió;

Es-tan-do en sombra, a plena luz, En su bon-dad, me le - van - tó.

293 ¡Qué Grata La Historia de Cristo!

T. M. Westrup   HUTCHINSON   Chas. H. Gabriel

1. ¡Qué gra - ta la his-to - ria del Cris - to! A - som - bran sus he-chos de a-mor;
2. El vi - no de la glo - ria ex-cel-sa Per - dón por su san-gre do - nar.
3. Pia - do - so, que nun-ca se can-sa Su grey al re-dil de vol - ver;
4. Cual rí - o flu-yen-do su a-fec-to, Los bie - nes sin lí - mi-te da,

Mu-rió por no-so-tros cul-pa-bles; Sin cul-pa nin-gu-na su-frió.
Re-di - me, re-co-ge, re-nue-va; A to - dos nos pue-de sal-var.
Más dé - bil que ma-la la juz-ga, Si quie-re su voz a-ten-der.
Y bas - ta su pron-to so-co-rro, Pues lim-pio por él es-toy ya.

CORO

Del ín - cli-to Cris-to la his-to - ria No tie - ne, no
Del ín-cli-to Cris - to, del ín-cli-to Cris-to la his-to-ria No tie -

tie-ne su i - gual; _____ En la glo-ria go - zan - do, es-tar-la can-
ne, no tie-ne su i-gual; En la glo-ria go-zan-do, es-

tan - do Se - rá _____ mi más gra-to so - laz. _____
tar-la can-tan-do Se - rá mi más gra - to, más gra-to so-laz.

294 De Mi Tierno Salvador Cantaré

Es traducción   ENCONTREMONOS ALLI   Wm. J. Kirkpatrick

1. De mi tier-no Sal-va-dor Can-ta-ré el in-men-so a-mor, Glo-ria-
2. ¡Oh, qué tris-te con-di-ción Del im-pí-o co-ra-zón! Me sal-
3. En el mun-do al va-gar, So-li-ta-rio sin ho-gar, No sa-
4. De lo fal-so a su ver-dad, De lo in-mun-do, a san-ti-dad, Ya me

ré-me en el fa-vor de Je-sús; De ti-nie-blas me lla-mó, De ca-
vó de per-di-ción, mi Je-sús. Del pe-ca-do, el per-dón; De la
bía que dul-ce paz da Je-sús. Mas las lá-gri-mas de a-yer, Han pa-
tra-jo la bon-dad de Je-sús. He-chos fuer-tes en vir-tud, De su

FINE

de-nas me li-bró, De la muer-te me sal-vó, mi Je-sús.
rui-na, sal-va-ción; Por tris-te-za, ben-di-ción, dio Je-sús.
sa-do, y pla-cer Ya co-mien-zo a te-ner, en Je-sús.
pe-ren-nal sa-lud; Him-nos dad de gra-ti-tud a Je-sús.

D. S.—go-zo me lle-nó, De su vi-da me do-tó, mi Je-sús.

CORO

¡Mi Je-sús!   ¡Mi Je-sús!   ¡Cuán pre-cib-so es el

D. S.

nom-bre de Je-sús (de Je-sús)! Con su san-gre me lim-pió, De su

295 Vagaba Yo En Obscuridad

Tr. S. D. Athans y otros
J. W. Van DeVenter

LUZ DE SOL

W. S. Weeden

1. Va - ga - ba yo en obs - cu - ri - dad Mas ve - o yaa Je - sús,
2. Las nu - bes y la tem - pes - tad No en - cu - bren a Je - sús;
3. An - dan - do en la luz de Dios En - cuen - tro ple - na paz;
4. Ve - ré - le pron - to tal cual es Rau - dal de pu - ra luz;

Y por su a - mor y su ver - dad Yo vi - vo en ple - na luz.
Y en me - dio de la obs - cu - ri - dad Me go - zo en su luz.
Voy a - de - lan - te sin te - mor De - jan - do el mun - do a - trás.
Y e - ter - na - men - te go - za - ré, A cau - sa de su cruz.

Coro

Go - zo y luz hay en mi al - ma hoy,
al - ma hoy,
Go - zo y luz hay,

ya que sal - vo soy;
sal - vo soy;
Des - de que a Je - sús ví, Y a su la - do

fui,
la - do fui,
He sen - ti - do el go - zo de su a - mor en mí.

Venid, Adoremos

Tr. del inglés J. B. Cabrera
Anon. del latín, Siglo XVIII

ADESTE FIDELES

En 'Cantus Diversi', 1751
De J. F. Wade

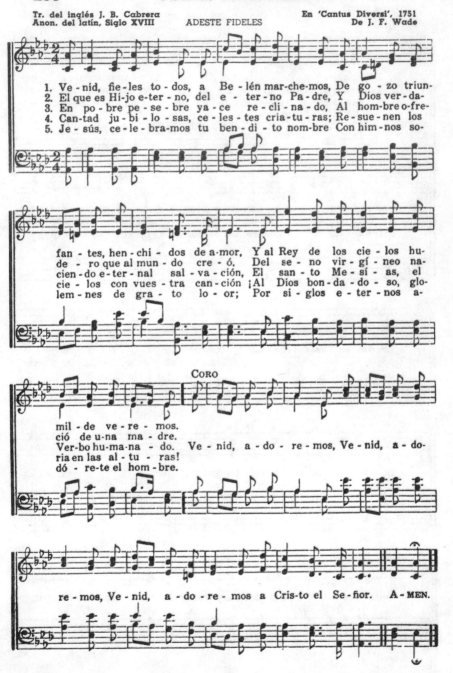

1. Ve - nid, fie - les to - dos, a Be - lén mar - che - mos, De go - zo triun-
2. El que es Hi - jo e - ter - no, del e - ter - no Pa - dre, Y Dios ver - da-
3. En po - bre pe - se - bre ya - ce re - cli - na - do, Al hom-bre o-fre-
4. Can - tad ju - bi - lo - sas, ce - les - tes cria - tu - ras; Re - sue - nen los
5. Je - sús, ce - le - bra-mos tu ben - di - to nom-bre Con him - nos so-

fan - tes, hen - chi - dos de a·mor, Y al Rey de los cie - los hu-
de - ro que al mun - do cre - ó, Del se - no vir - gí - neo na-
cien - do e - ter - nal sal - va - ción, El san - to Me - sí - as, el
cie - los con vues - tra can - ción ¡Al Dios bon - da - do - so, glo-
lem - nes de gra - to lo - or; Por si - glos e - ter - nos a-

CORO

mil - de ve - re - mos.
ció de u-na ma - dre.
Ver-bo hu-ma-na - do. Ve - nid, a - do - re - mos, Ve - nid, a - do-
ria en las al - tu - ras!
dó - re-te el hom - bre.

re - mos, Ve - nid, a - do - re - mos a Cris-to el Se - ñor. A - MEN.

297 Yo Quiero Trabajar Por El Señor

Tr. Pedro Grado
Isaiah Baltzell

YO QUIERO SER OBRERO

Isaiah Baltzell

1. Yo quie-ro tra-ba-jar por el Se-ñor, Con-fian-do en su pa-la-bra
2. Yo quie-ro ca-da dí-a tra-ba-jar, Y es-cla-vos del pe-ca-do
3. Yo quie-ro ser o-bre-ro de va-lor, Con-fian-do en el po-der del

y en su a-mor, Quie-ro yo can-tar y o-rar, Y o-cu-pa-do siem-pre es-tar
li-ber-tar; Con-du-cir-los a Je-sús, Nues-tro guí-a, nues-tra luz
Sal-va-dor, El que quie-ra tra-ba-jar, Ha-lla-rá tam-bién lu-gar,

CORO

En la vi-ña del Se-ñor. Tra-ba-jar y o-rar
Tra-ba-jar y o-rar, Tra-ba-jar y o-rar,

En la vi-ña, en la vi-ña del Se-ñor; Sí, mi an-
del Se-ñor;

he-lo es o-rar, Y o-cu-pa-do siem-pre estar En la vi-ña del Se-ñor.

298 Hallé Un Buen Amigo

Tr. Enrrique Turral
Charles W. Fry

SALVACIONISTA

Melodía inglesa
Arr. por Wm. S. Hays

1. Ha-llé un buen a-mi-go, mi a-ma-do Sal-va-dor, Con-ta-ré lo que El ha
2. Je-sús ja-más me fal-ta, ja-más me de-ja-rá, Es mi fuer-te y po-de-
3. Yo sé que Je-su-cris-to muy pron-to vol-ve-rá, Y en-tre tan-to me pre-

he-cho pa-ra mí; Ha-llán-do-me per-di-do e in-dig-no pe-ca-dor, Me sal-
ro-so pro-tec-tor; Del mun-do me se-pa-ro y de la va-ni-dad, Pa-ra
pa-ra un ho-gar En la ca-sa de mi Pa-dre, mansión de luz y paz, Do el cre-

vó y hoy me guar-da pa-ra sí. Me sal-va del pe-ca-do, me guar-da
con-sa-grar mi vi-da al Se-ñor. Si el mun-do me per-si-gue, si su-fro
yen-te fiel con El ha de mo-rar; Lle-gán-do-me a la glo-ria, nin-gún pe-

de Sa-tán: Pro-me-te estar conmigo hasta el fin; (¡Aleluya!) El con-sue-la mi tris-
ten-ta-ción, Confiando en Cristo puedo re-sis-tir; (¡Aleluya!) La victoria me es se-
sar ten-dré, Con-templaré su rostro siempre allí; (¡Aleluya!) Con los santos re-di-

te-za, me qui-ta to-do a-fán: ¡Grandes cosas Cristo ha he-cho pa-ra mí!
gu-ra y e-le-vo mi can-ción: ¡Grandes cosas Cristo ha he-cho pa-ra mí!
mi-dos go-zo-so can-ta-ré: ¡Grandes cosas Cristo ha he-cho pa-ra mí!

299 Lámpara En Mi Senda Es

Tr. Ernesto Barocio
B. Barton

LA BIBLIA

E. O. Excell

1. Lám - pa - ra en mi sen - da es, La Bi - blia de mi Dios;
2. Del al-ma el a - li - men - to es, Ma - ná, di - vi - no pan;
3. El tes - ta-men-to es de Je - sús Re - ve - la - ción de Dios;
4. Haz que yo pue - da com - pren-der, Se - ñor, tu vo - lun - tad,

Fuen-te en la cual su ar - dien - te sed A - pa - ga - rá el via - dor.
Guía del via - je - ro, car - ta fiel Del rei - no ce - les - tial.
Sin e - lla na - die tie - ne luz Ni al - can - za sal - va - ción.
Y en tu pa - la - bra fe - te - ner, Tus le - yes a - ca - tar.

CORO

Her - mo - sa luz,____ siem-pre mi ____ guí - a sé, ____
Her-mo-sa luz, her-mo-sa luz, mi guí - a sé, mi guí - a sé,

rit.

Has - ta que con____ Cris-to en el ____ cie-lo es - té.
Mi guí - a sé has-ta que con Cris-to, has-ta que con Cris-to en el cie-lo es-té.

300 Aramos Nuestros Campos

Tr. Ernesto Barocio
Matthias Claudius

DRESDEN

Johann A. P. Schulz

1. A - ra-mos nues-tros cam-pos, Y lue-go el sem-bra-dor En e - llos
2. El Ha - ce - dor Su - pre-mo De cuan-to ex-is-te es él Su a-ro-ma
3. Te da-mos gra - cias, Pa-dre, Por cuan-to bien nos das: Las flo - res

la si mien - te Es-par-ce con a - mor. Pe-ro es de Dios la
da a las flo - res Y a las a - be-jas miel. Las a - ves a - li
y los fru - tos, Sa - lud, y vi-da y pan. Na-da hay con que pa-

ma - no Que la ha-ce ger-mi-nar, Ca-lor y llu-via dan-do
men - ta, De pe-ces pue-bla el mar, Y a-ca-da hi-jo su-yo
gue - mos Lo que nos da tu a - mor, Si - no nues-tro sin - ce-ro

Coro

A to - dos por i - gual.
Da el co-ti-dia-no pan. Cuan-to bien te - ne-mos Pro-ce-de
Y hu-mil - de co - ra-zón.

del Crea-dor. Su nom-bre load, y gra - cias dad Por su in-fi - ni-to a-mor.

301 Cristo, Tu Voluntad

Tr. J. B.
Benjamín Schmolck, alemán

JEWETT

Carl Maria Von Weber
Arr. por J. P. Holbrook, 1862

1. Cris - to, tu vo - lun - tad Se ha - ga siempre en mí;
2. Cris - to, tu vo - lun - tad Ha - ré sin va - ci - lar;
3. Cris - to, tu vo - lun - tad Mí - a se - rá también;

Con - fia - do en tu bon - dad Ya re - sig - na - do es - toy;
Lí - bra - me de mal - dad, Y da - me su - mi - sión.
Sir - vien - do con leal - tad Has - ta el fin vi - vi - ré.

En me - dio de do - lor, O en me - dio de la paz,
Llo - ras - te Tú tam - bién, Por e - so a Ti ven - dré;
No quie - ro se - ña - lar Mi sen - da, si - no en Ti,

Me ro - dea - rá tu a - mor, Y na - da te - me - ré.
¡Oh Sal - va - dor, mi bien, Sé mi con - so - la - dor!
Sin cui - tas des - can - sar, Y ha - cer tu vo - lun - tad. A - mén.

302 ¡Rey Soberano y Dios!

Tr. G. Paúl S.
Anónimo

TRINIDAD (HIMNO ITALIANO)

Felice de Giardini

1. ¡Rey Soberano y Dios! Te ensalza
2. ¡Oh Verbo celestial! Tu Espada
3. ¡Santo Consolador! Del alma Ins-
4. ¡Oh santo y trino Dios! Atiende a

nuestra voz En fiel loor; Rey nuestro
sin igual Da protección; A tu obra
pirador, Oye la voz De nuestra
nuestra voz, Prez y loor; Haz que en la e-

siempre sé, Y haz que tu santa ley
cuidarás, Y la protegerás,
petición, Que eleva el corazón,
ternidad Cantemos tu bondad,

La guarde fiel tu grey, Oh Dios de amor.
Sobre ella mandarás Tu santa unción.
Pidiendo bendición Del santo Dios.
Tu gloria y majestad En santo amor. Amén

303 Jesús Busca Voluntarios

Tr. Vicente Mendoza
Charles H. Gabriel

VOLUNTARIOS

Charles H. Gabriel

1. Je-sús es-tá bus-can-do vo-lun-ta-rios hoy, Que a la ru-da lu-
2. Nos cercan las ti-nie-blas den-sas del er - ror, Va-mos so-bre a-bis-
3. La lu-cha es contra el vicio, la pe - re-za, el mal, Contra la ig-no-ran-
4. El triun-fo sig-ni - fi - ca que do-mi-ne el bien, Que los hombres se a-

cha lue-go puedan ir; ¿Quién es-tá dis-pues-to a es-cu-char su voz
mos hondos de mal-dad, Y pa-ra destruirlas lla-ma el Salva - dor
cia de la Ley de Dios; Es u-na cam-pa-ña que no tiene i-gual,
men, y que la ver- dad Reine en las conciencias, siendo su sos-tén,

D. S.—Cristo es nuestro Jefe, no hay porqué te-mer,

FINE CORO

Sien-do vo - lun- ta - rio lis-to a com-ba-tir?
Muchos vo - lun- ta-rios que a-men la ver-dad. De Cris-to vo-lun-ta-rio
¿Quieres ir a e - lla de Je-sús en pos?
Y ha de ser si a-yu-das u - na rea-li - dad.

¿Quieres ser un vo-lun-ta - rio de Je - sús?

D. S.

tú pue-des ser, O-tros ya se a-lis-tan haz - lo tú;

haz-lo tú;

304 Allí La Puerta Abierta Está

Tr. Ramón Bon
Mrs. Lidia Baxter

PUERTA ENTREABIERTA

Silas J. Vail

1. A - llí la puer-ta a - bier-ta es-tá, Su luz es re - ful - gen - te,
2. Si tie - nes fe, a - van - za tú, La en - tra-da es fran-ca a - ho - ra;
3. Pa - san-do el rí - o, más a - llá, En ce - les - tial pra - de - ra,

La cruz se mi - ra más a - llá, Se - ñal de a-mor fer - vien - te.
Si quie - res pal - ma, ten la cruz, Se - ñal de e - ter - na glo - ria.
El pre - mio de la cruz es - tá: ¡E - ter - na pri - ma - ve - ra!

CORO

¡Oh cuán-to me a - ma Dios a mí! La puer-ta a - bier-ta es - tá por mí,

Por mí, ____ por mí, ____ Si quie-ro en - trar a - sí.
Por mí, por mí,

305
Mi Anhelo

Tr. Hiram Duffer
Richard Baker

LO QUE FALTABA

Richard Baker

1. Yo siento en mi al - ma un in - ten - so an - he - lo de co - no - cer me - jor a
2. Tengo un an - he - lo de an - dar con Cris - to; an - he - lo a - sir - me, de la
3. Si no co - no - ces tú a es - te Cris - to; te fal - ta de la vi - da

mi Se - ñor; aun - que yo sé que El siem - pre está muy cer - ca quie - ro que
ma - no de El; quie - ro sa - ber que El me guia - rá por siem - pre, y que su
lo me - jor; oh haz - lo hoy tu Sal - va - dor y Guí - a y go - za

mo - re en mi co - ra - zón.
gran po - der me guar - da fiel. Cris - to, ¡an - he - lo ver - te!
rás la di - cha de su a - mor.

Te rue - go mo - res en mi co - ra - zón. To - ma mi vi - da

haz que sea tu - ya, y guí - a - me por tu ben - di - to a - mor.

306 Es Cristo De Su Iglesia

Tr. J. Pablo Simón
Samuel J. Stone
AURELIA
Samuel S. Wesley

1. Es Cris-to de su I-gle-sia El fun-da-men-to fiel,
2. De to-do pue-blo e-lec-ta, Per-fec-ta es en u-nión;
3. En me-dio de su lu-cha Y gran tri-bu-la-ción
4. Con Dios, a-quién en la tie-rra, Man-tie-ne co-mu-nión,

Por a-gua y la Pa-la-bra He-chu-ra es e-lla de El;
E-llau-na fe con-fie-sa, Cris-to es su sal-va-ción;
La paz e-ter-na es-pe-ra Con san-ta ex-pec-ta-ción;
Y con los ya en el cie-lo For-ma u-na so-la u-nión;

Su es-po-sa pa-ra ha-cer-la Del cie-lo des-cen-dió,
Ben-di-ce un so-lo nom-bre, La Bi-blia es su sos-tén,
Pues Cris-to des-de el cie-lo Un dí-a lla-ma-rá,
Oh, Dios, haz que en sus pa-sos Po-da-mos ca-mi-nar,

El la com-pró con san-gre Cuan-do en la cruz mu-rió.
Con pa-so fir-me a-van-za Con gra-cia y to-do bien.
Su I-gle-sia in-vic-ta, en-ton-ces, Con El des-can-sa-rá.
Que al fin con-ti-go, oh Cris-to, Po-da-mos ha-bi-tar. A-mén

307 La Gloria De Cristo

Tr. Vicente Mendoza
Charles H. Gabriel

ME ES PRECIOSO

Charles H. Gabriel

1. La glo-ria de Cris-to el Se-ñor can-ta-ré, Pues lle-na mi vi-da
2. En ho-ras de an-gus-tia con-mi-go él es-tá, Y pue-do es-cu-char su
3. Si a ru-dos con-flic-tos me mi-ra que voy, Me de-ja has-ta el fin a
4. También cuando go-zo lo mi-ro lle-gar, Y en-ton-ces mi di-cha

de go-zo y de paz; Ca-llar los fa-vo-res que de él al-can-cé,
dul-cí-si-ma voz, Que me ha-bla, y su paz i-ne-fa-ble me da,
mí so-lo lu-char, Mas pron-to, si ve que ce-dien-do ya es-toy,
la aumenta el Se-ñor, Ya lle-na mi co-pa, la veo re-bo-sar,

Coro

Mi la-bio no pue-de ja-más.
La paz in-fi-ni-ta de Dios. Es to-do bon-dad pa-ra
So-co-rro me vie-ne a pres-tar.
Con to-dos sus do-nes de a-mor.

mí,...... Con él na-da pue-do de-sear,.... Pues to-dos mis
pa-ra mí, de-se-ar,

rit.

al-tos de-se-os a-quí, Tan só-lo él los pue-de lle-nar...

308 Alguna Vez Ya No Estaré

Tr. Tomás García
Fanny J. Crosby

SALVO POR GRACIA

Geo. C. Stebbins

1. Al-gu-na vez ya no es-ta - ré En mi lu - gar en es - ta grey,
2. Al-gu-na vez la muer-te a-troz Vendrá, mas cuán - do no lo sé;
3. Al-gu-na vez yo, co-mo el sol, Mi o-ca-so y fin ten - dré tam-bién;
4. En día fe - liz que es-pe-ro yo, Con mi can-dil ar-dien-do ya,

1. Mas, ¡cuán fe - liz des - per - ta - ré En el pa - la-cio de mi Rey!
2. Pe-ro es-to sé: con mi buen Dios Un si - tio yo fe-liz ten-dré.
3. Mas me di - rá mi buen Se - ñor: "Mi sier - vo fiel, con-mi - go ven."
4. Las puer-tas me a - bri-rá el Se - ñor; Y mi al-ma a él con go - zo i - rá.

CORO

1.-4. Yo le ve - ré, y en dul-ce a-mor, I - ré a vi - vir con él a - llí,
ve - ré, a-mor,

1.-4. Y le di - ré: "Mi buen Se-ñor, Por gra-cia yo sal-va - do fuí."
di - ré: Se-ñor,

309 Canten Del Amor De Cristo

Tr. H. C. Ball
Eliza E. Hewitt

GLORIA

Emily D. Wilson

1. Can-ten del a-mor de Cris-to, En-sal-zad al Re-den-tor;
2. La vic-to-ria es se-gu-ra, A las hues-tes del Se-ñor;
3. El pen-dón al-zad, cris-tia-nos, De la cruz, y ca-mi-nad;
4. A-de-lan-te en la lu-cha, ¡Oh, sol-da-dos de la fe!

Tri-bu-tad-le san-tos to-dos, Gran-de glo-ria y lo-or.
¡Oh, pe-lead con la mi-ra-da Pues-ta en nues-tro Pro-tec-tor!
De tri-un-fo en tri-un-fos, Siem-pre fir-mes a-van-zad.
Nues-tro el triun-fo, ¡oh es-cu-cha Los cla-mo-res, ¡Vi-va el Rey!
                                                        glo-ria y lo-or.

CORO

Cuan-do es-te - mos en glo-ria, En pre-sen-cia de nues-tro
Cuan-do es-te-mos   En pre-sen-

Re-den-tor, A u-na voz la his-
cia de nues-tro Re-den-tor, A u-na voz

to-ria, Di-re-mos del gran Ven-ce-dor...............
                              del gran Ven-ce-dor.

310 Del Señor En La Presencia

Tr. Ernesto Barocio y otros
Ellen Lakshmi Goreh, India

EN LO INTIMO DE
SU PRESENCIA

Geo. C. Stebbins

1. Del Se - ñor en la pre - sen - cia Mi al-ma o-cul - ta quie-re es-tar. Cuán pre-
cio - sas las lec - cio-nes Son que apren-do en tal lu - gar! No me a - ba - te
pe - na al-gu - na; De cui - da-dos li-bre es - toy; Por que a es - te a - si - lo
hu - yo Cuan-do a - so - ma el ten - ta - dor, Cuan-do a - so - ma el ten - ta - dor.

2. Cuando mi alma está can - sa - da, Des - fa - lle - ce o tie - ne sed. A - llí en-
cuen - tra fres - ca som - bra Y a - gua vi - va que be - ber. Ten-go a - llí con
mi Ma - es - tro San-ta y dul - ce co - mu - nión. ¡Ho - ras gra - tas! Los con-
sue - los Que me da i - ne - fa - bles son, Que me da i - ne - fa - bles son.

3. A él mis du-das co - mu - ni - co, Mis pe - sa - res y an-sie-dad. Cuán pa-
cien - te - men-te es-cu-cha, Y re - me - dio a mi al-ma da! Me con - sue - la y
me re-pren - de co - mo fiel a - mi - go que es, con dul - zu - ra que son
tan - tos Los pe - ca - dos que en mí ve, Los pe - ca - dos que en mí ve.

4. No qui - sie-ras dis - fru - tar de la pre-sen - cia del Se - ñor? Al a-
bri - go de su som - bra ha-lla - rás paz y per - dón; Pro - si - guien-do
tu ca - mi - no tras la dul - ce co - mu - nión; La i - ma-gen di - vi-
nal se - rá en ti re - a - li - dad, en ... ti re a - li - dad.

311

Ven, Pecador

Modesto González

GONZALEZ

Modesto González

SOLO — *expresivo*

1. Si es-tás tu tris - te, dé - bil, an - gus - tia - do; Si es-tás can-sa - do
2. ¿E - res muy ma - lo?, ¿tie - nes mil pe - ca - dos? Cris - to per-do - na,
3. Si a-quíes-te mun - do ma - lo te a-bo - rre - ce, Te a-ma Je-sús, ¿por
4. Só - lo Je - sús, só - lo él pue - de sal - var - te; No hay o - tro nom-bre a
5. Je - sús te o-fre - ce ho-gar don-de él ex - is - te, Pues mil mo-ra - das

ya de tu pe - car,   O - ye a Je - sús,   que di-ce hoy a tu la - do:
o - ye su lla - mar;   Vi - no a sal - var   a tris - tes, a mal-va-dos:
qué ya más de-sear?   A - mor e - ter - no y pu - ro hoy te o-fre - ce:
quien pue-das cla - mar;   Tran-qui - li - dad,   paz, go - zo quie-re dar - te:
fué-se a pre - pa - rar;   No le des-pre - cies, ó - ye - le, él in - sis - te:

rit. molto   *dolcissimo*   CORO *Animato*   p

"Ven, pe - ca - dor, te ha - ré yo des - can - sar." Sí, sí ve - nid, Je -

sús re - fu - gio o-fre - ce Al pe - ca - dor can-sa - do de pe - car. O - ye su

pp flebile   *rit.*

voz, no te - mas te des-pre-cie: "Ven, pe-ca-dor, te ha - ré yo des-can - sar."

312 Nuestra Fortaleza

Tr. Epigmenio Velasco
Albert Midlane

CAMINO A LA GLORIA

Ira D. Sankey

1. Nues-tra for-ta-le-za, Nues-tra pro-tec-ción, Nues-tro fiel so-
2. A la voz tan só-lo De su vo-lun-tad Túr-ban-se los
3. Que o-tros en sus fuer-zas Quie-ran des-can-sar, O en las que este

co-rro, Nues-tro pa-la-dión, Nues-tro gran re-fu-gio.
ma-res En su ma-jes-tad; Tiem-bla la mon-ta-ña
mun-do Les pro-me-ta dar. Nun-ca to-das e-llas

Nues-tra sal-va-ción, Es el Dios que a-do-ra Nues-tro co-ra-zón.
To-do es va-ni-dad, Al vi-brar su a-cen-to Por la in-men-si-dad.
Se han de com-pa-rar Con la que po-de-mos En el cie-lo ha-llar.

CORO

Nues-tra for-ta-le-za. Nues-tra pro-tec-ción,

Es el Dios que a-do-ra Nues-tro co-ra-zón.

313 Brilla En El Sitio Donde Estés

Tr. Vicente Mendoza
Ina Duley Ogdon

BRILLA EN EL SITIO

Chas. H. Gabriel

1. Nun-ca es-pe-res el mo-men-to de u-na gran-de ac-ción, Ni que pue-da le-jos ir tu luz; De la vi-da a los pe-que-ños ac-tos da a-ten-ción, Bri-lla en el si-tio don-de es-tés.

2. Pue-des en tu cie-lo al-gu-na nu-be di-si-par, Haz a un la-do tu e-go-is-mo cruel; Aunque só-lo un co-ra-zón pu-die-res con-so-lar, Bri-lla en el si-tio don-de es-tés.

3. Pue-de tu ta-len-to al-gu-na co-sa des-cu-brir Do tu luz po-drá res-plan-de-cer; De tu ma-no el pan de vi-da pue-de a-quí ve-nir, Bri-lla en el si-tio don-de es-tés.

CORO

Bri-lla en el si-tio don-de es-tés. Bri-lla en el si-tio don-de es-tés, Brilla en el sitio donde estés, Bri-lla en el si-tio don-de es-tés, Puedes con tu luz al-gún per-di-do res-ca-tar, Bri-lla en el si-tio don-de es-tés.

314 Por Cristo, De Los Reyes Rey

Tr. Ernesto Barocio
W. Stillman Martin

ATLANTA

W. Stillman Martin

1. Por Cris-to, de los re-yes Rey, Lu-cha-re-mos con va-lor, Por la ver-
2. Con ma-nos fir - mes em-pu-ñad Vues-tra es-pa-da que en la lid To-do e-ne-
3. El Ca - pi - tán al fren-te va De las hues-tes de la fe, Pues su pro-

dad y por el bien Con-tra to-do mal y e-rror. En in-ce-san-te
mi-go a-ba-ti-rá, Pues al-can-za el alma a herir. Sa-tán ven-ci-do
me-sa cum-pli-rá: "Con vo-so-tros es-ta-ré". Si-ga-mos fie-les

ba-ta-llar De los fie-les la le-gión De triun-fo en triun-fo a-van-za-rá:
ha de ser; Su do-mi-nio a-ca-ba-rá, Y sus cau-ti-vos a los pies
su pen-dón; No nos can-se el ba-ta-llar: Co-ro-na-ce-da ven-ce-dor,

Coro

Fuer-tes, in-ven-ci-bles son
Del in - vic-to Rey ven-drán. Lu - chan-do con va - lor; Ven - cien - do por la
De Je-sús re - ci - bi - rá.

fe, Has-ta que glo-ria y ho-nor El mun-do a Cris-to dé. to dé.

315   **Ven, Espíritu Eterno**

Es traducción
S. P. Craver

OTOÑO

F. H. Bartholemon

1. Ven, Es - pí - ri - tu e - ter - no, Trá - e - nos la gra - ti - tud
2. Ven, Tes - ti - go de su muer - te, Ven, di - vi - no Ins-pi - ra - dor,
3. Que i - mi - te - mos tus ge - mi - dos, Sus - pi - ran-do en o - ra - ción;

1. De su mé - ri - to vi - ca - rio, Del do - lor la ple - ni - tud
2. Que sin - ta - mos tu pre - sen - cia, Y a - pre - cie - mos tu va - lor;
3. Que mi - re - mos las he - ri - das Se - ña de la a - flic - ción

1. Que su - frió el Ser di - ví - no Pa - ra nues - tra re - den - ción,
2. Ven, a - plí - ca - nos la san-gre Del di - vi - no Re - den - tor;
3. Del que he - mos tras-pa - sa - do; Que lo vea - mos con do - lor,

1. Re - nu - e - va la me - mo - ria, Da - nos fe en el co - ra - zón.
2. Y que Cris - to en nos - o - tros, Sea cons - tan - te mo - ra - dor.
3. Y la san-gre ro - ci - a - da Re - ci - ba-mos con a - mor.

316   # Tu Vida, Oh Salvador

Tr. Ernesto Barocio
S. D. Phelps, 1862   TODO POR JESUS   Robert Lowry

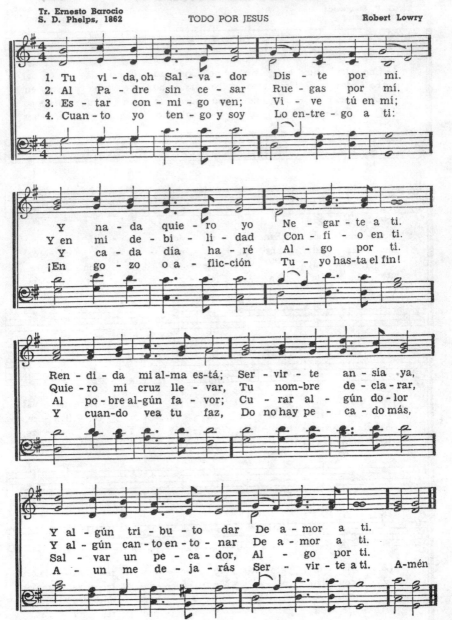

1. Tu vi-da, oh Sal-va-dor Dis-te por mí.
2. Al Pa-dre sin ce-sar Rue-gas por mí.
3. Es-tar con-mi-go ven; Vi-ve tú en mí;
4. Cuan-to yo ten-go y soy Lo en-tre-go a ti:

Y na-da quie-ro yo Ne-gar-te a ti.
Y en mi de-bi-li-dad Con-fí-o en ti.
Y ca-da día ha-ré Al-go por ti.
¡En go-zo o a-flic-ción Tu-yo has-ta el fin!

Ren-di-da mi al-ma es-tá; Ser-vir-te an-sía ya,
Quie-ro mi cruz lle-var, Tu nom-bre de-cla-rar,
Al po-bre al-gún fa-vor; Cu-rar al-gún do-lor
Y cuan-do vea tu faz, Do no hay pe-ca-do más,

Y al-gún tri-bu-to dar De a-mor a ti.
Y al-gún can-to en-to-nar De a-mor a ti.
Sal-var un pe-ca-dor, Al-go por ti.
A-un me de-ja-rás Ser-vir-te a ti. A-mén

317 Cristo Viene

Tr. G. P. Simmonds
Charles Wesley

REGENT SQUARE

Henry Smart

1. Con las nu-bes vie-ne Cris-to Que u-na vez por nos mu-rió; San-tos mi-les can-tan him-nos Al quien en la cruz triun-fó. ¡A-le-lu-ya! ¡A-le-lu-ya! Cris-to vie-ne y rei-na-rá.

2. To-dos al Gran So-be-ra-no Le ve-rán en ma-jes-tad; Los que le cru-ci-fi-ca-ron Llo-ra-rán su in-dig-ni-dad, Y con llan-to, y con llan-to Al Me-sí-as mi-ra-rán.

3. Las se-ña-les de su muer-te En su cuer-po lle-va-rá; Y la I-gle-sia ya triun-fan-te Al Rey in-vic-to a-cla-ma-rá, Y con go-zo, y con go-zo Sus in-sig-nias mi-ra-rá.

4. Que Te a-do-ren to-dos, to-dos. Dig-no Tú e-res ¡O Se-ñor! En tu glo-ria y en jus-ti-cia Rei-na-rás ¡O Sal-va-dor! ¡A-le-lu-ya! ¡A-le-lu-ya! Pa-ra siem-pre rei-na-rás.

318 ¡Sé Un Héroe!

Tr. J. Palacios
Adam Craig

¡SE UN HEROE!

Charles H. Gabriel

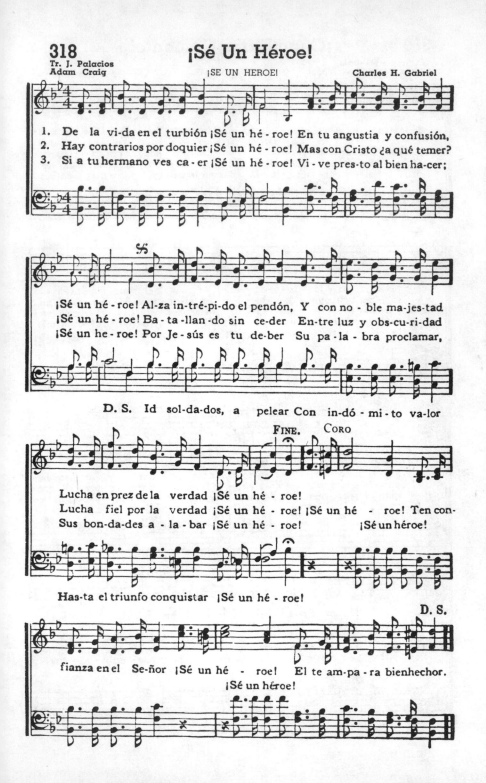

1. De la vi-da en el turbión ¡Sé un hé-roe! En tu angustia y confusión,
2. Hay contrarios por doquier ¡Sé un hé-roe! Mas con Cristo ¿a qué temer?
3. Si a tu hermano ves ca-er ¡Sé un hé-roe! Vi-ve pres-to al bien ha-cer;

¡Sé un hé-roe! Al-za in-tré-pi-do el pendón, Y con no-ble ma-jes-tad
¡Sé un hé-roe! Ba-ta-llan-do sin ce-der En-tre luz y obs-cu-ri-dad
¡Sé un he-roe! Por Je-sús es tu de-ber Su pa-la-bra proclamar,

D. S. Id sol-da-dos, a pelear Con in-dó-mi-to va-lor

FINE. CORO

Lucha en prez de la verdad ¡Sé un hé-roe!
Lucha fiel por la verdad ¡Sé un hé-roe! ¡Sé un hé-roe! Ten con-
Sus bon-da-des a-la-bar ¡Sé un hé-roe! ¡Sé un héroe!

Has-ta el triunfo conquistar ¡Sé un hé-roe!

D. S.

fianza en el Se-ñor ¡Sé un hé-roe! El te am-pa-ra bienhechor.
¡Sé un héroe!

319   ¡Cuán Firme Cimiento!

Tr. Vicente Mendoza
"K" en "Selection", Rippon   ADESTE FIDELES   J. F. Wade, en "Cantus Diversi", 1751

1. ¡Cuan fir-me ci-mien-to se ha da-do a la fe, De Dios en su e-
2. No te-mas por na-da, con-ti-go yo soy; Tu Dios yo soy
3. No ha-brán de a-ne-gar-te las on-das del mar, Si en a-guas pro-
4. La lla-ma no pue-de da-ñar-te ja-más, Si en me-dio del
5. Al al-ma que an-he-le la paz que hay en mí, Ja-más en sus

ter-na pa-la-bra de a-mor! ¡Qué más él pu-die-ra en su
so-lo, tu a-yu-da se-ré; Tu fuer-za y fir-me-za en mi
fun-das te or-de-no sa-lir; Pues siem-pre con-ti-go en an-
fue-go te or-de-no pa-sar; El o-ro de tu al-ma más
lu-chas la ha-bré de de-jar; Si to-do el in-fier-no la

li-bro a-ña-dir, Si to-do a sus hi-jos lo ha di-cho el Se-
dies-tra es-ta-rán, Y en e-lla sos-tén y po-der te da-
gus-tias se-ré, Y to-das tus pe-nas po-dré ben-de-
pu-ro se-rá, Pues só-lo la es-co-ria se ha-brá de que-
quie-re per-der, ¡Yo nun-ca, no, nun-ca, la pue-do ol-vi-

ñor? Si to-do a sus hi-jos lo ha di-cho el Se-ñor?
ré. Y en e-lla sos-tén y po-der te da-ré.
cir. Y to-das tus pe-nas po-dré ben-de-cir.
mar. Pues só-lo la es-co-ria se ha-brá de que-mar.
dar! ¡Yo nun-ca, no, nun-ca, la pue-do ol-vi-dar!

320 Suenan Melodías En Mi Ser

Tr. S. D. Athans
Elton M. Roth

MELODIA DE AMOR

Elton M. Roth

Allegro

1. Mi Dios me en-vió del cie-lo un can-to Me-lo-dio-so, a-
2. A-mo a Je-sús que en el Cal-va-rio Mis pe-ca-dos
3. Se-rá mi te-ma a-llá en la glo-ria, Del gran tro-no en

rro-ba-dor; Lo can-ta-ré con go-zo y gra-ti-tud,
ya bo-rró; Mi co-ra-zón se in-fla-ma en san-to a-mor,
de-rre-dor, Can-tar por siem-pre con los án-ge-les

Con muy dul-ce y tier-no a-mor.
Que en mi ser él de-rra-mó.
A-la-ban-zas al Se-ñor.

Coro

Suenan me-lo-dí-as en mi ser,
De un canto ce-les-tial, so-no-ro, an-ge-li-cal; Suenan me-lo-
dí-as en mi ser De un dul-ce can-to ce-les-tial.

321 Si Feliz Quieres Ser

Abraham Fernández

VEN A CRISTO

Cosme C. Cota

1. Si fe-liz quieres ser, ven a Cris - to, Cuando tengas tristeza y dolor;
2. Si fe-liz quieres ser, ven a Cris - to, Ni la muerte que infun - de terror
3. Si fe-liz quieres ser, ven a Cris - to, Y re-po - so ben-dito halla - rás;

Ha - lla - rás a Je-sús siempre lis - to Pa-ra dar - te consuelo y amor.
Cau - sa - rá leve espanto a tu al - ma, Si ilumina tu senda el Se-ñor.
¡Oh! cuán dulce es la voz que te lla - ma: Ven, si quieres la dicha gozar.

CORO

Si fe - liz quieres ser, ven a Cris - to. Y di - cho - sa tu al - ma se - rá; Que siguiendo al va-lien - te Cau - di - llo, Siempre, siempre del mal triunfarás.

322 De Mil Arpas y Mil Voces

Es traducción
Thomas Kelley

HARWELL

Lowell Mason

1. Por mil ar-pas y mil vo-ces Se al-cen no-tas de lo-or.
2. Rey de glo-ria, rei-ne siem-pre Tu di-vi-na po-tes-tad;
3. A-pre-su-ra tu ve-ni-da En las nu-bes, ¡oh Se-ñor!

Cris-to rei-na, el cie-lo go-za, Cris-to rei-na, el Dios de a-mor.
Na-die a-rran-que de tu ma-no Los que son tu pro-pie-dad.
Nue-vos cie-los, nue-va tie-rra, Da-nos, Cris-to, por tu a-mor.

Ved, su tro-no o-cu-pa ya, So-lo el mun-do re-gi-
Di-cha tie-ne a-quel que es-tá Des-ti-na-do a ver tu
Au-reas ar-pas de tu grey "Glo-ria" en-to-nen a su

Ved, su tro-no o-cu-pa ya, So-lo el mun-do re-gi-

rá;
faz. ¡Al-le-lu-ya! ¡a-le-lu-ya! ¡a-le-lu-ya! A-mén.
Rey.

323 Mi Vida Di Por Ti

Tr. S. D. Athans
Francis R. Havergal

KENOSIS

Philip P. Bliss

1. Mi vi-da di por ti, Mi san-gre de-rra-mé,
2. Mi ce-les-tial man-sión, Mi tro-no de es-plen-dor,
3. Re-pro-ches, a-flic-ción, Y an-gus-tias yo su-frí,
4. De mi ce-les-te ho-gar, Te trai-go el ri-co don,

Por ti in-mo-la-do fui, Por gra-cia te sal-vé;
De-jé por res-ca-tar Al mun-do pe-ca-dor;
La co-pa a-mar-ga fue Que yo por ti be-bí;
Del Pa-dre, Dios de a-mor, La ple-na sal-va-ción;

Por ti, por ti in-mo-la-do fui, ¿Qué has da-do tú por mi?
Si, to-do yo de-jé por ti, ¿Qué de-jas tú por mi?
Re-pro-ches yo por ti su-frí, ¿Qué su-fres tú por mi?
Mi don de a-mor te trai-go a ti, ¿Qué o-fre-ces tú por mi?

Por ti, por ti in-mo-la-do fui, ¿Qué has da-do tú por mi?
Si, to-do yo de-jé por ti, ¿Qué de-jas tú por mi?
Re-pro-ches yo por ti su-frí, ¿Qué su-fres tú por mi?
Mi don de a-mor te trai-go a ti, ¿Qué o-fre-ces tú por mi?

324   Cual Eco De Angélica Voz

Tr. Ernesto Barocio
Peter P. Bilhorn

DULCE PAZ

Peter P. Bilhorn

1. Cual e-co de an-gé-li-ca voz (su voz) Que
5. Por Cris-to la paz he-cha fue; (su paz) Mu-
3. A-bun-da en mi co-ra-zón paz; (su paz) Sir-
4. Si en él per-ma-nez-co y soy fiel, (soy fiel) No ha-

can-ta del cie-lo el a-mor, (a-mor,) Hoy mi al-ma re-
rien-do mi deu-da pa-gó. (pa-gó.) A-cep-to ya
vien-do fiel-men-te a mi Rey; (mi Rey;) Es le-ve su
brá ten-ta-ción ni do-lor, (no ha-brá) Ni prue-ba que

pi-te: "Me dio Paz ver-da-de-ra el Se-ñor."
su o-bra por fe; ¡Hay paz en mi co-ra-zón!
yu-go y ja-más In-jus-ta o gra-ve su ley.
me ha-ga per-der La paz de mi co-ra-zón.

Coro

¡Paz! ¡dul-ce paz! ¡Don de mi buen Sal-va-dor! (gran don) Y

na-die qui-tar-me po-drá La paz de mi co-ra-zón.

325 Con Gran Gozo y Placer

Enrique Turral

¡BIENVENIDO!

J. R. Murry

1. Con gran go-zo y pla-cer Nos vol-ve-mos hoy a ver; Nues-tras
2. Has-ta a-quí Dios te a-yu-dó, Ni un mo-men-to te de-jó, Y a nos-
3. Dios nos guar-de en es-te a-mor, Pa-ra que de co-ra-zón, Con-sa-

ma-nos o-tra vez Es-tre-cha-mos. Se con-ten-ta el co-ra-zón En-san-
o-tros te vol-vió, ¡Bien-ve-ni-do! El Se-ñor te a-com-pa-ñó, Su pre-
gra-dos al Se-ñor, Le a-la-be-mos En la e-ter-na re-u-nión Do no ha-

Coro

chán-do-se de a-mor: To-dos a u-na voz a Dios Gra-cias da-mos.
sen-cia te am-pa-ró, Del pe-li-gro te guar-dó, ¡Bien-ve-ni-do! ¡Bien-ve-
brá se-pa-ra-ción, Ni tris-te-za ni a-flic-ción. ¡Bien-ve-ni-do!

ni-do! ¡bien-ve-ni-do! Los her-ma-nos hoy a-quí Nos go-za-mos en de-cir:

!Bien-ve-ni-do! ¡Bien-ve-ni-do! Al vol-ver-nos a reu-nir, ¡Bien-ve-ni-do!

326 Abre Mis Ojos a La Luz

Tr. S. D. Athans
Clara H. Scott

SCOTT

Clara H. Scott

1. A - bre mis o - jos a la luz, Tu ros - tro quie - ro ver, Je - sús;
2. A - bre mi o - í - do a tu ver-dad, Yo quie-ro o-ir con cla - ri - dad;
3. A - bre mis la - bios pa-ra ha-blar, Y a to-do el mun-do pro-cla-mar
4. A - bre mi men - te pa - ra ver Mas de tu a-mor y gran po - der;
5. A - bre las puer-tas que al en-trar En el pa-la - cio ce - les - tial,

Pon en mi co - ra - zón tu bon-dad, Y da - me paz y
Be - llas pa - la - bras de dul-ce a-mor, ¡Oh mi ben - di - to
Que tú vi - nis - te a res-ca - tar Al más per - di - do
Da - me tu gra - cia pa - ra triun-far, Y haz-me en la lu - cha
Pue - da tu dul - ce faz con-tem-plar Por to - da la e -

san - ti - dad, Hu-mil-de-men-te a - cu-do a ti. Por-que tu tier - na
Sal - va - dor! Con-sa-gro a ti mi frá - gil ser, Tu vo-lun-tad yo
pe - ca - dor. La mies es mu-cha, ¡oh, Se-ñor! O - bre-ros fal - tan
ven - ce - dor. Sé tú mi es-con-de - de - ro fiel, Y au-men-ta mi va -
ter - ni - dad. Y cuan-do en tu pre-sen-cia es-té. Tu san - to nom-bre a -

voz o - í; Mi guí - a sé, Es - pí - ri - tu Con - so - la - dor.
quie-ro ha-cer. Lle - na mi ser, Es - pí - ri - tu Con - so - la - dor.
de va-lor; He - me a-quí, Es - pí - ri - tu Con - so - la - dor.
lor y fe; Mi ma-no ten, Es - pí - ri - tu Con - so - la - dor.
la - ba - ré; Mo - ra en mí, Es - pí - ri - tu Con - so - la - dor.

327 De Haberme Revelado

Tr. T. M. Westrup y otros
El Nathan

EL NATHAN

James McGranahan

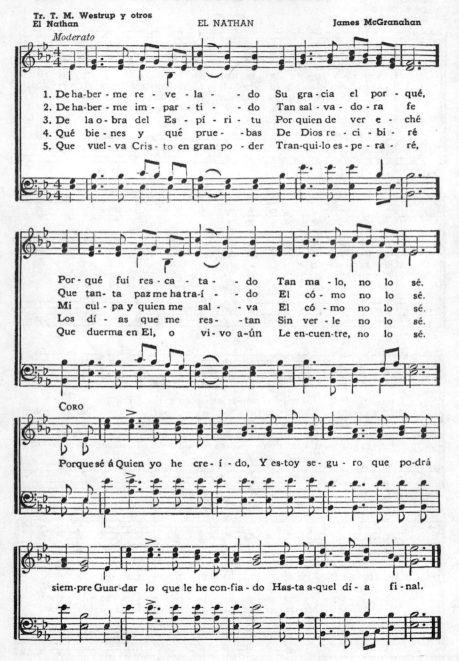

1. De ha-ber - me re - ve - la - - do Su gra - cia el por - qué,
2. De ha-ber - me im - par - ti - - do Tan sal - va - do - ra fe
3. De la o - bra del Es - pí - ri - tu Por quien de ver e - ché
4. Qué bie - nes y qué prue - - bas De Dios re - ci - bi - ré
5. Que vuel - va Cris - to en gran po - der Tran-qui-lo es - pe - ra - ré,

Por - qué fui res - ca - ta - - do Tan ma - lo, no lo sé.
Que tan - ta paz me ha tra-í - - do El có - mo no lo sé.
Mi cul - pa y quien me sal - - va El có - mo no lo sé.
Los dí - as que me res - - tan Sin ver - le no lo sé.
Que duerma en El, o vi - vo a-ún Le en-cuen-tre, no lo sé.

CORO

Porque sé á Quien yo he cre - í - do, Y es-toy se - gu - ro que po-drá

siem-pre Guar-dar lo que le he con-fia - do Has-ta a-quel dí - a fi - nal.

328 El Llamamiento De Cristo

S. D. Athans
C. Austin Miles

Marcial.

LAS NUEVAS LLEVAD

1. Sobre el tu-mul-tuo-so ru - i - do mun-danal, Se oye el llama-
2. De le-ja-nas tierras nos llaman sin ce - sar; Al - mas o - pri-
3. Es la mies muy grande, o - bre-ros fal-tan ya; ¿Quién al lla-ma-
4. "Id por todo el mun-do," la or-den Cris-to da, Id, y el e-van-

miento de Cristo a trabajar. De Cris-to o - íd la voz,
mi-das, su yu-go a destrozar.
miento de Cristo a-cu-di-rá?
ge - lio a to-dos a-nunciad. De Cris-to o-íd De Cristo oíd la voz

CORO *Unísono.*

La voz de Cristo os ordena: las nuevas llevad. Con el glorio-so evan-

ge - lio el mundo a-lumbrad. Entre nos-o-tros, doquier es-temos, se-

A CUATRO VOCES.

-lor y fe.

rá nuestro Rey; Marchemos, pues, resueltos, con valor, sí, con valor y fe.

-lor y ple-na fe.

329 En Una Cruz Mi Salvador

Ernesto Barocio, Adapt.
W. M'K Darwood

CALVARIO (SWENEY)

John R. Sweney

1. En u - na cruz mi Sal - va - dor Por mi mal-dad su vi - da dio: Tan gran-de fue su a-mor por mí; ¡Por mí, que soy tan po-bre y vil!
2. Per-dón ha - llé gra-tui-to en él, Y li - ber-tad me-dian-te fe: Mi po - se-sión que me sal - vó e - ter - na es Je - sús, ¿qué más de-sear po - dré?
3. De mi can-ción te - ma se - rá Mien-tras vi-vir me de-je a - cá, Que me sal - vó Em-ple-a - ré de mi mal-dad En u - na cruz al ex-pi - rar.
4. Y cuan-do sin cui-da-dos ya Es - té con él en glo-ria y paz, Em-ple-a - ré la e-ter - ni-dad Su inmenso amor en a - la - bar.

Coro

¡Cuán grande amor, Cal-va-rio, en ti Mi Sal - va - dor mos-tró por mí (por mí)!

Con gra - ti - tud lo en-sal - za - ré, Que vi-da y luz de mi al-ma es él.

330 Manos Pequeñas Tengo Listas

T. M. Westrup   DE JESUS TODO SOY   W. A. Ogden

1. Ma - nos pe - que - ñas   ten - go lis - tas,
2. O - jos pe - que - ños   ten - go a - bier - tos
3. Un co - ra - zón pe - que - ño y dé - bil,

U - na len - güi - ta sin sa - ber, Dos o - re - ji - tas
Pa - ra mi - rar lo de Je - sús; Ten - go dos pies pe -
U - na so - la al - ma que sal - ve él, Vi - da só - lo u - na, es

es - cu - chan - do, Voz in - fan - til pa - ra a - pren - der.
que - ños que an - dan Rum - bo al e - ter - no ho - gar de Dios.
de él en - te - ra, Un po - bre pe - que - ñi - to fiel.

CORO

De Je - sús to - do soy En la au - ro - ra de mi

vi - da; A se - guir pron - to es - toy, ¿Cuál es mi de - ber?

331 No Tengo Méritos

Tr. Ernesto Barocio
James M. Gray

SOLO PECADOR

D. B. Towner

1. No ten - go mé - ri - tos; yo bien lo sé; Cris - to sal - vó - me me -
2. Ne - cio y re - bel - de al pe - ca - do ser - ví; Le - jos an - du - ve de
3. Llo - ra - ba y ge - mí - a, mas ¿qué va - lor Tie - nen las lá - gri - mas
4. Quie - ro mi his-to - ria con - tar: soy fe - liz; A - mo a Je - sús; dio su

dian - te la fe. ¡Fue - ra jactancia! La glo - ria le doy; Tan só - lo por
Dios; me per - dí Cris - to buscóme; me halló, y con a - mor Tan só - lo por
de un pe - ca - dor? ¿Có - mo mirar puede el ros-tro de Dios? Tan só - lo por
vi - da por mí. Ven, pe - ca-dor, a Je - sús, co-mo yo, Tan só - lo por

Coro

gra - cia me sal - vó. Cris - to por gra - cia me sal - vó:

Cris - to por gra - cia me sal - vó: Es - ta es la his-to - ria, es

Su - ya la glo-ria. Cris - to por gra-cia me sal - vó. A - mén

332 Alégrate Alma Feliz

REGIA MANSION

S. D. Athans

T. B. Barratt

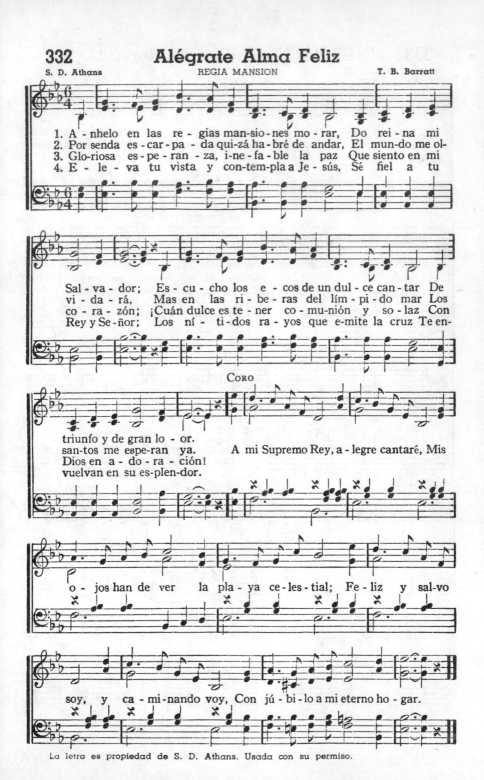

1. A - nhelo en las re - gias man-sio-nes mo - rar, Do rei - na mi
2. Por senda es - car - pa - da qui-zá ha-bré de andar, El mun-do me ol-
3. Glo-riosa es - pe - ran - za, i-ne - fa - ble la paz Que siento en mi
4. E - le - va tu vista y con-tem-pla a Je - sús, Sé fiel a tu

Sal - va - dor; Es - cu - cho los e - cos de un dul - ce can - tar De
vi - da - rá, Mas en las ri - be - ras del lím - pi - do mar Los
co - ra - zón; ¡Cuán dulce es te - ner co - mu-nión y so - laz Con
Rey y Se -ñor; Los ní - ti-dos ra - yos que e-mite la cruz Te en-

Coro

triunfo y de gran lo - or.
san-tos me espe-ran ya.   A mi Supremo Rey, a - legre cantaré, Mis
Dios en a - do - ra - ción!
vuelvan en su es-plen-dor.

o - jos han de ver la pla - ya ce-les-tial; Fe - liz y sal-vo

soy, y ca - mi-nando voy, Con jú - bi-lo a mi eterno ho - gar.

La letra es propiedad de S. D. Athans. Usada con su permiso.

333 Placer Verdadero Es Servir

Tr. Ernesto Barocio
Frank C. Huston

RECOMPENSA

Frank C. Huston

1. Pla-cer ver-da-de-ro es ser-vir al Se-ñor; No hay o-bra más noble, ni pa-ga me-jor. Ser-vir-le Yo quie-ro, con fe y con a-mor; Ser-vir-le pro-me-to des-de hoy.

2. Di-ré la ver-dad; le se-ré siem-pre fiel; No im-por-ta que to-do lo pier-da por él. Ri-que-zas e-ter-nas en Cris-to ten-dré. Des-de hoy só-lo a él ser-vi-ré,

3. El o-dio del mun-do por él su-fri-ré; Pe-sa-da la car-ga sin du-da se-rá. Mas sé que su gra-cia no me ha de fal-tar. ¡A Cris-to has-ta el fin ser-vi-ré!

Coro

¡Ser-vir a Je-sús! ¡Ser-vir-le con fe! ¡Qué pa-ga tan ri-ca tendré! No im-por-ta que su-fra; su-frió el por mí. Sir-vien-do a Je-sús; soy fe-liz.

334 ¡Resucitó! La Nueva Dad

Tr. Ernesto Barocio
Elsie Duncan Yale

¡RESUCITO!

J. Lincoln Hall

Dúo

1. ¡Re - su - ci - tó! La nue-va dad / Al mun - do, que su muerte vio;
2. Vié - ron - le tris-tes se - pul-tar / Cuantos en él tu-vie-ron fe;
3. Mas el se - pul-cro no lo-gró / En sus pri-sio-nes re - te-ner
4. ¡Re - su - ci - tó! Ya no ten-drá / Som-bras la tum-ba pa-ra el fiel.

To-mó en la cruz nues-tro lu - gar, / Mas del se-pul-cro re - vi - vió.
To-da es - pe-ran - za muer-ta ya, / Cre - ye - ron se - pul-tar con él.
Al Cris - to Rey, que ven-ce-dor / Fue del in-fier-no y su po-der.
Aun-que mu - rie-re, vi - vi - rá / El que cre-ye-re só-lo en él.

Coro

¿Por qué bus - cáis al Cris-to a - quí? En - tre los
muer - tos ya no es-tá. No le llo - réis; can-tad, re-
íd, Y pro-cla - mad: ¡El Cris - to vi-ve y rei - na ya!

335   La Tierna Voz Del Salvador

Tr. Pedro Castro
William Hunter

MEDICO DE AMOR

John H. Stockton

1. La tier - na voz del Sal - va - dor Nos ha - bla con - mo - vi - da.
2. Cor - de - ro man - so ¡glo - ria a ti! Por Sal - va - dor te a - cla - mo;
3. La a - mar - ga co - pa de do - lor, Je - sús, fue tu be - bi - da,
4. "Bo - rra - das ya tus cul - pas son," Su voz hoy te pre - go - na;
5. Y cuan - do al cie - lo del Se - ñor Con él nos e - le - ve - mos,

O - id al Mé - di - co de a - mor, Que da a los muer - tos vi - da.
Tu dul - ce nom - bre es pa - ra mí La jo - ya que más a - mo.
En cam - bio das al pe - ca - dor El a - gua de la vi - da.
A - cep - ta, pues, la sal - va - ción, Y es - pe - ra la co - ro - na.
A - rre - ba - ta - dos en su a - mor Su glo - ria can - ta - re - mos.

CORO

Nun - ca los hom - bres can - ta - rán, Nun - ca los án - ge - les en luz,

No - ta más dul - ce en - to - na - rán Que el nom - bre de Je - sús.

336 Sentir Más Grande Amor

Tr. Ernesto Barocio
Elizabeth Prentiss

MAS AMOR POR TI

Wm. H. Doane

1. Sen - tir más gran - de a-mor por ti, Se - ñor,
2. Bus - qué mun - da - na paz Y vil pla - cer;
3. Que ven - ga la a - flic - ción. Do - lor tam-bién;
4. Tu nom - bre al ex - pi - rar In - vo - ca - ré,

Mi an - he - lo es, mi o - ra - ción Que e - le - vo hoy.
No quie - ro hoy na - da más Que tu - yo ser.
Tus men - sa - je - ros son Pa - ra mi bien,
¡Con - ti - go i - ré a mo - rar! ¡Tu faz ve - ré!

Da - me es-ta ben - di - ción: Sen - tir por ti, Se - ñor,
¡Oh qué fe - li - ci - dad, Sen - tir por ti, Se - ñor,
A ti me a-cer - ca - rán, Y a - sí sen - tir me ha-rán
Y por la e - ter - ni - dad Pen - san-do en tu bon - dad,

Más gran - de a - mor, Más gran - de a - mor.
Cre - cien - te a - mor, Cre - cien - te a - mor!
Mi a-mor cre - cer, Mi a-mor cre - cer. A - mén.
Más te a - ma - ré, Más te a - ma - ré.

337 Tuve Un Cambio

Tr. A. P. Pierson
Alfred H. Ackley

TUVE UN CAMBIO

Alfred H. Ackley

1. Tu - ve un cam - bio cuan - do di - je a Cris - to: Ven Je - sús y mo - ra siem-pre en mí. Mis ca - de - nas fue - ron to - das ro - tas, Fui la - va - do en fuen - te car - me - sí.

2. Tu - ve un cam - bio que es in - ex - pli - ca - ble, Es u - na ex-pe - rien - cia per - son - al: El Se - ñor Je - sús en - tró y el go - zo Que yo sien-to es glo - ria ce - les - tial.

3. Tu - ve un cam - bio en el ca - mi - no tris - te, La es - pe - ran - za i-nun - da ya mi ser: Los te - mo - res fue - ron di - si - pa - dos; Me lle - nó de fe y de gran po - der.

4. Tu - ve un cam - bio nue - vo en mi vi - da, Nue - vos ho - ri - zon - tes pue - do ver. Mis a - nhe - los hoy son ce - les - tia - les, En su sen-da an - dar es mi pla - cer.

Coro

Al ser sal - vo tu-ve un cam - - - bio En mi co - ra - zón, en mi co - ra - zón. Al ser sal - vo tu-ve un

Cam-bio tan her-mo - so,

Un cam-bio, Cam - bio

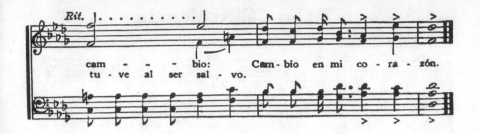

cam - - bio: Cam - bio en mi co - ra - zón.
tu - ve al ser sal - vo.

338   El Borró de Mi Ser la Maldad

Tr. A. P. Pierson
W. D. K.

ARROLLADOS

Arr. por R. R. Brown

El bo - rró de mi ser la mal-dad, Mis pe - ca - dos en la cruz él lle-

vó; El bo - rró de mi ser la mal-dad, Con su san - gre car - me-

sí me la - vó. Mis pe - ca - dos bo - rró En rau-dal car-me-sí. El bo-

rró de mi ser la mal-dad, Me la - vó, me lim-pió y me sal - vó.

339 En La Célica Morada

Tr. T. M. Westrup
W. P. Mackay, Médico   MEMORIAS TERRENAS   James McGranahan

1. En la cé - li - ca mo - ra - da De las cum - bres del E - dén, Don - de
2. O - ra - ción, de-be - res, pe - nas, Ví - as que an - du - vi - mos ya, Po - se-
3. La bon - dad con que nos mi - ra Sin can-sar - se cuan-do ve Po - co

ca - da voz en-sal - za Al Au-tor de to - do bien, ¿El pe - sar re - cor-da-
yen - do las ri-que - zas Que Je-sús nos guarda a - llá, ¿La me - mo - ria re-ten-
fru-to en nues-tra vi - da, Y tan dé - bil nues-tra fe, ¿Nos a - cor - da - re-mos

re - mos, Y la tris - te nu - bla-zón, Tan-tas lu - chas del Es - pí - ri - tu
dre-mos, A cu-bier - to de do-lor, Del ca - mi - no lar-go,as-pé - rri-mo,
de e - lla En a - quel di-cho-so ho-gar De e-ter - nal au - ro-ra es-plén-di - da

CORO

Con el dé - bil co - ra - zón?
Con sus lu - chas, su te - mor? Sí, a - llí se - rá gra - tí - si - mo En el
Ei - ne - fa - ble bien - es - tar?

pro - ce-der pen-sar Del Pas-tor fiel y be - né - fi - co Que nos a - yu-dó a lle-gar.

340

Tr. S. D. Athans
James Rowe

Howard E. Smith

Su Amor Me Levantó

SEGURIDAD

1. Le - jos de mi dulce ho-gar, Va - ga - ba yo sin Dios, A tra-
2. Todo entrego a mí Je - sús Siempre le se - gui-ré; He to-
3. Ven a él, ¡oh! pe - ca - dor, No te re-cha - za - rá; Con ter-

vés de tierra y mar, sin es - pe - ranza y paz; Mas el tier - no
ma - do ya la cruz y el mundo atrás de - jé. Tan excelso y
nura el buen Pa-stor hoy te re - ci - bi - rá; Tus pe - ca - dos

Sal - va-dor, viéndo-me en a - flic - ción, Por su in - fi - nito a-
grande amor re-quie-re la can - ción, Y el ser - vi - cio fiel de
bo - rra - rá, go - zo tendrás sin par, Gracia y fuerza te da-

Coro.

mor me le - van-tó. Su grande a - mor.... Me le-van-tó......
ca - da co - ra - zón. Su grande a - mor.... Me le-van-tó......
rá pa - ra triunfar.

1 De densa obscu - ri-dad me li - ber - tó;

2 De densa obscu - ri-dad [Omit.....................] Me li - ber - tó.

341 Al Frente De La Lucha

Tr. S. D. Athans
Mrs. C. H. Morris

PROM

Mrs. C. H. Morris

1. ¡A lu-char, a lu-char! en las hues-tes del Se-ñor, Se-gui-
2. Con la en-se - ña de a-mor y de ple - na sal - va-ción, A-len-
3. Si no te has a - lis-ta-do en las hues-tes del Se-ñor, Haz-lo

ré siem-pre en pos del cau - di - llo Sal-va-dor; La di - vi-na ar-ma-du-
ta - do por fe, mar-cha-ré junto al pen-dón, Y por más que es - ta lid
hoy con leal-tad; que te lla-ma el Sal-va-dor, Ten va-lor, fe y te-són;

ra con - mi-go lle-va-ré; Mar-cha-ré siem-pre al frente de la lu-cha
se - a du-ra y sin cuar-tel Me ha-lla-ré siempre al frente de la lu-cha
que te es-pe-ra ga-lar-dón, Ven, mar-che-mos al frente de la lu-cha

CORO

O - ye el pa - so fir - me de las hues - tes, Que van mar-chan - do de
(Prom pom pom)   (Prom pom pom)   (Prom pom pom)

triunfo en triun-fo; O-ye el pa - so fir - me de las hues - tes Que a vic-
(Prom pom pom)   (Prom pom pom)   (Prom pom pom)

342 Dulzura, Gloria, Majestad

T. M. Westrup · MAITLAND · George N. Allen, 1852

343 **Siembra Que Hicimos**

Tr. T. M. Westrup
Emily S. Oakley   ¿QUE SE COSECHARA?   Philip P. Bliss

1. Siembra que hicimos del alba al nacer, Siembra que hicimos su-bi-do ya el sol,
2. Siembra que hicimos en puro barrial Siembra que en medio de espinas murió,
3. Siembra que hicimos con llanto tenaz. Siembra que exprime en el alma la hiel,

Siembra que tar - de del día vio ca-er, Siembra que cub-re nocturno tel - ón.
Siembra que a ca - er fue en un pedregal, Siembra que fér-til terreno encontró.
Siembra de fe di-vi-san-do el so-laz, Sie - ga go - zo-sa y co-ro-na del fiel.

¡Ay! ¿qué se co - se - cha - rá? ¡Ay! ¿qué se co - se - cha - rá?

CORO

Sea que a la luz o en ti - nie - blas sem
Sea que a la luz o en ti - nie-blas sem-bré, Sea que a la luz o en ti-

bré Lo que sem-bra - - mos co-
nie - blas sem-bré, Lo que sem-bra-mos co - se - cha da - rá.

se - cha da - rá, Sea, que en el tiem - po su

Lo que sem-bra-mos co - se - cha da - rá,

fru - to se dé, Sea que lo dé en la eter-ni - dad.

344 Divísase La Aurora

Tr. T. M. Westrup
Samuel F. Smith

WEBB

George J. Webb

1. Di - ví - sa - se la au - ro - ra, La no-che da lu - gar; Co - no-ce el hom-bre y
2. Ro - cí - os a - bun-dan - tes De gra-cia ce - les - tial, Con pers-pec - ti - vas
3. Las gen - tes ya se in-cli - nan Al Dios de nues-tro a-mor Ya creen sus ma - ra-

llo - ra Su an - ti - gua ce - gue - dad; Ca-da au - ra que al mar cres - pa Trae
gran- des Y nue - vas, sin ce - sar; Ca-da o - ra - ción que su - be Res-
vi - llas Y go - zan su fa - vor; Al lla - ma-mien-to a-cu - de De

nue-vas de la lid De gen - te que se pres - ta Por Sión a com-ba - tir.
pues-ta ple - na trae; De cé - fi-ros y nu - bes El bien pre-cio - so cae.
mí - se - ros tro - pel; Al - ta - res fal - sos se hun-den En-tre un so-no-ro "A-mén."

345 ¿Respuesta No Hay?

Tr. Vicente Mendoza
Charles D. Tillman

Charles D. Tillman

¿SIN CONTESTACION?

1. ¿Res - puesta no hay Al ruego que en tu pecho Con ansie-
2. ¿Res - puesta no hay? Quizá cuando e - le - vas - te Tu ansiosa
3. ¿Res - puesta no hay? No digas que te ol - vi - da, Qui - zá tu
4. ¿Res - puesta no hay? La fe te - ner - la de - be, Si en Cris-

dad alzaste en tu do - lor? ¿Tu fe va - ci - la ya y tu es - pe-
voz al tro-no ce-les - tial, Temis - te no sufrir tan larga es-
par - te no cum-plida vio; Cuando tu ansioso ruego a Dios al-
to, Roca eterna, firme está; Se - gu - ra siempre queda en la tor-

ran - za, Cre - yendo vano el ruego a tu Se - ñor? No digas
pe - ra, ¡Tan ru - da fue tu lucha con el mal! Mas tú ve-
zas - te, De fe la lucha en tu alma comen - zó. Si de su
menta, Ni al rayo ni a los vientos te - me - rá, Pues sabe

nunca que él no oyó tu voz, Tu anhelo cum-pli - rá des-
rás que el tiempo irá ve - loz, Y te respon - de - rá des-
ley tan só - lo vas en pos, Respuesta te da - rá des-
bien que Dios oirá su voz, Y clama: ¡lo ha de ha - cer des-

Rit. ad lib.

pués tu Dios. Tu anhelo cum - plirá después tu Dios.
pués tu Dios. Y te res-pon-de - rá después tu Dios.
pués tu Dios. Respuesta te da - rá después tu Dios.
pués mi Dios! Y clama: ¡Lo ha de hacer después mi Dios!

346 Ven, Santo Espíritu

Tr. T. M. Westrup
Isaac Watts

DUNDEE

William Franc, en
Salterio Escocés, 1615

1. Ven, San - to Es - pí - ri - tu de a - mor, Pa - lo - ma Ce - les - tial,
2. El fue - go de con - sa - gra - ción Te dig - nes en - cen - der
3. Es tris - te que con ce - gue - dad Si - ga - mos el pla - cer:
4. Lo - gra - do del Se - ñor per - dón A nom - bre de Je - sús,

De in - flu - jo vi - vi - fi - cā - dor E - res el man - an - tial.
En nues-tro he-la - do co - ra - zón, Y da - le nue - vo ser.
Tan cri - mi - nal de - bi - li - dad Des - tie - rre tu po - der.
Que lle - nen ca - da co - ra - zón Fe, for - ta - le - za y luz. A-mén

347 Somos De Cristo Segadores

Tr. Ernesto Barocio
Charles H. Gabriel

SEGADORES

Charles H. Gabriel

1. So-mos de Cris-to se-ga-do-res; Cu-bre los cam-pos ri-ca
2. Hay mu-chas al-mas que go-zo-sas El e-van-ge-lio es-cu-cha
3. Bre-ve es el tiem-po de la sie-ga; ¿Cuán-tas ga-vi-llas lle-va-

mies; Blan-cos es-tán pa-ra la sie-ga; Va-mos el
rán; Es-pi-gas son ya sa-zo-na-das; ¿Quien las re-
réis? Mu-chas y muy pre-cio-sas o-tros De Cris-to

fru-to a re-co-ger. O-tros con lá-gri-mas sem-
co-ja fal-ta-rá? Ha-ces for-me-mos a-pre-
po-nen a los pies. ¡A-tad ga-vi-llas! os es-

bra-ron ¡Siem-bra de a-mor, siem-bra de fe! Re-go-ci-
ta-dos Pa-ra lle-var al Sal-va-dor; Cum-pli-do el
pe-ra Glo-rio-so pre-mio que da-rá A ca-da

ja-dos hoy se-ga-mos Fie-les sir-vien-do a nues-tro Rey.
go-zo se-rá en-ton-ces Del se-ga-dor y el que sem-bró.
sier-vo fiel el Maes-tro. Me-ted las ho-ces ¡Tra-ba-jad!

Coro

¡Va - mos hoy a tra - ba - jar! El Ma - es - tro lla - ma.

O - bra pa - ra to - dos hay; Se - ga - do - res fal - tan.

Pa - sa el tiem - po de se - gar; La o - por - tu - ni - dad se va.

¡Va - mos! ¡Va - mos hoy a tra - ba - jar!

348 Mensajeros Del Maestro

Vicente Mendoza

MENSAJEROS

Wm. J. Kirkpatrick

1. Men - sa - je - ros del Ma - es - tro A - nun-ciad al co - ra - zón,
2. De los mon-tes en la ci - ma, En los va - lles y en el mar,
3. En los an - tros del pe - ca - do Y en los si - tios de a - flic-ción,
4. A - nun-ciad a los cau - ti - vos Su glo - rio - sa li - ber - tad,

De Je - sús la bue - na nue - va De su gran-de sal - va - ción.
Que do-quier el e - van - ge - lio Hoy se pue - da pro - cla - mar.
Las a - le - gres nue-vas va - yan A lle-var con - so - la - ción.
Al can-sa - do y al ca - í - do Bue-nas nue - vas pro-cla - mad.

CORO

Men - sa - je - ros del Ma - es - tro, Vues-tra voz ha-ced o - ír,
Vues-tra voz ha - ced o - ír,

Y los hom-bres que la es-cu - chen Vi - da pue-dan re - ci - bir.

349 Jubilosas Nuestras Voces

F. S. Montelongo

MENSAJEROS

Wm. J. Kirkpatrick

1. Ju - bi - lo - sas nues-tras vo - ces E - le - va - mos con fer -
2. Bien - ve - ni - dos los cam - peo - nes De la fe y de la ver -
3. Bien - ve - ni - dos los sol - da - dos De las hues-tes de Je -
4. U - no so - lo es nues-tro a-nhe - lo, Tra - ba - ja - mos con te -

vor, Pa - ra dar la bien - ve - ni - da
dad, A quien nues-tros co - ra - zo - nes
sús, Los que lu - chan de - no - da - dos
són Por ha - cer que el Rey del cie - lo

A los sier-vos del Se - ñor.
Hoy les brin-dan su a - mis - tad.
Por el triun - fo de la luz.
Rei - ne en ca - da co - ra - zón.

CORO

Bien - ve - ni - dos, bien - ve - ni - dos, A - da - li - des de Jeho - vá;

Pa - ra - bie-nes no fin - gi - dos La con-gre - ga - ción os da.

350 ¡Camaradas! En Los Cielos

Tr. J. B. Cabrera
P. P. Bliss

AFIRMARSE EN EL FUERTE

P. P. Bliss

1. ¡Ca - ma - ra - das! en los cie - los Ved la en-se - ña ya.
2. Na-da im-por - ta nos a - se - dien Con ru-gien-te a - fán
3. Tre - mo-lan-do se di - vi - sa El mar-cial pen - dón,
4. Sin des-can - so ru - da si - gue La fu - rio - sa lid.

Hay re-fuer - zos; nues-tro el triun - fo, No du-déis, se - rá.
Las le-gio - nes a - gue-rri - das Que or-de - nó Sa - tán.
Y se es-cu - cha de las trom-pas El gue-rre - ro son.
¡Oh a - mi - gos! ya cer-ca - no Ved nues-tro A-da - lid.

¡Fir - mes ya, pues yo voy pron - to! Cla - ma el Sal - va - dor.
No os a - rre-dre su co - ra - je; Ved en de - rre - dor
En el nom-bre del que vie - ne, Fuer - te Ca - pi - tán,
Vie - ne el Cris - to con po - ten - cia A sal - var su grey:

Sí, es - ta - re - mos por tu gra - cia Fir - mes con vi - gor.
Có - mo ca - en los va - lien-tes Ca - si sin va - lor.
Ro - tos nues-tros e - ne - mi - gos To - dos que - da - rán.
Ca - ma - ra - das, a - le - grí - a ¡Vi - va nues - tro Rey!

351 ¡Lo He De Ver!

T. M. Westrup

VERE SU FAZ

E. T. Westrup

1. ¡Lo he de ver! ¿Cuán-do? no sé. Pa-ís del ho-ri-zon-te in-men-so; ¿Dó ha-lla-ré su o-cul-to as-cen-so? ¿El tro-no cuán-do mi-ra-ré?
2. Que no lo se-pa va-le más: Ve-loz el tiem-po trans-cu-rrien-do, Al fin su ros-tro a-man-te vien-do, Ten-dré re-po-so, ten-dré paz.
3. La vi-da va que an-tes vie-ne; Las flo-res tras los frí-os bro-tan; Las di-chas el do-lor de-rro-tan, Y ca-da mal re-me-dio tie-ne.
4. No im-por-tan u-nos a-ños más: Yo sé que so-bre a-que-lla pla-ya Un al-ba re-lu-cien-te ra-ya, Y yo ve-ré de Dios la faz.

CORO

¡A-llí ve-ré ¡Yo ve-ré su faz di-vi-na! ¡A-llí ve-ré su faz a-man-te! ¡Yo ve-ré Con los que han i-do por de-lan-te El me da-rá per-fec-ta paz.

352 Acordándome Voy

Tr. T. M. Westrup
Eliza E. Hewitt

¿TENDRE DIADEMA DE ESTRELLAS?

John R. Sweney

1. A - cor-dán - do-me voy del her - mo - so pa - ís Que ve - ré al po-
2. La po - ten - cia di - vi - na sos-ten - ga mi fe; Vi - gi - lan-te, em-pe-
3. Un au-men - to de di - cha en la cé - li - ca Sión Por ca-da al - ma que

ner - se mi sol, Y co-mien-ce por gra-cia di - vi-na a vi-vir Don-de im-
ño - sa se - rá; Ce - ñi - rá la dia-de-ma en - ton-ces mi sien Por las
lle - ve ten - dré; ¡Cuán-ta di-cha se - rá ver el ros-tro de Dios! A sus

Coro

pe - ra ab-so - lu-to el a - mor.
al - mas que pu - de ga - nar.   ¿Lu - ci - rá en mis sie - nes dia-
pies mi dia - de - ma pon - dré.

de - ma, Se-ñor? ¿Ba-ja - rá a-quel as - tro en paz?_____ Des-per-
                                          sí, en paz,

tan-do ¿es-ta-ré en tu be-lla mansión? ¿En mis sie-nes dia-de-ma ha-brá?__
                                          de es-tre-llas ha-brá?

353 Tras La Tormenta

Tr. Ernesto Barocio
B. D. Ackley

VIDA VENIDERA

B. D. Ackley

1. Tras la tor-men-ta el ar-co i-ris; Y tras la os-cu-ri-dad, la luz; Tras la a-mar-gu-ra, la a-le-grí-a Que a los cre-yen-tes da Je-sús.

2. Tras el in-vier-no, pri-ma-ve-ra; Tras el com-ba-te ru-do, paz; Tras tris-te va-lle, ex-cel-sa cum-bre; Tras cau-ti-ve-rio, li-ber-tad.

3. Tras cuan-to ve-mos, Dios, el Pa-dre, Su a-mor que nun-ca fal-ta-rá; Tras es-te mun-do, el cie-lo a don-de Je-sús nos ha de tras-la-dar.

CORO

A-le-gre can-to mi al-ma e-le-va, Pues tras el ve-lo Cris-to es-tá. Sos-tié-ne-me la fe en su nom-bre; Y he de mi-rar su au-gus-ta faz.

354 Las Mujeres Cristianas

Tr. B. W. V.   CONDADO DE ORLEANS   George C. Stebbins

1. Las mu - je - res cris - tia - nas tra - ba - jan Con a-
2. Con te - so - ros de a-mor en el al - ma, Con po-
3. Ex - ten - di - dos los bra - zos for - me - mos, De cons-

mor, con pa - cien - cia y con fe; Me - jo - rar el ho-
ten - cia in-can-sa-ble en el bien, Ha - lle gra - cia di-
tan - cia y va - lor no-ble u - nión; Tra - ba - jan-do y can-

gar só - lo bus - can, Im - pe - tran - do de Dios el po - der.
vi - na y sea sa - bia Ca - da ma - dre al cum-plir su de - ber.
tan - do e - le - ve - mos Nues-tro sér, el ho - gar, la na - ción.

CORO

Nues-tra fe triun-fa - rá Ex - pre - sa-da en tra-ba - jo te - naz;

El a-mor u - ni - rá Nues-tras al - mas en gra - to so - laz.

355 Es Muy Estrecho El Camino

Ernesto Barocio   EL CAMINO ESTRECHO   Anónimo

1. Es muy es - tre - cho el ca - mi - no   por   el que al
2. En   el ca - mi - no del cie - lo   po - cos, muy
3. Lar - go   el ca-mi - no pa - re - ce,   y   dé - bil

cie - lo se va;   an - cho el de los pe - ca - do - res
po - cos se ven;   ne - cios los hom - bres pre - fie - ren
soy, bien lo sé;   da - me, Se - ñor, for - ta - le - za;

CORO

que a per - di - ción lle - va - rá.
mun - da - nos go - ces   y   bien.   Por el ca - mi - no es -
¡a - fir-ma, au-men-ta la fe!

tre - cho   siem-pre an - da - ré,   Se - ñor,   pues tú en

él   me guí - as   y e - res mi Guar - da - dor.

356   Ven, Alma Que Lloras

A. L. Empaytaz, Adapt.
Mary A. Bachelor

SEPULTA TU PENA

Philip P. Bliss

1. Ven, al - ma que llo - ras, ven al Sal - va - dor, En tus tris - tes
2. To - da tu a-mar - gu - ra dí al Cris - to fiel, Pe - nas y tris-
3. Tú mis-ma al can-sa - do en - se - ña la cruz; Guí - a al an - gus-

ho - ras di - le tu do - lor. Di - le, sí, tu due - lo;
tu - ra, des - car - ga en él; En su tier - no se - no
tia - do ha - cia tu Je - sús; La ben - di - ta nue - va

rit.

ven tal co-mo es-tás, Ha - bla sin re - ce - lo, y no llo - res más.
a - si - lo ha-lla - rás; Ven, que al pobre es bueno, y no llo - res más.
de ce - les - te paz A los tris-tes lle - va; y no llo - res más.

357   ¡Luchad, Luchad Por Cristo!

Tr. Camilo Calamita
George Duffield, Jr.

GEIBEL (BAPTIST)

Adam Geibel

1. ¡Lu - chad, lu - chad por Cris - to, Sol - da - dos de la cruz!
2. ¡Lu - chad, lu - chad por Cris - to! La trom-pa o - be - de - ced;
3. ¡Lu - chad, lu - chad por Cris - to! En su po - der fi - ad;
4. ¡Lu - chad, lu - chad por Cris - to! La lid va a co - men - zar;

Al - zad triun - fal ban - de - ra En - hies - ta por Je - sús.
No hu- yáis an - te el com - ba - te, Que es ho - ra de ven - cer.
Que vues - tro bra - zo es dé - bil, Y des - fa - lle - ce - rá.
Al rui - do del com - ba - te El triun - fo se - gui - rá.

De triun-fo en triun - fo siem - pre, Sed guar - das de su ho - nor,
Sol - da - dos, siem - pre fir - mes, Con mil, u - no, lu - chad;
Ves - tí - os la ar - ma - du - ra, Ve - lan - do en o - ra - ción,
Co - ro - na el es - for - za - do, De vi - da y luz ten - drá,

Y ha-ced que el e - ne - mi - go Se hu-mi-lle an-te el Se - ñor.
Y bra - vos, el pe - li - gro, Va - lien-tes, re - cha - zad.
Y do el pe - li - gro os lla - me No os fal - te el va - lor.
Y con el Rey de glo - ria Por siem - pre rei - na - rá.

CORO

Lu - chad por Cris-to, Sol - da - dos de la cruz; Al-
lu - chad

zad triun-fal ban - de - ra; Sed fie-les, sed fie-les a Je-sús. A-mén.

358 Martirio Cruel Sufrió Jesús

Tr. Ernesto Barocio HILTON Grant Colfax Tullar

1. Mar-ti-rio cruel su-frió Je-sús Cuan-do cla-va-do fue en la
2. Vi-da nos brin-da y sal-va-ción; Quie-re que fie-mos en su a-
3. ¡Glo-rio-sa nue-va de sa-lud! ¡Es Sal-va-dor y es Rey Je-

cruz. ¿Ven-ci-do fue? Tal se cre-yó; Mas
mor. Con san-gre nues-tra paz com-pró. No en
sús! Ca-mi-no al cie-lo nos a-brió. No en

Coro

del se-pul-cro re-sur-gió.
va-no fue su muer-te, ¡no! La gra-ta nue-va al mun-do
va-no fue su muer-te, ¡no!

dad; Re-sue-ne en tie-rra y mar. ¡Vi-ve Je-

súis! ¡Re-su-ci-tó! No en va-no pa-de-ció

359   Nuestros Pasos Encamina

T. M. Westrup   NUESTROS PASOS ENCAMINA   E. T. Westrup

1. Nues-tros pa - sos en - ca - mi - na, Bon-da - do - so Pro-tec-
tor; Por nos - o - tros siem-pre mi - ra; So-mos grey de nues-tro Dios.

2. Llé - va - nos al ver - de pra-do; Vuél-ve - nos a ti Se-
ñor; No per - mi - tas que el pe - ca - do Que-pa en nues-tro co - ra - zón.

3. Ad - mi - tir - nos pro - me-tis - te; A - cu - di - mos con te-
mor; Pa - ra que del mal nos li-bres, Por no caer en ten - ta - ción.

4. Los com - pra - dos a gran pre - cio Con la muer - te del Pas-
tor, Con su vi - da he - chos bue-nos, Ha-cen es - ta o - ra - ción.

Coro

A - pa - cien - ta, a - pa - cien - ta el re - ba - ño de tu a-
mor. A - pa - cien - ta, a - pa - cien - ta el re - ba - ño de tu a - mor.

360 Si Se Nubla Tu Horizonte

T. M. Westrup   LORENZ   Ira B. Wilson

1. Si se nu-bla tu ho - ri - zon -te, Si te
2. Si te can-sas de es -pe - rar -lo, De pe-
3. Del a-mor de Dios no du-des; Siem-pre

rin-de tan-to a-fán, El Se-ñor es - tá pre-sen-te y te oi-rá; Te i-lu-
dir-le en o - ra-ción, Más de-lan-te lo com-pren-de-rás me-jor; Cui - da-
am-pa-ra-rá su grey; Tus ple-ga-rias, tu con-fian-za, o -ye y ve; Quien con

mi-na-rá la vía Y se-rá tu a-man-te guía; Tu pe-sa-da car-ga más li-ge-ra hará de so-co-rrer A los su-yos sin po-der; Por-que to-do lo ha-ce con sa-gaz a-
tan-to a-mor nos dio Real y cé - li-ca un-ción Pre-mia-rá con cre-ces, pue-blo de la

Coro

rá.
mor. Per-se - ve - ra   en ple - ga - ria;   En sus
fe.   Per-se - ve - ra

bra-zos se-cu - la - res sal - vo es-tás; Per-se-ve -ra   en con-
per-se - ve - ra

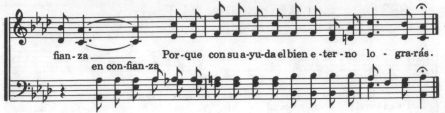

fian - za _____ Por-que con su a-yu-da el bien e -ter -no lo - gra-rás.

en con-fian-za

361 Jesús, Te Necesito

T. M. Westrup

JESUS, TE NECESITO

E. T. Westrup

1. Je - sús, te ne - ce - si - to Por ser tan pe - ca - dor, Mi al-
2. Je - sús, te ne - ce - si - to; Mis bie - nes son no más La
3. Je - sús, a - ma - do mí - o, Dul - cí - si - ma a - mis - tad La

ma en - te - ne - bre - ci - da, Y muer - to el co - ra - zón. La
cruz del pe - re - gri - no, Po - bre - za y or - fan - dad. Tu a-
tu - ya a - pe - te - ci - da Con tan gran - de an - sie - dad. Tu

fuen - te ne - ce - si - to, Do siem-pre ha-llar po - dré Jus-
mor, pues, ne - ce - si - to: Es mi ú - ni - co sos - tén, Mi
co - ra - zón a - man - te Com-pren - de mi su - frir, Mis

ti - cia pa - ra vi - da, Jus - ti - cia por la fe.
guí - a y luz, mi e - gi - da, Mi te - rre - nal E - dén.
prue - bas, mis pe - sa - res; ¿Sin ti co - mo vi - vir?

362 Alabemos Al Eterno

T. M. Westrup HARRISBURGO J. H. Kurzenknabe

1. A - la - be-mos al E - ter - no; De-mos loo-res a Jeho-vá; En - sal-
2. De en-tre el pol - vo sa-ca al dé - bil, Al sen - ta-do en mu-la-dar, En - tre

ce - mos siem-pre el nom-bre del Se - ñor. Des-de el pue-blo que pri - me - ro
prín - ci - pes lo a-sien-ta co-mo i-gual. Su po - der vuel - ve a la es-té - ril,

Ve del sol el or-to a-llá, Has-ta el oes - te do se es-con - de de-mos loor.
En la ca - sa su lu-gar, Con fe - liz mi-sión ma - ter - na na - tu - ral.

Coro

Con-tem - plan - do to - do Pro - vi-den-cia
(Con-tem - plan-do las he-chu-ras De pia - do-sos y de in-jus-tos)

vi-gi-lan-te pa-ter - nal. Rey del cie - lo
(pa-ter-nal) (Rey de cé - li-cas al - tu-ras, Go-ber-

san - to, ¿Quién hay co-mo nues-tro Pa-dre ce-les - tial? A - mén
nan-te de los mun-dos)

363   A Media Noche en Bethlehem

Tr. G. P. Simmonds
Edmund H. Sears

CAROL

Richard S. Willis

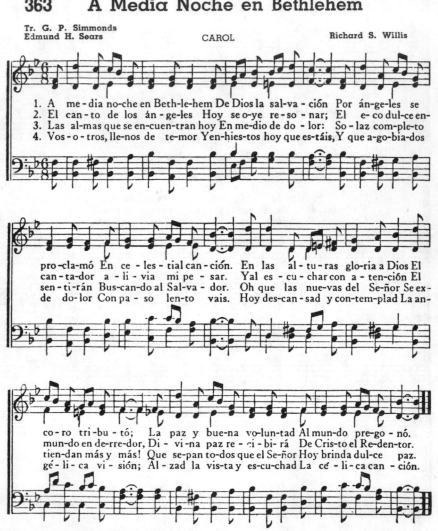

1. A me - dia no-che en Beth-le-hem De Dios la sal-va - ción Por án-ge-les se
2. El can-to de los án - ge-les Hoy se o-ye re - so - nar; El e- co dul-ce en-
3. Las al-mas que se en-cuen-tran hoy En me-dio de do - lor: So - laz com-ple-to
4. Vos-o-tros, lle-nos de te-mor Y en-hies-tos hoy que es-táis, Y que a-go-bia-dos

pro -cla-mó En ce - les - tial can - ción. En las al - tu - ras glo-ria a Dios El
can - ta-dor a - li - via mi pe - sar. Y al es - cu - char con a - ten-ción El
sen - ti-rán Bus-can-do al Sal-va - dor. Oh que las nue-vas del Se-ñor Se ex-
de do-lor Con pa - so len-to vais. Hoy des-can - sad y con-tem-plad La an-

co - ro tri-bu - tó; La paz y bue-na vo-lun-tad Al mun-do pre-go - nó.
mun-do en de-rre-dor, Di - vi-na paz re - ci-bi - rá De Cris-to el Re-den-tor.
tien-dan más y más! Que se-pan to-dos que el Se-ñor Hoy brinda dul-ce paz.
gé - li-ca vi - sión; Al - zad la vis-ta y es-cu-chad La cé - li-ca can - ción.

364 Más Semejante a Cristo

Tr. Ernesto Barocio
Chas. H. Gabriel

HANFORD

Chas. H. Gabriel

1. Más se - me - jan - te a Cris - to quie - ro ser:
2. Ser co - mo Cris - to es mi pe - ti - ción:
3. Más se - me - jan - te a Cris - to en com - pa - sión

Man - so y hu - mil - de co - mo él siem - pre fue;
Fuer - te co - mo él en to - da ten - ta - ción;
Por los per - di - dos que él vi - no a bus - car;

Ce - lo - so ac - ti - vo va - le - ro - so y fiel;
Co - mo él lle - var mi cruz co - mo él a - mar,
Co - mo él te - ner pa - cien - cia ab - ne - ga - ción;

rit.

Más con - sa - gra - do al ser - vi - cio de él.
Y por - que ven - ga el rei - no tra - ba - jar.
Cum - plir co - mo él de Dios la vo - lun - tad.

CORO

To - ma mi vi - da; quie - ro tu - yo ser;
To - ma tú mi vi - da quie - ro tu - yo siem - pre ser;

Mi co - ra - zón que te a - me só - lo a ti.
To - ma tú mi co - ra - zón y te a - me só - lo a ti;

De mi pe - ca - do lí - bra - me, Se - ñor,
Del pe - ca - do que hay en mí, tú lí - bra - me, Se - ñor;

y sé de mi al - ma Due - ño y Guar - da - dor. A - mén.
Sé de mi al - ma, de mi al - ma

365   Con Su Sangre Me Lavó

Tr. A. P. Pierson
Benjamín A. Baur

Benjamín A. Baur

Con su san - gre me la - vó, En el Cal - va - rio él me com - pró;

Por su gra - cia me sal - vó, El Sal - va - dor mi al - ma li - ber - tó.

366 ¡Gloria a Dios En Lo Alto!

T. M. Westrup   CONDADO DE YORK   Wm. B. Bradbury

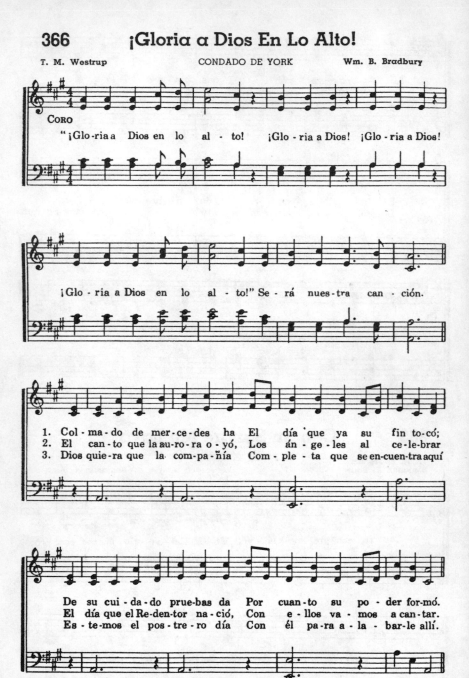

Coro

"¡Glo-ria a Dios en lo al - to! ¡Glo - ria a Dios! ¡Glo - ria a Dios!

¡Glo - ria a Dios en lo al - to!" Se - rá nues-tra can - ción.

1. Col - ma - do de mer-ce-des ha El día que ya su fin to-có;
2. El can - to que la au-ro-ra o - yó, Los án - ge-les al ce-le-brar
3. Dios quie-ra que la com-pa-ñía Com - ple - ta que se en-cuen-tra aquí

De su cui - da - do prue-bas da Por cuan-to su po - der for-mó.
El día que el Re-den-tor na - ció, Con e - llos va - mos a can-tar.
Es - te-mos el pos-tre - ro día Con él pa-ra a - la - bar-le allí.

Coro

¡Glo - ri a a Dios en lo al - to! ¡Glo - ri a a Dios en lo al - to!

Ben - di - ción, lo - or y glo - ria Per - te - ne - cen al Se - ñor, al Se - ñor.

367   Pan Tú Eres, Oh Señor

Guillermo Blair   PAN DE VIDA   William F. Sherwin

1. Pan tú er - es, oh Se - ñor, Pa - ra mi bien, Ro - to en pe -
2. Me in - cli - no en o - ra - ción, en gra - ti - tud, Por pro - vi -
3. La co - pa a - mar - ga fue, be - bis - te alli; Cual hiel y a -
4. Y a - ho - ra al re - cor - dar tu o - bra de a - mor, To - do mi

da - zos fuis - te tú por mí. ¡Cuán gran - de a - mor se vio
sión que nun - ca me - re - cí. Re - ci - be mi can - tar
zo - tes son mis ma - les, sí; Pe - ro tu a - mor cun - dió
ser se lle - na de lo - or. Re - ci - be es - ta ex - pre - sión

por ca - da quien, Al per - mi - tir - te Dios su - frir a - sí!
co - mo ac - ti - tud De a - do - ra - ción sin - ce - ra jun - to a ti.
y en mi lu - gar Ver - tis - te san - gre a - lli pa - ra sal - var.
de a - do - ra - ción Al con - tem - plar - te en re - cor - da - ción. A - mén.

368 Conmigo Sé

Tr. T. M. Westrup y otros
Henry F. Lyte

ATARDECER

William H. Monk

1. Se-ñor Je-sus, el dí-a ya se fue, La no-che cie-rra, oh, con-mi-go sé,
2. Ve-loz el dí-a nuestro huyendo va, Su glo-ria, sus en-sue-ños pa-san ya;
3. Tu gra-cia en to-do el di-a he me-nes-ter; ¿Quién o-tro puede al ten-ta-dor ven-cer?
4. Vea yo al fin en mi pos-trer vi-sión De luz la sen-da que me lle-ve a Sión,

Sin o-tro ampa-ro, tú, por com-pa-sión, Al des-va-li-do da con-so-la-ción.
Mu-dan-za y muerte ve-o en re-dor; No mu-das tú: con-mi-go sé, Se-ñor.
¿Cuál o-tro a-man-te guí-a en-con-tra-ré? En sombra o sol, Se-ñor, con-mi-go sé.
Do a-le-gre can-ta-ré al triun-far la fe: "Je-sús con-migo en vida y muerte fue"

369 Al Huerto Van a Visitar

Ernesto Barocio
Solo

AL HUERTO VAN

J. Lincoln Hall

1. Al huer-to van a vi-si-tar La tum-ba en que su cuer-po es-
2. Cla-va-do fue en la du-ra cruz, Y a-llí su vi-da dio Je-
3. ¿Ha-béis per-di-do lo que a-máis? ¿Vues-tra es-pe-ran-za se a-ca-

tá. Mu-je-res son que a un-gir-lo van; Mas ¿quién la
sús Sus pies, sus ma-nos be-sa-rán; Mas ¿quién la
bó? ¿De un Cris-to muer-to en bus-ca vais? ¡Ya Dios la

rit. e dim.

pie - dra qui - ta - rá? Oh, ¿quién (oh, quién) la qui - ta - rá?
pie - dra qui - ta - rá? Sí, ¿quién (oh, quién) la qui - ta - rá?
pie - dra re - mo - vió! Sí, Dios, (mi Dios) la re - mo - vió.

CORO   *Aprisa*

Na - da te-máis; id al huer - to; Ved su tum-ba a-bier - ta ya;

El que bus-cáis no es-tá muer-to, ¡Re - su - ci - ta - do ha!

Na - da te-máis; vi - ve y rei - na Vues-tro Ma - es-tro y Se - ñor,

Ven-ce-dor, (ven-ce-dor) ven-ce-dor, (ven-ce-dor) Del se-pul-cro Ven-ce-dor.

370 Huye Cual Ave a Tu Monte

G. P. Simmonds, Adapt.
Mrs. M. S. B. Dana

HUYE CUAL AVE

Mrs. M. S. B. Dana

1. Hu-ye cual a-ve a tu mon-te, Al-ma a-bru-ma-da del mal;
2. Quie-re Je-sús hoy sal-var-te, Tu llan-to El en-ju-ga-rá;

A-llí en Je-sús la gran fuen-te La-va tu le-pra mor-tal.
Pro-me-te nun-ca de-jar-te, De-fen-sa e-ter-na se-rá.

Hu-ye del mal ver-gon-zo-so, Cla-ma y a tu ser me-
Ven, pues, va el dí-a vo-lan-do, Ya no an-des más sus-pi-

dro-so Cris-to da-rá su re-po-so, ¡Oh!
ran-do, Ni te de-ten-gas llo-ran-do, Tus

al-ma a-bru-ma-da del mal, ¡Oh! al-ma a-bru-ma-da del mal.
ma-les Je-sús qui-ta-rá, Tus ma-les Je-sús qui-ta-rá.

371 ¡Qué Bella Aurora!

Tr. G. P. Simmonds
W. C. Poole

AMANECER

B. D. Ackley

1. Cuan-do yo lle-gue a la vi-da me-jor, Don-de hay des-can-so de to-do do-lor, Y "bien-ve-ni-do" me di-ga el Se-ñor, ¡Qué au-ro-ra tan be-lla se-rá!.........

2. Cuan-do en su glo-ria con-tem-ple al gran Rey, Con to-dos los re-di-mi-dos por fe, Siem-pre a su nom-bre en-sal-zar-lo po-dré, ¡Qué au-

3. Cuan-do yo de-je es-ta vi-da y su cruz, Cuan-do yo va-ya a es-tar con Je-sús, Cuan-do le mi-re en su fúl-gi-da luz, ¡Qué au-

CORO

¡Qué be-lla au-ro-ra! ¡Qué be-lla au-ro-ra! Que los que mue-ren en Cris-to ve-rán; ¡Qué be-lla au-ro-ra! ¡Qué be-lla au-ro-ra! Que en glo-ria e-ter-na con El go-za-rán.

372   Usa Mi Vida

Tr. J. F. Swanson
Ira B. Wilson

SCHULER

Geo. S. Schuler

Despacio

1. Mu- chos que vi - ven en tu de - rre - dor   Tris- tes, ham-
2. Dí a los tris - tes que Dios es a - mor,   El quie -re
3. To - da tu vi - da hoy rin-de al Se - ñor;   Ca - da mo-

brien-tos es-tán;   Tú, por tu vi - da, les pue-des lle-var
   ham-brient-os están;
dar su per-dón,   A los que vie- nen a Cris- to Je - sús
   sí, dar su per-dón
men - to sé fiel,   O -tros que ve- an en ti Su a-mor
   mo-men-to sé fiel

Rit.   Coro (Hombres)

Go - zo, luz, y ben- di-ción.
Bus- can- do paz, sal - va-ción.   U - sa mi vi - da,
Pron-to se rin-dan a El.

Mujeres

U - sa mi vi - da, Pa - ra tu glo - ria, oh
     sí, tu gloria
(Hombres)

Rit.   (Unidos)   (Mujeres)

Je - sus;   To - dos los dí - as   y hoy   quie-

ad lib.

ro ser,   Tes - ti - go tu - yo, Se-ñor, por do-quier.
Se-ñor, por do - quier,

373   Deseando Está Mi Ser

Tr. T. M. Westrup
George Heath   LABAN   Lowell Mason

1. De - sean-do es-tá mi ser   tus   a - trios, oh Jeho - vá: La
2. Mi   vis - ta vuel-vo a ti;   sé   mi con - so - la - dor;   Aun-
3. E - xi - ges con-tri - ción,   no   me des - pre - cia - rás;   Voy
4. Con - cé - de - me per-dón;   lo   pi - do por Je - sús,   En

paz bus - ca-do he por   do - quier, mas   no   en don-de es - tá.
que an-tes tan re - bel - de fui,   ya   no   lo soy, Se - ñor.
con hu - mil - de con - fe - sión,   y   me   re - ci - bi - rás.
mis pe - li - gros sal - va - ción,   en   mis ti - nie - blas luz. A-mén.

374 Ven Al Maestro

Tr. Francisco Rico
B. B. McKinney

VERDI

Arr. por B. B. McKinney
Giuseppe Verdi

Dúo Andante

1. Oh, ven, si tú es-tás car - ga - do,
2. Oh, ven, si tú es-tás can - sa - do,
3. Oh, ven, si per-dón an - he - las,

Oh, ven, al-ma tris-te hay so-laz;
De an - dar en ca-mi-nos de mal-dad;
Oh, ven, sin de-mo-ra al Se-ñor;

Ven con tus car - gas, ven al buen Con-so - la - dor,
A - rre-pen-ti - do, ven, pon tu fe en el Se - ñor;
To - do ren-di - do, ven con-fi-an-do en Je - sús,

Oh ven, oh, ven, ven que te o-fre-ce des-can-so y paz.
Oh ven, sí ven, ven que te es-pe-ra con gran bon-dad.
Oh ven, sí ven, ven que te es-pe-ra con gran a - mor.

CORO

Ven al Ma - es - tro, ven y la vi - da ten - drás,

Oh ven, oh ven, ven que te o - fre - ce des - can - so y paz.

375 Mi Mano Ten

Tr. T. M. Westrup
Fanny J. Crosby, 1874

BIGLOW

Hubert P. Main

1. Mi ma - no ten, Se - ñor, pues fla - co y dé - bil, Sin ti no
2. Mi ma - no ten; per - mi - te que me a - ni - men Mi re - go -
3. Mi ma - no ten; mi sen - da es te - ne - bro - sa Si no la a -

pue - do ries - gos a - fron - tar; Ten - la Se - ñor, mi
ci - jo, mi es - pe - ran - za en ti; Ten - la Se - ñor, y
lum - bra tu ra - dian - te faz; Por fe si al - can - zo a

vi - da go - zo lle - ne Al ver - me li - bre a - sí de to - do a - zar.
com - pa - si - vo im - pi - de Que cai - ga en mal cual u - na vez ca - í.
per - ci - bir tu glo - ria, ¡Cuán gran - de go - zo! ¡cuán pro - fun - da paz!

376 Haz Que Sienta Tu Presencia

Tr. A. P. Pierson
Maxine R. Anderson

Maxine R. Anderson

Haz que sien - ta tu pre-sen-cia Dia-ria-men-te, oh Se-ñor; Que tu Es-

pí - ri - tu me guí - e por do-quier. Haz que yo tu vo-lun-tad Cum-

pla hoy con dig-ni-dad, Y que sien-ta tu pre-sen-cia, oh Se-ñor.

377 A Prados Verdes

Ernesto Barocio

TINDLEY

F. A. Clark

Andante con expresión

1. A pra-dos ver-des me guí - a mi buen Pas - tor
2. Cuan-do por va-lle de som-bra A cru-zar voy
3. Ha-cia el pa-ís de la vi-da; Do a-mor y paz

En paz a-llí me sus-ten-ta Con tier-no a-mor.
Nin-gún mal te-mo; me guar-da Mi buen pas-tor.
Rei-nan por siem-pre, mi sen-da Me lle-va-rá.

Ri - co a-bun-dan-te es el pas - to Y a-gua de vi - da da;
Pue-de ser du-ro el ca - mi - no, Mas lo tra-zó su a - mor;
Be - lla man-sión y glo - rio - sa Me ha pre-pa-ra-do a - llá

Me cer-can her-mo-sas flo - res; ¿Quién no le se - gui - rá?
Voy a - de - lan-te con-fia - do En su fiel di - rec - ción.
El buen Pas-tor, que su o - ve - ja Nun-ca a-ban-do - na - rá.

CORO Lento

Al fren - te siem-pre el buen Pas - tor Va de su

grey, y con a - mor, A ca-da o - ve -

ja en - trar al fin Ve - rá en su re - dil.

Mándanos Lluvias De Bendición

Tr. A. P. Pierson
B. B. McKinney

MATTHEWS

B. B. McKinney

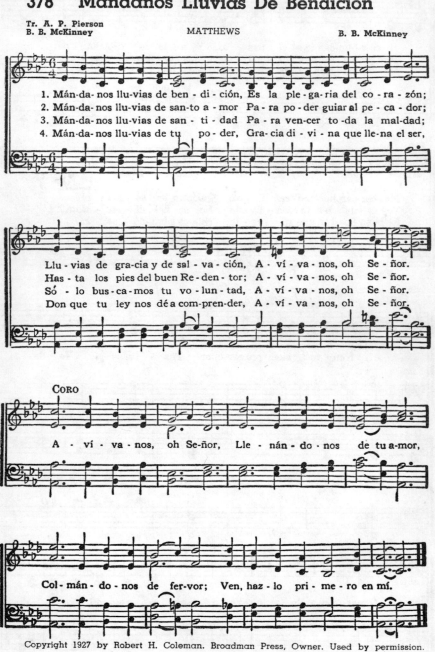

1. Mán-da-nos llu-vias de ben - di - ción, Es la ple-ga-ria del co-ra-zón;
2. Mán-da-nos llu-vias de san-to a - mor Pa-ra po-der guiar al pe-ca-dor;
3. Mán-da-nos llu-vias de san - ti - dad Pa-ra ven-cer to-da la mal-dad;
4. Mán-da-nos llu-vias de tu po-der, Gra-cia di-vi-na que lle-na el ser,

Llu-vias de gra-cia y de sal-va-ción, A-ví-va-nos, oh Se-ñor.
Has-ta los pies del buen Re-den-tor; A-ví-va-nos, oh Se-ñor.
Só-lo bus-ca-mos tu vo-lun-tad, A-ví-va-nos, oh Se-ñor.
Don que tu ley nos dé a com-pren-der, A-ví-va-nos, oh Se-ñor.

CORO

A-ví-va-nos, oh Se-ñor, Lle-nán-do-nos de tu a-mor,

Col-mán-do-nos de fer-vor; Ven, haz-lo pri-me-ro en mí.

379 Mi Jesús Es Un Amigo Fiel

Tr. A. P. Pierson
B. B. McKinney

UN AMIGO FIEL

B. B. McKinney

1. ¡Qué pla-cer al an-dar por la sen-da Do la gra-cia de Dios es luz,
2. Aunque el mundo des-pre-cie mi vi-da Y Sa-tán pug-ne con fu-ror,
3. Fiel tes-ti-go se-ré por mi Cris-to, Ser-vi-ré-le con gran a-mor;

Y de-cir por do-quie-ra la his-to-ria De mi Sal-va-dor Je-sús!
El a-mi-go que siem-pre me au-xi-lia Es Je-sús, mi Sal-va-dor.
Y en la glo-ria di-ré al lo-ar-lo: Es Je-sús, mi Sal-va-dor.

CORO

Mi Je-sús es un a-mi-go fiel, Mi Je-sús es un a-mi-go fiel;

A mi co-ra-zón lle-gó su luz: Fiel a-mi-go es mi Je-sús.

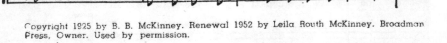

380 Maestro Se Encrespan Las Aguas

Tr. Vicente Mendoza
Mary A. Baker

¡SEA LA PAZ!

Horatius Ray Palmer

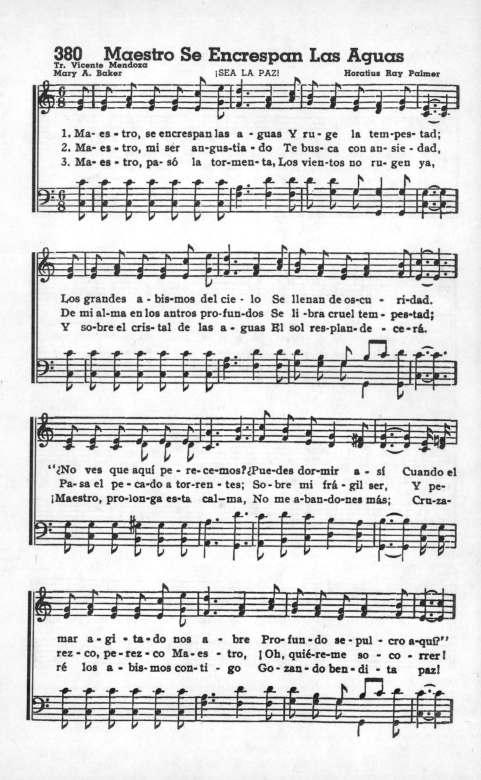

1. Ma-es-tro, se encrespan las a-guas Y ru-ge la tem-pes-tad;
2. Ma-es-tro, mi ser an-gus-tia-do Te bus-ca con an-sie-dad,
3. Ma-es-tro, pa-só la tor-men-ta, Los vien-tos no ru-gen ya,

Los grandes a-bis-mos del cie-lo Se llenan de os-cu-ri-dad.
De mi al-ma en los antros pro-fun-dos Se li-bra cruel tem-pes-tad;
Y so-bre el cris-tal de las a-guas El sol res-plan-de-ce-rá.

"¿No ves que aquí pe-re-ce-mos? ¿Pue-des dor-mir a-sí Cuando el
Pa-sa el pe-ca-do a tor-ren-tes; So-bre mi frá-gil ser, Y pe-
¡Maestro, pro-lon-ga es-ta cal-ma, No me a-ban-do-nes más; Cru-za-

mar a-gi-ta-do nos a-bre Pro-fun-do se-pul-cro a-quí"
rez-co, pe-rez-co Ma-es-tro, ¡Oh, quié-re-me so-co-rrer!
ré los a-bis-mos con-ti-go Go-zan-do ben-di-ta paz!

381 Digno Es El Cordero

Pedro Grado y otros

ONONDAGA

Frank M. Davis

Dig- no, dig- no, Dignoes el Corde-ro de Dios;

Dig - no, Dig - no,

Digno es el Cor-de-ro de Dios. Dig - no es el Cor-

que mu-rió, Dig-no es el Cor-

CUARTETO

de - - - - ro que mu-rió por nuestro bien;

dero que mu-rió, Dig-no es el Cor - dero que mu-rió;

Dig - no es el Cor-de - - ro que mu-rió por nues-tro

Dig-no es el Cor - deroque murió, Dig-no es el Cor-

1   2   Solo

bien; bien. Y con Su sangre para Dios nos re-dimió.

deroque murió; deroque murió

ORDEN DEL CULTO

I Cor. 14:40

LA ALABANZA EN LA ADORACION

PRELUDIO INSTRUMENTAL. Organo, piano, etc. Ayuda a preparar a los concurrentes para la iniciación del culto público a Dios. Sirve de ambiente musical de reverencia para los que meditan, leen sus biblias, oran, etc.

APERTURA DEL CULTO. Esta puede ser una apertura coral, como ser el "Hosanna", No. 2; o una estrofa de "Santo, Santo, Santo", No. 18; etc. Algunos pastores saben leer un par de versículos que glorifican el nombre de Dios, tal como en la Lectura Antifonal No. 13 versículos 1 y 2. Algunos grupos corales saben entrar como en procesión, cantando una estrofa o coro apropiado como lo es el del himno No. 4. Es muy conveniente variar estas aperturas.

INVOCACION. Momentos breves de oración en que se pide al Señor su presencia y que acepte la alabanza y la adoración que la iglesia se propone rendirle. El órgano puede tocar muy suavemente alguna música, hasta que el pastor llegue al final de su oración omitiendo el "amén" para que lo cante el grupo coral.

AMEN CORAL. Generalmente algún 'amén', como el 'Dresden' No. 384, puede usarse.

HIMNO CONGREGACIONAL DE ADORACION. Este debe ser un himno que desde el principio mismo de la reunión corrobore y acondicione los corazones para recibir el sermón.

LAS ESCRITURAS Y LA ORACION EN LA ADORACION

UNA LECTURA BIBLICA. Esta puede ser en forma antifonal entre el pastor y la congregación, o el coro y la congregación, o puede hacerla el pastor únicamente, o variarla según se crea conveniente. Esta es la oportunidad en que los creyentes oyen la Palabra de Dios, quien les habla directamente.

LA DOXOLOGIA MENOR. Podría ser el Gloria Patri, No. 388 entonado por la congregación o por el coro solamente. Es la expresión que glorifica a Dios por su preciosa palabra.

ORACION PASTORAL O MATUTINA. En esta oración el pastor de la iglesia eleva la expresión verbal de la alabanza, glorificación, súplica, intercesión, etc. del pueblo de Dios que habla directamente con él.

RESPUESTA CORAL. Momento en que el coro expresa, en nombre de todos, el deseo de que Dios considere la oración recién pronunciada para prosperarla según sea su santa voluntad.

HIMNO CONGREGACIONAL ALUSIVO AL SERMON. Este, como todos los demás himnos, debiera contribuir al sentir y propósito del sermón.

NUESTRAS DADIVAS EN LA ADORACION

DEDICACION DE LAS DADIVAS. El coro puede cantar alguna estrofa adecuada al momento de las ofrendas, como por ejemplo la primera estrofa del himno No. 84. O bien todos pueden cantar la Doxología Mayor: No. 389.

ORACION DEDICANDO LOS DIEZMOS Y LAS OFRENDAS. Después de la oración se reciben las dádivas de vida, y en seguida se procede a reunir las ofrendas dedicadas al Señor como expresión de adoración.

OFERTORIO INSTRUMENTAL. Esta música instrumental debe ser reverente y conducir a la congregación al ambiente de adoración que se experimenta en la presentación de las dádivas al Señor.

MANA DIVINO EN LA ADORACION

MUSICA ESPECIALMENTE PREPARADA. Esta música también debe ser seleccionada de acuerdo con el tema del sermón e interpretada por el coro, o por algún grupo musical más pequeño, o por algún solista, etc.

SERMON. A cargo del pastor o de otro predicador.

HIMNO DE DECISION. Invitación a los nuevos creyentes cantada por la congregación o por el coro.

ORACION DE CLAUSURA.

BENDICION CORAL. Por ejemplo: la primera estrofa, sin el coro, del himno No. 146, o de otro himno.

POSTLUDIO INSTRUMENTAL. Música más movida, plena de gozo y satisfacción por haber tenido la experiencia de la adoración en el día del Señor.

INDICE ALFABETICO

INDICE DE LOS HIMNOS CLASIFICADOS

Cuando el título y la primera línea de un himno son iguales, aparecen con letra romana; pero si son diferentes, entonces el título está impreso con letras cursivas.

U T I L I D A D

DE LOS TRES INDICES QUE PRECEDEN

El índice de los autores, adaptadores y traductores facilita el trabajo a los que se interesan por los datos himnológicos que se relacionan con los autores de las palabras o versos de los himnos. Entre otros beneficios está el de permitir que a primera vista se puedan ver los números de los himnos que corresponden al autor, adaptador o traductor en cuestión.

El índice de compositores, arregladores u origen melódico, dato que siempre va colocado a la derecha del encabezado de los himnos, permite las mismas observaciones que el de los autores, adaptadores y traductores. Diríamos que son arregladores aquellas personas que, utilizando la melodía de alguna otra fuente, proveen el cuerpo armónico del himno. Hemos empleado la abreviatura "Arr. por" para señalar este hecho. El origen melódico también resulta de interés ya que se refiere a la primera publicación de dicha melodía o a la porción de obras maestras que ha sido extraída para este uso.

El índice de tonadas se refiere al nombre asignado por el compositor, arreglador o en su defecto por alguna casa editorial a la melodía del himno. Así como el poeta pone título a su obra, así también los compositores asignan título o nombre a sus melodías. La inclusión de este índice permite observar el número de veces que se ha incluido tal melodía aunque el autor del poema varíe. También de esta manera es posible cotejar con otros himnarios cuando se desea comparar traducciones o versiones empleadas con la misma melodía. Estos nombres van colocados debajo del título del himno, en el centro del encabezado.

Agradecemos la ayuda de todas las personas que de alguna manera han colaborado para que tengamos tales índices en esta segunda edición de El Nuevo Himnario Popular.

INDICE DE TONADAS

INDICE

COMPOSITORES, ARREGLADORES U ORIGEN MELODICO

INDICE

AUTORES, ADAPTADORES Y TRADUCTORES

Lectura Núm. 27.

LA CENA DEL SEÑOR

(1 Cor. 5:7, 8; 10:16; 11:23-29)

1 Porque nuestra pascua, que es Cristo, fue sacrificada por nosotros.

2 Así que hagamos fiesta, no en la vieja levadura, ni en la levadura de malicia y de maldad, sino en ázimos de sinceridad y de verdad.

3 La copa de bendición que bendecimos, ¿no es la comunión de la sangre de Cristo? El pan que partimos, ¿no es la comunión del cuerpo de Cristo?

4 Porque yo recibí del Señor lo que también os he enseñado: que el Señor Jesús, la noche que fue entregado, tomó pan;

5 Y habiendo dado gracias, lo partió, y dijo: Tomad, comed: esto es mi cuerpo que por vosotros es partido: haced esto en memoria de mí.

6 Asimismo tomó también la copa, después de haber cenado, diciendo: esta copa es el nuevo pacto en mi sangre: haced esto todas las veces que bebiereis, en memoria de mí.

7 Porque todas las veces que comiereis este pan, y bebiereis esta copa, la muerte del Señor anunciáis hasta que venga.

8 De manera que, cualquiera que comiere este pan o bebiere esta copa del Señor indignamente, será culpado del cuerpo y de la sangre del Señor.

9 Por tanto, pruébese cada uno a sí mismo, y coma así de aquel pan, y beba de aquella copa.

10 Porque el que come y bebe indignamente, juicio come y bebe para sí, no discerniendo el cuerpo del Señor.

INDICE DE "LECTURAS ANTIFONALES"

tará el bien a los que en integridad andan.

13 Mi Dios, pues, suplirá todo lo que os falta conforme a sus riquezas en gloria en Cristo Jesús.

---o---

Lectura Núm. 25.

LA RESURRECCION Y LA GRAN COMISION

(Mateo 28:1-9, 16-20)

1 Y la víspera de sábado, que amanece para el primer día de la semana, vino María Magdalena, y la otra María, a ver el sepulcro.

2 Y he aquí, fue hecho un gran terremoto: porque el ángel del Señor, descendiendo del cielo y llegando, había revuelto la piedra, y estaba sentado sobre ella.

3 Y su aspecto era como un relámpago, y su vestido blanco como la nieve.

4 Y de miedo de él los guardas se asombraron, y fueron vueltos como muertos.

5 Y respondiendo el ángel, dijo a las mujeres: no temáis vosotras; porque yo sé que buscáis a Jesús, que fue crucificado.

6 No está aquí; porque ha resucitado, como dijo. Venid, ved el lugar donde fue puesto el Señor.

7 E id presto, decid a sus discípulos que ha resucitado de los muertos: y he aquí va delante de vosotros a Galilea; allí le veréis, he aquí, os lo he dicho.

8 Entonces ellas, saliendo del sepulcro con temor y gran gozo, fueron corriendo a dar las nuevas a sus discípulos. Y mientras iban a dar las nuevas a sus discípulos,

9 He aquí, Jesús les sale al encuentro, diciendo: Salve. Y ellas se llegaron y abrazaron sus pies, y le adoraron.

10 Mas los once discípulos se fueron a Galilea, al monte donde Jesús les había ordenado.

11 Y como le vieron, le adoraron: mas algunos dudaban.

12 Y llegando Jesús, les habló, diciendo: Toda potestad me es dada en el cielo y en la tierra.

13 Por tanto, id y doctrinad a todos los gentiles, bautizándolos en el nombre del Padre, y del Hijo. y del Espíritu Santo:

14 Enseñándoles que guarden todas las cosas que os he mandado: y he aquí, yo estoy con vosotros todos los días, hasta el fin del mundo. Amén.

Lectura Núm. 26.

LA NAVIDAD

(Isaías 9:6; Mateo 1:21-23; Lucas 2:8-19)

1 Porque un niño nos es nacido, hijo nos es dado; y el principado sobre su hombro: y llamaráse su nombre Admirable, Consejero, Dios fuerte, Padre eterno, Príncipe de paz.

2 Y parirá un hijo, y llamarás su nombre Jesús, porque él salvará a su pueblo de sus pecados.

3 Todo esto aconteció para que se cumpliese lo que fue dicho por el Señor, por el profeta que dijo:

4 He aquí la virgen concebirá y parirá un hijo, y llamarás su nombre Emmanuel, que declarado, es: Con nosotros Dios.

5 Y había pastores en la misma tierra, que velaban y guardaban las vigilias de la noche sobre su ganado.

6 Y he aquí el ángel del Señor vino sobre ellos, y la claridad de Dios los cercó de resplandor; y tuvieron gran temor.

7 Mas el ángel les dijo: No temáis; porque he aquí os doy nuevas de gran gozo, que será para todo el pueblo.

8 Que os ha nacido hoy, en la ciudad de David, un Salvador, que es Cristo el Señor.

9 Y esto os será por señal: hallaréis al niño envuelto en pañales, echado en un pesebre.

10 Y repentinamente fue con el ángel una multitud de los ejércitos celestiales, que alababan a Dios, y decían:

11 Gloria en las alturas a Dios, y en la tierra paz, buena voluntad para con los hombres.

Y aconteció que como los ángeles se fueron de ellos al cielo, los pastores dijeron los unos a los otros: Pasemos pues hasta Bethlehem, y veamos esto que ha sucedido, que el Señor nos ha manifestado.

13 Y vinieron apriesa, y hallaron a María, y a José, y al niño acostado en el pesebre.

14 Y viéndolo, hicieron notorio lo que les había sido dicho del niño.

15 Y todos los que oyeron, se maravillaron de lo que los pastores les decían.

16 Mas María guardaba todas estas cosas, confiriéndolas en su corazón.

13 Para presentársela gloriosa para sí, una iglesia que no tuviese mancha ni arruga, ni cosa semejante; sino que fuese santa y sin mancha.—Efes. 5:25-27.

14 En la cual voluntad somos santifcados por la ofrenda del cuerpo de Jesucristo hecha una sola vez.

15 Porque con una sola ofrenda hizo perfectos para siempre a los santificados. —Hebreos 10:10, 14.

16 Sino como aquel que os ha llamado es santo, sed también vosotros santos en toda conversación;

17 Porque escrito está: Sed santos, porque yo soy santo.—1 Pedro 1:15, 16.

18 Seguid la paz con todos, y la santidad, sin la cual nadie verá al Señor.—Hebreos 12:14.

———o———

Lectura Núm. 23.

EL AMOR PERFECTO

(1 Corintios 13:1-13)

1 Si yo hablase lenguas humanas y angélicas, y no tengo caridad, vengo a ser como metal que resuena, o címbalo que retiñe.

2 Y si tuviese profecía, y entendiese todos los misterios y toda ciencia; y si tuviese toda la fe, de tal manera que traspasase los montes, y no tenga caridad, nada soy.

3 Y si repartiese toda mi hacienda para dar de comer a pobres, y si entregase mi cuerpo para ser quemado, y no tengo caridad, de nada me sirve.

4. La caridad es sufrida, es benigna; la caridad no tiene envidia, la caridad no hace sinrazón, no se ensancha;

5 No es injuriosa, no busca lo suyo, no se irrita, no piensa el mal;

6 No se huelga de la injusticia, mas se huelga de la verdad;

7 Todo lo sufre, todo lo cree, todo lo espera, todo lo soporta.

8 La caridad nunca deja de ser: mas las profecías se han de acabar, y cesarán las lenguas, y la ciencia ha de ser quitada;

9 Porque en parte conocemos, y en parte profetizamos;

10 Mas cuando venga lo que es perfecto, entonces lo que es en parte será quitado.

11 Cuando yo era niño, hablaba como niño, pensaba como niño, juzgaba como niño; mas cuando ya fuí hombre hecho, dejé lo que era de niño.

12 Ahora vemos por espejo, en obscuridad; mas entonces veremos cara a cara: ahora conozco en parte; mas entonces conoceré como soy conocido.

13 Y ahora permanecen la fe, la esperanza, y la caridad, estas tres: empero la mayor de ellas es la caridad.

———o———

Lectura Núm. 24.

LIBERALIDAD CRISTIANA

(Proverbios 3:9; 11:25; 13:7; Malaquías 3:8, 10; 2 Cor. 8:9; 1 Cor. 16:2; 2 Cor. 9: 7; Hechos 20:35; Salmo 41:1; Proverbios 19:17; Salmo 84:11; Filipenses 4:19)

1 Honra a Jehová de tu sustancia, y de las primicias de todos tus frutos.

2 El alma liberal será engordada: y el que saciare, él también será saciado.

3 Hay quienes se hacen ricos, y no tienen nada: y hay quienes se hacen pobres, y tienen muchas riquezas.

4 ¿Robará el hombre a Dios? Pues vosotros me habéis robado. Y dijisteis: ¿En qué te hemos robado? Los diezmos y las primicias.

5 Traed todos los diezmos al alfolí, y haya alimento en mi casa; y probadme ahora en esto, dice Jehová de los ejércitos, si no os abriré las ventanas de los cielos, y vaciaré sobre vosotros bendición hasta que sobreabunde.

6 Porque ya sabéis la gracia de nuestro Señor Jesucristo, que por amor de vosotros se hizo pobre, siendo rico; para que vosotros con su pobreza fueseis enriquecidos.

7 Cada primer día de la semana cada uno de vosotros aparte en su casa, guardando lo que por la bondad de Dios pudiere.

8 Cada uno dé como propuso en su corazón: no con tristeza, o por necesidad; porque Dios ama el dador alegre.

9 En todo os he enseñado que, trabajando así, es necesario sobrellevar a los enfermos, y tener presente las palabras del Señor Jesús, el cual dijo: Más bienaventurada cosa es dar que recibir.

10 Bienaventurado el que piensa en el pobre: en el día malo lo librará Jehová.

11 A Jehová empresta el que da al pobre, y él le dará su paga.

12 Gracia y gloria dará Jehová: no qui-

5 Porque no hay diferencia de judío y de griego: porque el mismo que es Señor de todos, rico es para con todos los que le invocan:

6 **Porque todo aquel que invocare el nombre del Señor, sera salvo.**

7 ¿Cómo, pues, invocarán a aquel en el cual no han creído? ¿y cómo creerán a aquel de quien no han oído? ¿y cómo oirán sin haber quien les predique?

8 **¿Y cómo predicarán si no fueren enviados?** Como está escrito: ¡Cuán hermosos son los pies de los que anuncian el evangelio de la paz, de los que anuncian el evangelio de los bienes!

de Dios nuestro Salvador, y su amor para con los hombres,

11 No por obras de justicia que nosotros habíamos hecho, mas por su misericordia nos salvó, por el lavacro de la regeneración, y de la renovación del Espíritu Santo;

12 **El cual derramó en nosotros abundantemente por Jesucristo nuestro Salvador.**

13 Para que, justificados por su gracia, seamos hechos herederos según la esperanza de la vida eterna.—Tito 3:3-7.

14 **Justificados pues por la fe, tenemos paz para con Dios por medio de nuestro Señor Jesucristo.—Romanos 5:1.**

Lectura Núm. 21.

JUSTIFICACION Y REGENERACION

1 Y os daré corazón nuevo, y pondré espíritu nuevo dentro de vosotros; y quitaré de vuestra carne el corazón de piedra, y os daré corazón de carne.

2 **Y pondré dentro de vosotros mi espíritu, y haré que andéis en mis mandamientos, y guardéis mis derechos, y los pongáis por obra.—Ezequiel 36:26, 27.**

3 Respondió Jesús, y díjole: De cierto, de cierto te digo, que el que no naciere otra vez, no puede ver el reino de Dios.

4 **Dícele Nicodemo: ¿Cómo puede el hombre nacer siendo viejo? ¿puede entrar otra vez en el vientre de su madre, y nacer?**

5 Respondió Jesús: De cierto, de cierto te digo, que el que no naciere de agua y del Espíritu, no puede entrar en el reino de Dios.

6 Lo que es nacido de la carne, carne es; y lo que es nacido del Espíritu, espíritu es.

7 No te maravilles de que te dije: os es necesario nacer otra vez.—Juan 3:3-7.

8 **De cierto, de cierto os digo: El que oye mi palabra, y cree al que me ha enviado, tiene vida eterna; y no vendrá a condenación, mas pasó de muerte a vida.—Juan 5:24.**

9 Porque también éramos nosotros necios en otro tiempo, rebeldes, extraviados, sirviendo a concupiscencias y deleites diversos, viviendo en malicia y en envidia, aborrecibles, aborreciendo los unos a los otros.

10 Mas cuando se manifestó la bondad

Lectura Núm. 22.

SANTIFICACION Y SANTIDAD

1 Santifícalos en tu verdad: tu palabra es verdad.

2 **Y por ellos yo me santifico a mí mismo, para que también ellos sean santificados en verdad.—Juan 17:17, 19.**

3 Y Dios, que conoce los corazones, les dio testimonio, dándoles el Espíritu Santo también como a nosotros;

4 **Y ninguna diferencia hizo entre nosotros y ellos, purificando con la fe sus corazones.—Hechos 15:8, 9.**

5 Del juramento que juró a Abraham nuestro padre que nos había de dar.

6 **Que sin temor librados de nuestros enemigos, le serviríamos**

7 En santidad y en justicia delante de él, todos los días nuestros.—Lucas 1:73-75.

8 **Para que abras sus ojos, para que se conviertan de las tinieblas a la luz, y de la potestad de Satanás a Dios; para que reciban, por la fe que es en mí, remisión de pecados y suerte entre los santificados. —Hechos 26:18.**

9 Con Cristo estoy juntamente crucificado, y vivo, no ya yo, mas vive Cristo en mí: y lo que ahora vivo en la carne, lo vivo en la fe del Hijo de Dios, el cual me amó y se entregó a sí mismo por mí. —Gálatas 2:20.

10 **Según nos escogió en él antes de la fundación del mundo, para que fuésemos santos y sin mancha delante de él en amor.—Efes. 1:4.**

11 Cristo amó a la iglesia, y se entregó a sí mismo por ella,

12 **Para santificarla limpiándola en el lavacro del agua por la palabra,**

eterna; mas el que es incrédulo al Hijo, no verá la vida, sino que la ira de Dios está sobre él.

———o———

Lectura Núm. 18.

EL BUEN PASTOR

(Juan 10:1-5, 7-11, 27-30)

1 De cierto, de cierto os digo: El que no entra por la puerta en el corral de las ovejas, mas sube por otra parte, el tal es ladrón y robador.

2 **Mas el que entra por la puerta, el pastor de las ovejas es.**

3 A éste abre el portero, y las ovejas oyen su voz: y a sus ovejas llama por nombre, y las saca.

4 **Y como ha sacado fuera todas las propias, va delante de ellas; y las ovejas le siguen, porque conocen su voz.**

5 Mas al extraño no seguirán, antes huirán de él: porque no conocen la voz de los extraños.

6 De cierto, de cierto os digo: yo soy la puerta de las ovejas.

7 Todos los que antes de mí vinieron, ladrones son y robadores; mas no los oyeron las ovejas.

8 **Yo soy la puerta: el que por mí entrare, será salvo; y entrará, y saldrá, y hallará pastos.**

9 El ladrón no viene sino para hurtar y matar, y destruir; yo he venido para que tengan vida, y para que la tengan en abundancia.

10 **Yo soy el buen pastor: el buen pastor su vida da por las ovejas.**

11 Mis ovejas oyen mi voz, y yo las conozco, y me siguen;

12 **Y yo les doy vida eterna: y no perecerán para siempre, ni nadie las arrebatará de mi mano.**

13 Mi Padre que me las dio, mayor que todos es: y nadie las puede arrebatar de la mano de mi Padre.

14 **Yo y el Padre una cosa somos.**

———o———

Lectura Núm. 19.

LA FE CONSOLADORA

(Juan 14:1-13)

1 No se turbe vuestro corazón: creéis en Dios, creed también en mí.

2 **En la casa de mi Padre muchas moradas hay: de otra manera os lo hubiera dicho: voy, pues, a preparar lugar para vosotros.**

3 Y si me fuere, y os aparejare lugar, vendré otra vez, y os tomaré a mí mismo: para que donde yo estoy, vosotros también estéis.

4 **Y sabéis a dónde yo voy; y sabéis el camino.**

5 Dícele Tomás: Señor, no sabemos a dónde vas: ¿cómo, pues, podemos saber el camino?

6 **Jesús le dice: Yo soy el camino, y la verdad, y la vida: nadie viene al Padre, sino por mí.**

7 Si me conocieseis, también a mi Padre conocierais: y desde ahora le conocéis, y le habéis visto.

8 **Dícele Felipe: Señor, muéstranos el Padre, y nos basta.**

9 Jesús le dice: ¿Tanto tiempo ha que estoy con vosotros, y no me has conocido. Felipe? El que me ha visto, ha visto al Padre; ¿cómo, pues, dices tú: Muéstranos el Padre?

10 **¿No crees que yo soy en el Padre, y el Padre en mí? Las palabras que yo os hablo, no las hablo de mí mismo: mas el Padre que está en mí, él hace las obras.**

11 Creedme que yo soy en el Padre, y el Padre en mí: de otra manera, creedme por las mismas obras.

12 **De cierto, de cierto os digo: el que en mí cree, las obras que yo hago también él las hará; y mayores que éstas hará; porque yo voy al Padre.**

13 Y todo lo que pidiereis al Padre en mi nombre, esto haré, para que el Padre sea glorificado en el Hijo.

———o———

Lectura Núm. 20.

CONFESION DE LA FE

(Romanos 10:8-15)

1 Cercana está la palabra, en tu boca y en tu corazón. Esta es la palabra de fe, la cual predicamos:

2 **Que si confesares con tu boca al Señor Jesús, y creyeres en tu corazón que Dios le levantó de los muertos, serás salvo.**

3 Porque con el corazón se cree para justicia; mas con la boca se hace confesión para salud.

4 **Porque la Escritura dice: Todo aquel que en él creyere, no será avergonzado.**

7 Y la espada del Espíritu; que es la palabra de Dios.

8 Tu palabra es verdad.

9 Toda Escritura es inspirada divinamente y útil para enseñar, para redar- güir, para corregir, para instituir en justicia.

10 Para que el hombre de Dios sea perfecto, enteramente instruído para toda buena obra.

11 Escudriñad las Escrituras, porque a vosotros os parece que en ellas tenéis la vida eterna; y ellas son las que dan testimonio de mí.

12 Porque el que Dios envió, las palabras de Dios habla.

13 Mis palabras que puse en tu boca, no faltarán de tu boca, ni de la boca de tu simiente.

14 La simiente es la palabra de Dios.

15 Siendo renacidos, no de simiente corruptible, sino de incorruptible, por la palabra de Dios, que vive y permanece para siempre.

16 Porque toda carne es como la hierba, y toda la gloria del hombre como la flor de la hierba: secóse la hierba, y la flor se cayó;

17 Mas la palabra del Señor permanece perpetuamente. Y esta es la palabra que por el evangelio os ha sido anunciada.

18 El cielo y la tierra pasarán, mas mis palabras no pasarán.

19 Escrito está: no con solo el pan vivirá el hombre, mas con toda palabra que sale de la boca de Dios.

20 Cualquiera, pues, que me oye estas palabras, y las hace, le compararé a un hombre prudente, que edificó su casa sobre la peña.

21 Bienaventurados los que oyen la palabra de Dios, y la guardan.

————o————

Lectura Núm. 16.

LAS BIENAVENTURANZAS

(Mateo 5:1-12)

1 Y viendo las gentes, subió al monte; y sentándose, se llegaron a él sus discípulos.

2 Y abriendo su boca, les enseñaba, diciendo:

3 Bienaventurados los pobres en espíritu: porque de ellos es el reino de los cielos.

4 Bienaventurados los que lloran: porque ellos recibirán consolación.

5 Bienaventurados los mansos: porque ellos recibirán la tierra por heredad.

6 Bienaventurados los que tienen hambre y sed de justicia: porque ellos serán hartos.

7 Bienaventurados los misericordiosos: porque ellos alcanzarán misericordia.

8 Bienaventurados los de limpio corazón: porque ellos verán a Dios.

9 Bienaventurados los pacificadores: porque ellos serán llamados hijos de Dios.

10 Bienaventurados los que padecen persecución por causa de la justicia: porque de ellos es el reino de los cielos.

11 Bienaventurados sois cuando os vituperaren y os persiguieren, y dijeren de vosotros todo mal por mi causa, mintiendo.

12 Gozaos y alegraos; porque vuestra merced es grande en los cielos: que así persiguieron a los profetas que fueron antes de vosotros.

————o————

Lectura Núm. 17.

"DE TAL MANERA AMO DIOS"

(Juan 3:14-21, 36)

1 Y como Moisés levantó la serpiente en el desierto, así es necesario que el Hijo del hombre sea levantado:

2 Para que todo aquel que en él creyere, no se pierda, sino que tenga vida eterna.

3 Porque de tal manera amó Dios al mundo, que ha dado a su Hijo unigénito, para que todo aquel que en él cree, no se pierda, mas tenga vida eterna.

4 Porque no envió Dios a su Hijo al mundo para que condene al mundo, mas para que el mundo sea salvo por él.

5 El que en él cree, no es condenado; mas el que no cree, ya es condenado, porque no creyó en el nombre del unigénito Hijo de Dios.

6 Y esta es la condenación: porque la luz vino al mundo, y los hombres amaron más las tinieblas que la luz; porque sus obras eran malas.

7 Porque todo aquel que hace lo malo, aborrece la luz y no viene a la luz, porque sus obras no sean redargüidas.

8 Mas el que obra verdad, viene a la luz, para que sus obras sean manifestadas que son hechas en Dios.

9 El que cree en el Hijo, tiene vida

5 El que sacia de bien tu boca de modo que te rejuvenezcas como el águila.

6 Jehová el que hace justicia y derecho a todos los que padecen violencia.

7 Sus caminos notificó a Moisés, y a los hijos de Israel sus obras.

8 Misericordioso y clemente es Jehová; lento para la ira, y grande en misericordia.

9 No contenderá para siempre, ni para siempre guardará el enojo.

10 No ha hecho con nosotros conforme a nuestras iniquidades; ni nos ha pagado conforme a nuestros pecados.

11 Porque como la altura de los cielos sobre la tierra, engrandeció su misericordia sobre los que le temen.

12 Cuanto está lejos el oriente del occidente, hizo alejar de nosotros nuestras rebeliones.

13 Como el padre se compadece de los hijos, se compadece Jehová de los que le temen.

14 Porque él conoce nuestra condición; acuérdase que somos polvo.

15 El hombre, como la hierba son sus días; florece como la flor del campo.

16 Que pasó el viento por ella, y pereció: y su lugar no la conoce más.

17 Mas la misericordia de Jehová desde el siglo y hasta el siglo sobre los que le temen, y su justicia sobre los hijos de los hijos.

18 Sobre los que guardan su pacto, y los que se acuerdan de sus mandamientos para ponerlos por obra.

Lectura Núm. 14.

"A TODOS LOS SEDIENTOS"

(Isaías 55:1-11)

1 A todos los sedientos: venid a las aguas; y los que no tienen dinero, venid, comprad, y comed. Venid, comprad, sin dinero y sin precio, vino y leche.

2 ¿Por qué gastáis el dinero no en pan, y vuestro trabajo no en hartura? Oidme atentamente, y comed del bien, y deleitaráse vuestra alma con grosura.

3 Inclinad vuestros oídos, y venid a mí; oíd, y vivirá vuestra alma; y haré con vosotros pacto eterno, las misericordias firmes a David.

4 He aquí, que yo lo dí por testigo a los pueblos, por jefe y por maestro a las naciones.

5 He aquí, llamarás a gente que no conociste, y gentes que no te conocieron correrán a ti; por causa de Jehová tu Dios, y del Santo de Israel que te ha honrado.

6 Buscad a Jehová mientras puede ser hallado, llamadle en tanto que está cercano.

7 Deje el impío su camino, y el hombre inicuo sus pensamientos; y vuélvase a Jehová, el cual tendrá de él misericordia, y al Dios nuestro, el cual será amplio en perdonar.

8 Porque mis pensamientos no son vuestros pensamientos, ni vuestros caminos mis caminos, dijo Jehová.

9 Como son más altos los cielos que la tierra, así son mis caminos más altos que vuestros caminos, y mis pensamientos más que vuestros pensamientos.

10 Porque como desciende de los cielos la lluvia, y la nieve, y no vuelve allá, sino que harta la tierra, y la hace germinar y producir, y da simiente al que siembra, y pan al que come;

11 Así será mi palabra que sale de mi boca: no volverá a mí vacía, antes hará lo que yo quiero, y será prosperada en aquello para que la envié.

Lectura Núm. 15.

LA PALABRA DE DIOS

(Salmo 119:105, 11, 103; Job 23:12; Jer. 23:29; Hebreos 4:12; Efesios 6:17; Juan 17:17; 2 Tim. 3:16, 17; Juan 5:39; 3:34; Isaías 59:21; Lucas 8:11; 1 Pedro 1:23-25; Mateo 24:35; 4:4; 7:24; Lucas 11:28).

1 Lámpara es a mis pies tu palabra, y lumbrera a mi camino.

2 En mi corazón he guardado tus dichos, para no pecar contra ti.

3 ¡Cuán dulces son a mi paladar tus palabras! Más que la miel a mi boca.

4 Del mandamiento de sus labios nunca me separé; guardé las palabras de su boca más que mi comida.

5 ¿No es mi palabra como el fuego, dice Jehová, y como martillo que quebranta la piedra?

6 Porque la palabra de Dios es viva y eficaz, y más penetrante que toda espada de dos filos: y que alcanza hasta partir el alma, y aun el espíritu, y las coyunturas y tuétanos, y discierne los pensamientos y las intenciones del corazón.

6 Estad quietos, y conoced que yo soy Dios: ensalzado he de ser entre las gentes, ensalzado seré en la tierra.

7 Jehová de los ejércitos es con nosotros; nuestro refugio es el Dios de Jacob.

———o———

Lectura Núm. 11.

DIOS NUESTRO REFUGIO

(Salmo 90:1-10, 12, 16, 17)

1 Señor, tú nos has sido refugio en generación y en generación.

2 Antes que naciesen los montes, y formases la tierra y el mundo, y desde el siglo y hasta el siglo, tú eres Dios.

3 Vuelves al hombre hasta ser quebrantado, y dices: convertíos, hijos de los hombres.

4 Porque mil años delante de tus ojos, son como el día de ayer, que pasó, y como una de las vigilias de la noche.

5 Háceslos pasar como avenida de aguas; son como sueño; como la hierba que crece en la mañana:

6 En la mañana florece y crece; a la tarde es cortada, y se seca.

7 Porque con tu furor somos consumidos, y con tu ira somos conturbados.

8 Pusiste nuestras maldades delante de ti, nuestros yerros a la luz de tu rostro.

9 Porque todos nuestros días declinan a causa de tu ira; acabamos nuestros años como un pensamiento.

10 Los días de nuestra edad son setenta años; que si en los más robustos son ochenta años, con todo su fortaleza es molestia y trabajo; porque es cortado presto y volamos.

11 Enséñanos de tal modo a contar nuestros días, que traigamos al corazón sabiduría.

12 Aparezca en tus siervos tu obra, y tu gloria sobre sus hijos.

13 Y sea la luz de Jehová nuestro Dios sobre nosotros: y ordena en nosotros la obra de nuestras manos, la obra de nuestras manos confirma.

———o———

Lectura Núm. 12.

"TEN PIEDAD DE MI, OH DIOS"

(Salmo 51:1-17)

1 Ten piedad de mí, oh Dios, conforme a tu misericordia: conforme a la multitud de tus piedades borra mis rebeliones.

2 Lávame más y más de mi maldad, y límpiame de mi pecado.

3 Porque yo reconozco mis rebeliones; y mi pecado está siempre delante de mí.

4 A ti, a ti solo he pecado, y he hecho lo malo delante de tus ojos: porque seas reconocido justo en tu palabra, y tenido por puro en tu juicio.

5 He aquí, en maldad he sido formado, y en pecado me concibió mi madre.

6 He aquí, tú amas la verdad en lo íntimo: y en lo secreto me has hecho comprender sabiduría.

7 Purifícame con hisopo, y seré limpio: lávame, y seré emblanquecido más que la nieve.

8 Hazme oir gozo y alegría; y se recrearán los huesos que has abatido.

9 Esconde tu rostro de mis pecados, y borra todas mis maldades.

10 Crea en mí, oh Dios, un corazón limpio; y renueva un espíritu recto dentro de mí.

11 No me eches de delante de ti; y no quites de mí tu santo espíritu.

12 Vuélveme el gozo de tu salud; y el espíritu libre me sustente.

13 Enseñaré a los prevaricadores tus caminos; y los pecadores se convertirán a ti.

14 Líbrame de homicidios, oh Dios, Dios de mi salud: cantará mi lengua tu justicia.

15 Señor, abre mis labios; y publicará mi boca tu alabanza.

16 Porque no quieres tú sacrificio, que yo daría; no quieres holocausto.

17 Los sacrificios de Dios son el espíritu quebrantado: al corazón contrito y humillado no despreciarás tú, oh Dios.

———o———

Lectura Núm. 13.

ACCION DE GRACIAS

(Salmo 103:1-18)

1 Bendice, alma mía, a Jehová; y bendigan todas mis entrañas su santo nombre.

2 Bendice, alma mía, a Jehová, y no olvides ninguno de sus beneficios.

3 El es quien perdona todas tus iniquidades, el que sana todas tus dolencias;

4 El que rescata del hoyo tu vida, el que te corona de favores y misericordias;

4 Antes que se oscurezca el sol, y la luz, y la luna y las estrellas, y las nubes se tornen tras la lluvia:

5 Cuando temblarán los guardas de la casa, y se encorvarán los hombres fuertes, y cesarán las muelas, porque han disminuído, y se oscurecerán los que miran por las ventanas;

6 Y las puertas de afuera se cerrarán, por la bajeza de la voz de la muela; y levantaráse a la voz del ave, y todas las hijas de canción serán humilladas;

7 Cuando también temerán de lo alto, y los tropezones en el camino; y florecerá el almendro, y se agravará la langosta, y perderáse el apetito: porque el hombre va a la casa de su siglo, y los endechadores andarán en derredor por la plaza:

8 Antes que la cadena de plata se quiebre, y se rompa el cuenco de oro, y el cántaro se quiebre junto a la fuente, y la rueda sea rota sobre el pozo;

9 Y el polvo se torne a la tierra, como era, y el espíritu se vuelva a Dios que lo dio.

10 El fin de todo el discurso oído es éste: teme a Dios, y guarda sus mandamientos; porque esto es el todo del hombre.

11 Porque Dios traerá toda obra a juicio, el cual se hará sobre toda cosa oculta, buena o mala.

———o———

Lectura Núm. 9.

CRISTO EN LA PROFECIA

(Isaías 53:1-12)

1 ¿Quién ha creído a nuestro anuncio? ¿y sobre quién se ha manifestado el brazo de Jehová?

2 Y subirá cual renuevo delante de él, y como raíz de tierra seca: no hay parecer en él, ni hermosura: verlo hemos, mas sin atractivo para que le deseemos.

3 Despreciado y desechado entre los hombres, varón de dolores, experimentado en quebranto: y como que escondimos de él el rostro, fue menospreciado, y no lo estimamos.

4 Ciertamente llevó él nuestras enfermedades, y sufrió nuestros dolores; y nosotros le tuvimos por azotado, por herido de Dios y abatido.

5 Mas él herido fue por nuestras rebeliones, molido por nuestros pecados: el castigo de nuestra paz sobre él; y por su llaga fuimos nosotros curados.

6 Todos nosotros nos descarriamos como ovejas, cada cual se apartó por su camino: mas Jehová cargó en él el pecado de todos nosotros.

7 Angustiado él y afligido, no abrió su boca: como cordero fue llevado al matadero; y como oveja delante de sus trasquiladores, enmudeció y no abrió su boca.

8 De la cárcel y del juicio fue quitado; y su generación ¿quién la contará? Porque cortado fue de la tierra de los vivientes; por la rebelión de mi pueblo fue herido.

9 Y dispúsose con los impíos su sepultura, mas con los ricos fue en su muerte; porque nunca hizo él maldad, ni hubo engaño en su boca.

10 Con todo eso Jehová quiso quebrantarlo, sujetándole a padecimiento. Cuando hubiere puesto su vida en expiación por el pecado, verá linaje, vivirá por largos días, y la voluntad de Jehová será en su mano prosperada.

11 Del trabajo de su alma verá y será saciado; con su conocimiento justificará mi siervo justo a muchos, y él llevará las iniquidades de ellos.

12 Por tanto yo le daré parte con los grandes, y con los fuertes repartirá despojos; por cuanto derramó su vida hasta la muerte, y fue contado con los perversos, habiendo él llevado el pecado de muchos, y orado por los transgresores.

———o———

Lectura Núm. 10.

DIOS NUESTRO AMPARO

(Salmo 46:1-5, 10, 11)

1 Dios es nuestro amparo y fortaleza, nuestro pronto auxilio en las tribulaciones.

2 Por tanto no temeremos aunque la tierra sea removida; aunque se traspasen los montes al corazón de la mar.

3 Bramarán, turbaránse sus aguas; temblarán los montes a causa de su braveza.

4 Del río sus conductos alegrarán la ciudad de Dios, el santuario de las tiendas del Altísimo.

5 Dios está en medio de ella; no será conmovida: Dios la ayudará al clarear la mañana.

soberbias; que no se enseñoreen de mí: entonces seré íntegro, y estaré limpio de gran rebelión.

14 Sean gratos los dichos de mi boca y la meditación de mi corazón delante de ti, oh Jehová, roca mía, y redentor mío.

———o———

Lectura Núm. 5.

EL REY DE GLORIA

(Salmo 24:1-10)

1 De Jehová es la tierra y su plenitud; el mundo, y los que en él habitan.

2 Porque él la fundó sobre los mares, y afirmóla sobre los ríos.

3 ¿Quién subirá al monte de Jehová? ¿Y quién estará en el lugar de su santidad?

4 El limpio de manos, y puro de corazón: el que no ha elevado su alma a la vanidad, ni jurado con engaño.

5 El recibirá bendición de Jehová, y justicia del Dios de salud.

6 Tal es la generación de los que le buscan, de los que buscan tu rostro, oh Dios de Jacob.

7 Alzad, oh puertas, vuestras cabezas, y alzaos vosotras, puertas eternas, y entrará el Rey de gloria.

8 ¿Quién es este Rey de gloria? Jehová el fuerte y valiente, Jehová el poderoso en batalla.

9 Alzad, oh puertas, vuestras cabezas, y alzaos vosotras, puertas eternas, y entrará el Rey de gloria.

10 ¿Quién es este Rey de gloria? Jehová de los ejércitos, él es el Rey de la gloria.

———o———

Lectura Núm. 6.

EL VARON PIADOSO

(Salmo 1)

1 Bienaventurado el varón que no anduvo en consejo de malos, ni estuvo en camino de pecadores, ni en silla de escarnecedores se ha sentado;

2 Antes en la ley de Jehová está su delicia, y en su ley medita de día y de noche.

3 Y será como el árbol plantado junto a arroyos de aguas, que da su fruto en su

tiempo, y su hoja no cae; y todo lo que hace, prosperará.

4 No así los malos: sino como el tamo que arrebata el viento.

5 Por tanto no se levantarán los malos en el juicio, ni los pecadores en la congregación de los justos.

6 Porque Jehová conoce el camino de los justos; mas la senda de los malos perecerá.

———o———

Lectura Núm. 7.

EL SALMO PASTORIL

(Salmo 23:1-6)

1 Jehová es mi pastor; nada me faltará.

2 En lugares de delicados pastos me hará yacer: junto a aguas de reposo me pastoreará.

3 Confortará mi alma; guiaráme por sendas de justicia por amor de su nombre.

4 Aunque ande en valle de sombra de muerte, no temeré mal alguno; porque tú estarás conmigo: tu vara y tu cayado me infundirán aliento.

5 Aderezarás mesa delante de mí, en presencia de mis angustiadores: ungiste mi cabeza con aceite: mi copa está rebosando.

6 Ciertamente el bien y la misericordia me seguirán todos los días de mi vida: y en la casa de Jehová moraré por largos días.

———o———

Lectura Núm. 8.

"ACUERDATE DE TU CREADOR"

(Eccles. 11:9, 10; 12:1-7, 13, 14)

1 Alégrate, mancebo, en tu mocedad, y tome placer tu corazón en los días de tu juventud; y anda en los caminos de tu corazón, y en la vista de tus ojos: mas sabe, que sobre todas estas cosas te traerá Dios a juicio.

2 Quita pues el enojo de tu corazón, y aparta el mal de tu carne: porque la mocedad y la juventud son vanidad.

3 Y acuérdate de tu Criador en los días de tu juventud, antes que vengan los malos días, y lleguen los años, de los cuales digas, no tengo en ellos contentamiento;

7 Irán de fortaleza en fortaleza, verán a Dios en Sión.

8 Jehová Dios de los ejércitos, oye mi oración: escucha, oh Dios de Jacob.

9 Mira, oh Dios, escudo nuestro, y pon los ojos en el rostro de tu ungido.

10 Porque mejor es un día en tus atrios que mil fuera de ellos: Escogería antes estar a la puerta de la casa de mi Dios, que habitar en las moradas de maldad.

11 Porque sol y escudo es Jehová Dios: gracia y gloria dará Jehová: no quitará el bien a los que en integridad andan.

12 Jehová de los ejércitos, dichoso el hombre que en ti confía.

———o———

Lectura Núm. 3.

HONRANDO EL DIA DEL SEÑOR

(Gén. 2:1-3; Exodo 20:8-10; Marcos 2:23-28; Hechos 20:7; 1 Cor. 16:2; Hechos 2:1)

1 Y fueron acabados los cielos y la tierra, y todo su ornamento.

2 Y acabó Dios en el día séptimo su obra que hizo, y reposó el día séptimo de toda su obra que había hecho.

3 Y bendijo Dios al día séptimo, y santificólo, porque en él reposó de toda su obra que había Dios criado y hecho.

4 Acordarte has del día del reposo, para santificarlo:

5 Seis días trabajarás, y harás toda tu obra;

6 Mas el séptimo día será reposo para Jehová tu Dios: no hagas en él obra alguna, tú, ni tu hijo, ni tu hija, ni tu siervo, ni tu criada, ni tu bestia, ni tu extranjero que está dentro de tus puertas.

7 Y aconteció que pasando él por los sembrados en sábado, sus discípulos andando comenzaron a arrancar espigas.

8 Entonces los Fariseos le dijeron: He aquí, ¿por qué hacen en sábado lo que no es lícito?

9 Y él les dijo: ¿Nunca leísteis qué hizo David cuando tuvo necesidad, y tuvo hambre, él y los que con él estaban:

10 Cómo entró en la casa de Dios, siendo Abiathar sumo pontífice, y comió los panes de la proposición, de los cuales no es lícito comer sino a los sacerdotes, y aun dio a los que con él estaban?

11 También les dijo: El sábado por causa del hombre es hecho; no el hombre por causa del sábado.

12 Así que el Hijo del hombre es Señor aun del sábado.

13 Y el día primero de la semana, juntos los discípulos a partir el pan, Pablo les enseñaba.

14 Cada primer día de la semana cada uno de vosotros aparte en su casa, guardando lo que por la bondad de Dios pudiere.

15 Y como se cumplieron los días de Pentecostés (el quincuagésimo día después del Sábado pascual, siendo el día primero de la semana), estaban todos unánimes juntos.

———o———

Lectura Núm. 4.

DIOS REVELADO EN LA NATURALEZA

(Salmo 19:1-14)

1 Los cielos cuentan la gloria de Dios, y la expansión denuncia la obra de sus manos.

2 El un día emite palabra al otro día, y la una noche a la otra noche declara sabiduría.

3 No hay dicho, ni palabras, ni es oída su voz.

4 Por toda la tierra salió su hilo, y al cabo del mundo sus palabras. En ellos puso tabernáculo para el sol.

5 Y él, como un novio que sale de su tálamo, alégrase cual gigante para correr el camino.

6 Del un cabo de los cielos es su salida, y su giro hasta la extremidad de ellos: y no hay quien se esconda de su calor.

7 La ley de Jehová es perfecta, que vuelve el alma: el testimonio de Jehová, fiel, que hace sabio al pequeño.

8 Los mandamientos de Jehová son rectos, que alegran el corazón: el precepto de Jehová, puro, que alumbra los ojos.

9 El temor de Jehová, limpio, que permanece para siempre; los juicios de Jehová son verdad, todos justos.

10 Deseables son más que el oro, y más que mucho oro afinado; y dulces más que miel, y que la que destila del panal.

11 Tu siervo es además amonestado con ellos: en guardarlos hay grande galardón.

12 Los errores, ¿quién los entenderá? Líbrame de los que me son ocultos.

13 Detén asimismo a tu siervo de las

LECTURAS ANTIFONALES

Lectura Núm. 1.

LOS DIEZ MANDAMIENTOS

(Exodo 20:1-17)

1 Y habló Dios todas estas palabras, diciendo:
2 Yo soy JEHOVA tu Dios, que te saqué de la tierra de Egipto, de casa de siervos.

I.

3 No tendrás dioses ajenos delante de mí.

II.

4 No te harás imagen, ni ninguna semejanza de cosa que esté arriba en el cielo, ni abajo en la tierra, ni en las aguas debajo de la tierra:
5 No te inclinarás a ellas, ni las honrarás; porque yo soy Jehová tu Dios, fuerte, celoso, que visito la maldad de los padres sobre los hijos, sobre los terceros y sobre los cuartos, a los que me aborrecen.
6 Y que hago misericordia en millares a los que me aman, y guardan mis mandamientos.

III.

7 No tomarás el nombre de Jehová tu Dios en vano; porque no dará por inocente Jehová al que tomare su nombre en vano.

IV.

8 Acordarte has del día del reposo, para santificarlo.
9 Seis días trabajarás, y harás toda tu obra;
10 Mas el séptimo día será reposo para Jehová tu Dios: no hagas en él obra alguna, tú, ni tu hijo, ni tu hija, ni tu siervo, ni tu criada, ni tu bestia, ni tu extranjero que está dentro de tus puertas:
11 Porque en seis días hizo Jehová los cielos y la tierra, la mar y todas las cosas que en ellos hay, y reposó en el séptimo día: por tanto Jehová bendijo el día del reposo y lo santificó.

V.

12 Honra a tu padre y a tu madre, porque tus días se alarguen en la tierra que Jehová tu Dios te da.

VI.

13 No matarás.

VII.

14 No cometerás adulterio.

VIII.

15 No hurtarás.

IX.

16 No hablarás contra tu prójimo falso testimonio.

X.

17 No codiciarás la casa de tu prójimo, no codiciarás la mujer de tu prójimo, ni su siervo, ni su criada, ni su buey, ni su asno, ni cosa alguna de tu prójimo.

---o---

Lectura Núm. 2.

HERMOSURA DEL SANTUARIO

(Salmo 84:1-12)

1 ¡Cuán amables son tus moradas, oh Jehová de los ejércitos!
2 Codicia y aun ardientemente desea mi alma los atrios de Jehová: Mi corazón y mi carne cantan al Dios vivo.
3 Aun el gorrión halla casa, y la golondrina nido para sí, donde ponga sus pollos en tus altares, oh Jehová de los ejércitos, Rey mío, y Dios mío.
4 Bienaventurados los que habitan en tu casa: perpetuamente te alabarán.
5 Bienaventurado el hombre que tiene su fortaleza en ti; en cuyo corazón están tus caminos.
6 Atravesando el valle de Baca (lágrimas), pónenle por fuente, cuando la lluvia llena los estanques.

388

Gloria Patri

Es traducción

DOXOLOGIA MENOR

Cristóforo Meinecke

Glo - ria de - mos al Pa - dre, Al Hi - jo y al San-to Es-

pí - ri - tu; Co - mo e - ran al prin - ci - pio, Son

hoy y ha-brán de ser, E - ter - na - men - te. A - MÉN.

389

A Dios, El Padre Celestial

Es traducción
Thomas Ken

DOXOLOGIA MAYOR
(El Antiguo Cien)

Guillermo Franc
En Salterio de Ginebra, 1551

A Dios el Pa - dre ce - les-tial, Al Hi - jo nues-tro Re - den-tor,

Y al e - ter - nal Con - so - la - dor, U - ni - dos to - dos a - la - bad.

386   Feliz, Feliz Cumpleaños

Tr. S. Euresti
Eliza E. Hewitt

CUMBRE

Grant Colfax Tullar

1. Fe - liz, fe - liz cum-plea-ños De - sea-mos pa - ra ti, Que el Dios Om-ni-po-
2. A Dios le da-mos gra-cias Que con a - mor sin par, Al fin de otro año her-

CORO

ten - te Te quie - ra ben - de - cir. ¡Fe - liz, fe - liz cum-plea-ños! Que
mo - so Te per - mi - tió lle - gar.

Dios en su bon-dad Te dé muy lar - ga vi - da, sa - lud, fe - li - ci - dad.

387   Respuesta Coral

Tr. Geo. P. Simmonds
George Whelpton

OYENOS, OH DIOS

George Whelpton

O - ye - nos, oh Dios, O - ye - nos, oh Dios,

A - tien - de a nues - tra voz, Y da - nos tu paz. A - mén.

DÚO.

Y con su sangre para Dios nos redimió, Nos redi-mió,
Nos re-di-
nos redi-mió,

mió nos re - di - mió
nos re - di - mió
Y con su san - gre la vi - da nos dio

ff ANIMOSO

A - le - lu - yas, glo - rias y hon - ras al
A - le - lu - yas, glo - rias y hon - ras al

san - to Cor - de - ro, por siem - pre y siem - pre
san - to Cor - de - ro, por siem - pre y (omít.........)

siem-pre, siem-pre, siem-pre, siem-pre, A - mén, A - mén.
siem-pre, y siem-pre, y siem-pre, y siem-pre, A - mén, A - mén.

382 Es El Tiempo De La Siega

Es traducción
Charles H. Gabriel

SE NECESITAN SEGADORES

Charles H. Gabriel

1. Es el tiem-po de la sie-ga y tú sin va-ci-lar, De-cla-ran-do
2. Las ga-vi-llas que re-co-jas, jo-yas de es-plen-dor, Bri-lla-rán en
3. Va pa-san-do la ma-ña-na, y nun-ca vol-ve-rá, Pronto el tiempo

con hol-gu-ra "no hay que tra-ba-jar," Mien-tras tan-to que el Ma-es-tro
la co-ro-na que da-rá el Se-ñor. Bus-ca pron-to e-ter-nas jo-yas,
de la sie-ga a-quí ter-mi-na-rá, Te ha-lla-rás al fin va-cí-o

te vuel-ve a lla-mar, Jo-ven, jo-ven, Ven tra-ba-ja ya.
Dios es pre-mia-dor. Jo-ven, jo-ven, Ven tra-ba-ja ya.
an-te tu Cria-dor. Jo-ven, jo-ven, Ven tra-ba-ja ya.

CORO

Ven, y ve los cam-pos blan-cos, co-mo es-tán
Ven, y ve los cam-pos, blan-cos ya es-tán los cam-pos

Ven, y ve los cam-pos blan-cos

A-guar-dan-do ma-nos que los se-ga-rán.
A-guar-dan-do ma-nos que los se-ga-rán. ¡Oh, jo-ven!

¿Quién? ¡oh! ¿quién los se-ga-rá? ¡Oh!

Jo-ven, ¡des-pier-ta! Haz-lo pron-to y a-ler-ta, Sé el pri-me-ro en de-

cir-le "he-me a-quí, Se - ñor." Por do - quier se in-
"he-me a-quí, sí, he-me a-quí." Por do-quier se in-cli

res-pon-de! Por do - quier

cli - na la ma-du - ra mies Que las au-ras mue-ven,
na la ma-du - ra mies, ved la mies Que las au-ras mue - ven,

se in - cli - na la ma - du - ra mies, ¡oh,

y ¡qué be - lla es! Jo - ven, ¡des-pier - ta! haz - lo
y ¡qué be - lla es! ¡Oh jo - ven!

qué be - lla es!

pron-to y a-ler-ta, Po-cos dí - as hay que res-tan pa-ra el se - ga-dor.

Tu Tiempo Consagra

Tr. T. M. Westrup
W. D. Longstaff

SANTIDAD

George C. Stebbins

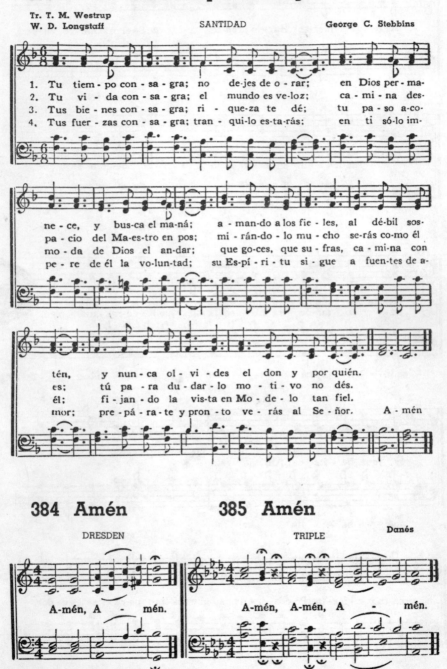

1. Tu tiem - po con - sa - gra; no de-jes de o - rar; en Dios per - ma-
2. Tu vi - da con - sa - gra; el mundo es ve-loz; ca - mi - na des-
3. Tus bie - nes con - sa - gra; ri - que-za te dé; tu pa - so a-co-
4. Tus fuer - zas con - sa - gra; tran - qui-lo es-ta-rás; en ti só-lo im-

ne - ce, y bus-ca el ma-ná; a - man-do a los fie - les, al dé-bil sos-
pa - cio del Ma-es-tro en pos; mi - rán-do - lo mu - cho se-rás co-mo él
mo - da de Dios el an-dar; que go-ces, que su - fras, ca - mi-na con
pe - re de él la vo-lun-tad; su Es-pí - ri - tu si - gue a fuen-tes de a-

tén, y nun - ca ol - vi - des el don y por quién.
es; tú pa - ra du - dar-lo mo - ti - vo no dés.
él; fi - jan-do la vis-ta en Mo - de - lo tan fiel.
mor; pre-pá - ra-te y pron-to ve - rás al Se - ñor. A - mén

384 Amén

DRESDEN

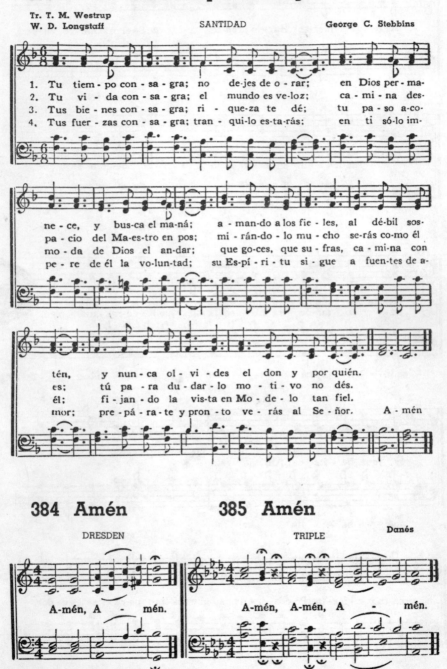

A-mén, A - mén.

385 Amén

TRIPLE

Danés

A-mén, A-mén, A - mén.